#실력향상
#고득점

내신전략
고등 영어

Chunjae
Makes
Chunjae

▼

[내신전략] 고등 영어 독해

편집개발	김보영, 최윤정, 최미래
디자인총괄	김희정
표지디자인	윤순미, 심지영
내지디자인	박희춘, 조유정
제작	황성진, 조규영

발행일	2022년 2월 15일 초판 2022년 2월 15일 1쇄
발행인	(주)천재교육
주소	서울시 금천구 가산로9길 54
신고번호	제2001-000018호
고객센터	1577-0902
교재 내용문의	(02)3282-1708

시험적중

내신전략

고등 영어 독해

BOOK 1

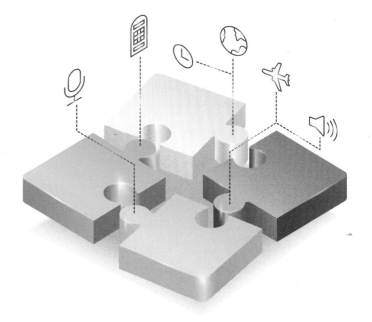

이 책의 구성과 활용

BOOK 1 (1주, 2주)
BOOK 2 (1주, 2주)
BOOK 3 (정답과 해설)

이 책은 3권으로 이루어져 있는데 본책인 BOOK 1 · 2의 구성은 아래와 같아.

주 도입 1주 · 2주 + 1주 · 2주

이번 주에 배울 내용이 무엇인지 안내하는 부분입니다. 재미있는 만화를 통해 앞으로 공부할 내용을 미리 살펴봅니다.

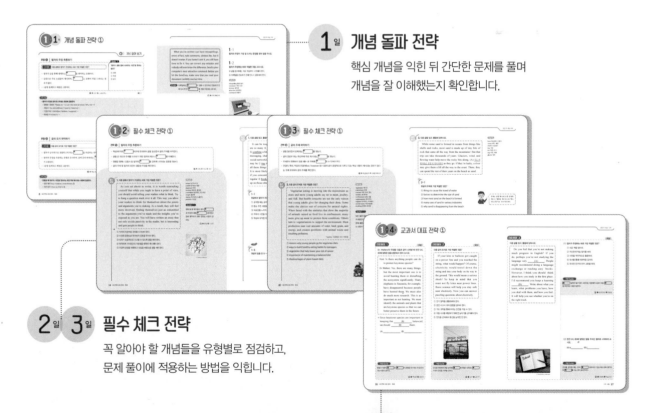

1일 개념 돌파 전략

핵심 개념을 익힌 뒤 간단한 문제를 풀며 개념을 잘 이해했는지 확인합니다.

2일 3일 필수 체크 전략

꼭 알아야 할 개념들을 유형별로 점검하고, 문제 풀이에 적용하는 방법을 익힙니다.

4일 교과서 대표 전략

교과서 지문으로 구성된 대표 유형의 문제를 풀어 볼 수 있습니다. 문제에 접근하는 것이 어려울 때는 '개념 Guide'를 참고할 수 있습니다.

주 마무리와 권 마무리의 특별 코너들로 영어 실력이 더 탄탄해 질 거야!

주 마무리 코너

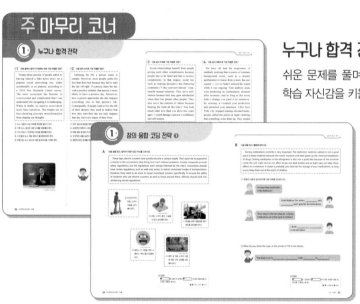

누구나 합격 전략

쉬운 문제를 풀며 공부한 내용을 정리하고
학습 자신감을 키울 수 있습니다.

창의·융합·코딩 전략

융복합적 사고력과 해결력을 길러 주는 문제를
풀며 한 주의 학습을 마무리합니다.

권 마무리 코너

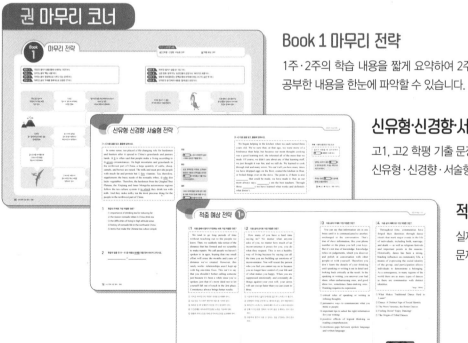

Book 1 마무리 전략

1주·2주의 학습 내용을 짧게 요약하여 2주 동안
공부한 내용을 한눈에 파악할 수 있습니다.

신유형·신경향·서술형 전략

고1, 고2 학평 기출 문장을 바탕으로 한
신유형·신경향·서술형 문제를 제공합니다.

적중 예상 전략

실제 시험에 대비할 수 있는 모의 실전
문제를 2회로 구성하였습니다.

이 책의
차례

1주 중심 내용 파악하기 ❶

- 필자의 주장 추론하기
- 글의 요지 파악하기
- 글의 주제 파악하기
- 글의 제목 추론하기

2주 중심 내용 파악하기 ❷

- 글의 목적 추측하기
- 심경 변화, 분위기 파악하기
- 밑줄 친 부분의 의미 파악하기
- 한 문장으로 요약하기

권 마무리 코너

심술궂은 여우가 두루미에게 "맛있는 음식을 대접하고 싶어요."라고 말하면서 두루미를 자신의 집으로 초대했다. 여우는 두루미에게 평소 자신이 사용하던 납작한 접시에 담긴 수프를 내밀었다. 두루미는 부리가 길기 때문에 수프를 먹을 수 없었다. 여우는 왜 두루미가 수프를 먹지 않는지 의아했지만 그냥 혼자 맛있게 수프를 먹었다.

다음 날 두루미는 여우에게 "예전에 음식 대접을 잘 해서 고마웠어요. 이번에는 내가 맛있는 음식을 준비했으니 어서 오세요."라고 말하면서 여우를 자신의 집으로 초대했다.

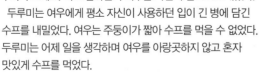

두루미는 여우에게 평소 자신이 사용하던 입이 긴 병에 담긴 수프를 내밀었다. 여우는 주둥이가 짧아 수프를 먹을 수 없었다. 두루미는 어제 일을 생각하며 여우를 아랑곳하지 않고 혼자 맛있게 수프를 먹었다.

글의 제목 추론하기

이 글의 제목은 '여우와 두루미'입니다.

글의 주제 추론하기

이 글의 주제는 '다른 사람을 배려하자'입니다.

필자의 주장 추론하기

준호와 민지가 글의 제목과 주제를 잘 이야기해 주었어요.

이번엔 재석이와 수영이가 글쓴이의 주장과 글의 요지를 말해 볼까요?

글쓴이는 남에게 상처를 주게 되면 자신도 같은 식으로 상처를 받게 될 수 있다고 주장합니다.

선생님... 그런데 전 글의 요지랑 주제가 뭐가 다른지 잘 모르겠어요. 같은 거 아닌가요?

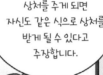

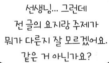

main idea (요지)
= topic (주제) + 작가의 opinion (견해, 의견)

글의 주제는 영어로 topic을 말해요. 즉, 글의 알맹이, 즉 글의 내용이 '무엇'인가를 파악하는 것입니다. 대부분의 주제는 한두 마디의 짧은 단어나 어구로 말할 수 있어요.

글의 요지는 영어로 main idea인데, 글의 주제에 작가의 견해(opinion)를 덧붙여 문장으로 요약 정리한 것을 말합니다. 즉, 글의 요지는 보통 작가가 이 글을 쓰면서 말하고 싶은 자신의 견해나 주장을 포함합니다.

글의 요지 파악하기

참 잘했어요! 축하축하!!

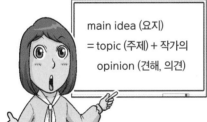

이제 알겠어요. 그러니까 이 글의 주제는 '배려, 남을 배려하는 마음'이라면, 요지는 '남을 배려하되, 자신의 입장에서만 생각하지 말고, 타인의 입장에서 배려할 줄 알아야 한다.' 이렇게 하면 되겠네요!!

1주 1일 개념 돌파 전략 ①

유형 ❶ │ 필자의 주장 추론하기

지시문 다음 글에서 필자가 주장하는 바로 가장 적절한 것은?

- 필자가 글을 통해 내세우는 ❶ [   ]을 파악하는 유형이다.
- 글감으로 주로 논설문이 제시되며, '❷ [   ]'는 표현이 직접 드러나는 경우가 많다.
- 1문항 출제되고 배점은 2점이다.

Quiz 1

'필자가 글을 통해 내세우는 의견'을 뜻하는 말은?

① 제목
② 주장
③ 요지

답 ❶ 의견 ❷ ~해야 한다   답 ②

유형 Tip

- 필자의 의견을 강하게 드러내는 표현에 집중한다.
  - 명령문·청유문: Please do ~! / Let it be done at once! / Why not ~?
  - 조동사: You should[must / have to / need to] ~.
  - 1인칭 주어: I think[bet / believe / suppose] ~.
  - 최상급: It is best to ~.

당위(necessary), 강조(important),
필자의 견해(I insist ~ / I suggest ~)
를 나타내는 표현에도 유의해.

유형 ❷ │ 글의 요지 파악하기

지시문 다음 글의 요지로 가장 적절한 것은?

- 필자가 궁극적으로 전달하고자 하는 ❶ [   ]을 추론하는 유형이다.
- 필자의 주장을 추론하는 유형과 유사하며, 글에 흔히 반복되는 ❷ [   ]가 포함된다.
- 1문항 출제되고 배점은 2점이다.

Quiz 2

'글의 핵심 내용'을 뜻하는 말은?

① 요지
② 주장
③ 근거

답 ❶ 핵심 내용 ❷ 핵심어(구)   답 ①

유형 Tip

- 반론을 제기하거나 의견을 정리하는 표현 뒤에 제시되는 내용에 집중한다.
  - 반론 제기: but, however, nevertheless 등
  - 의견 정리: thus, so, that is 등

1-1
필자의 주장이 가장 잘 드러난 문장을 찾아 밑줄 치시오.

1-2
필자가 주장하는 바로 적절한 것을 고르시오.

ⓐ 글을 쓸 때에는 개요 작성부터 시작해야 한다.

ⓑ 이메일을 전송하기 전에 반드시 검토해야 한다.

Words

misspelling 틀린 철자
comment 지적, 비판
obvious 명백한
attractive 매력적인
command 명령어

What you've written can have misspellings, errors of fact, rude comments, obvious lies, but it doesn't matter. If you haven't sent it, you still have time to fix it. You can correct any mistake and nobody will ever know the difference. Send is your computer's most attractive command. Before you hit the Send key, make sure that you read your document carefully one last time.

Guide 이메일에는 ❶ [　　　] 가 있을 수 있으므로 전송하기 전에 다시 한 번 ❷ [　　　] 볼 것을 주장하는 글이다.

답 ❶ 오류 ❷ 읽어

2-1
글의 핵심어를 찾아 한 단어로 쓰시오.

2-2
글의 요지로 적절한 것을 고르시오.

ⓐ 자기 의심은 스트레스를 유발하고, 객관적 판단을 흐린다.

ⓑ 적절한 수준의 스트레스는 과제 수행의 효율을 높인다.

Words

bother 괴롭히다
neutral 중립적인
genuinely 진짜로, 정말로
reflection 반영
shortcoming 단점

It's not the pressure to perform that creates your stress. Rather, it's the self-doubt that bothers you. Doubt causes you to see positive, neutral, and even genuinely negative experiences more negatively and as a reflection of your own shortcomings. When you see situations and your strengths more objectively, you are less likely to have doubt as the source of your distress.

Guide ❶ [　　　] 이 상황이나 경험에 대한 ❷ [　　　] 판단을 방해한다는 내용의 글이다.

답 ❶ 자기 의심 ❷ 객관적

● ○ 개념 짚어 보기

유형 ❸ | 글의 주제 파악하기

지시문 다음 글의 주제로 가장 적절한 것은?

- 글이 중점적으로 다루고 있는 [❶_____]가 무엇인지 찾는 유형이다.
- 보통 글의 주제는 핵심어(구)를 포함한 [❷_____]의 형태로 제시된다.
- 1문항 출제되고 배점은 2점이다.

답 ❶ 문제 ❷ 명사구

Quiz 3

'글이 중점적으로 다루고 있는 문제'를 뜻하는 말은?

① 주제
② 제목
③ 요지

답 ①

유형 Tip

- **결론, 대조, 예시를 나타내는 표현의 앞뒤 내용이 주제문일 가능성이 높다.**
  - 결론: therefore, in short, in conclusion 등
  - 대조: but, however, while, on the contrary, in contrast 등
  - 예시: for example, for instance 등

요지·주제·제목을 찾을 때는 주어진 글의 내용과 비교해서 너무 포괄적이거나 지엽적인 것은 피해야 해.

유형 ❹ | 글의 제목 추론하기

지시문 다음 글의 제목으로 가장 적절한 것은?

- 글의 [❶_____]를 함축적으로 나타낸 이름인 제목을 고르는 유형이다.
- 글에서 반복되는 [❷_____]를 중심으로 글 전체를 아우르는 제목을 찾는 것이 관건이다.
- 1지문 2문항 유형을 포함하여 총 2문항 출제되고 배점은 각각 2점이다.

답 ❶ 주제 ❷ 핵심어(구)

Quiz 4

'글의 주제를 함축적으로 표현한 이름'을 뜻하는 말은?

① 요약
② 소재
③ 제목

답 ③

유형 Tip

- **글의 핵심어(구)가 제목의 중요한 단서이다.**
- **글의 첫 문장이나 마지막 문장에 핵심 내용이 드러나 있는 경우가 많다.**
- **제목은 간접적, 비유적 표현으로도 제시되기 때문에 글의 핵심 내용을 포괄할 수 있는지 반드시 확인한다.**

When one person lies, their responses will come more slowly because the brain needs more time to process the details of a new invention than to recall stored facts. You will notice the time lag when you are having a conversation with someone who is making things up as they go. Don't forget that the other person may be reading your body language as well, and if you seem to be disbelieving their story, they will have to pause to process that information, too.

Guide 대화를 할 때 ❶[　　　　]을 하게 되면 반응하는 데 시간이 ❷[　　　　]는 내용의 글이다.

🔑 ❶ 거짓말 ❷ 더 걸린다

3-1
글의 핵심어를 찾아 한 단어로 쓰시오.

3-2
글의 주제로 적절한 것을 고르시오.

ⓐ delayed responses as a sign of lying
ⓑ necessity of white lies in social settings

Words

response 반응
process 처리하다
invention 꾸며낸 이야기, 창작
recall 기억해 내다
disbelieve 믿지 않다, 의심하다
pause 잠시 멈추다

© Den Rozhnovsky / shutterstock

Think, for a moment, about something you bought that you never ended up using. All the things we buy that then just sit there gathering dust are waste — a waste of money, a waste of time, and waste in the sense of pure rubbish. As the author Clive Hamilton observes, 'The difference between the stuff we buy and what we use is waste.'

Guide 사 놓고 사용하지 않는 ❶[　　　　]을 구입하는 데 많은 돈을 쓰는 것은 돈과 시간의 ❷[　　　　]라는 내용의 글이다.

🔑 ❶ 물건 ❷ 낭비

4-1
주제문을 찾아 밑줄 치시오.

4-2
글의 제목으로 적절한 것을 고르시오.

ⓐ Too Much Shopping: A Sign of Loneliness
ⓑ What You Buy Is Waste Unless You Use It

Words

dust 먼지
waste 낭비, 쓰레기
pure 순전한, 순수한
rubbish 쓸모없는 물건, 쓰레기
observe (발언·의견을) 말하다
stuff 물건

1

다음 글에서 필자가 주장하는 바로 가장 적절한 것은?

> Sometimes, you feel the need to avoid something that will lead to success out of discomfort. Maybe you are avoiding extra work because you are tired. You are actively shutting out success because you want to avoid being uncomfortable. Try doing new things outside of your comfort zone. Change is always uncomfortable, but it is key to doing things differently in order to find that magical formula for success.

① 갈등 해소를 위해 불편함의 원인을 찾아 개선해야 한다.

② 일과 생활의 균형을 맞추는 성공적인 삶을 추구해야 한다.

③ 불편할지라도 성공하기 위해서는 새로운 것을 시도해야 한다.

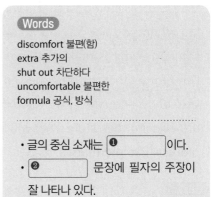

Words

discomfort 불편(함)
extra 추가의
shut out 차단하다
uncomfortable 불편한
formula 공식, 방식

· 글의 중심 소재는 ❶ [   ]이다.

· ❷ [   ] 문장에 필자의 주장이 잘 나타나 있다.

답 ❶ success[성공] ❷ 마지막

필자의 견해를 나타내며 강조하는 표현인 it is key to ~를 자세히 살펴보자!

2

다음 글의 요지로 가장 적절한 것은?

> Rather than attempting to punish students with a low grade or mark in the hope it will encourage them to give greater effort in the future, teachers can better motivate students by considering their work as incomplete and then requiring additional effort. Some teachers record students' grades as A, B, C, or I (Incomplete). Students who receive an I grade are required to do additional work in order to bring their performance up to an acceptable level.

① 학생에게 평가 결과를 공개하는 것은 학습 동기를 떨어뜨린다.

② 학생에게 추가 과제를 부여하는 것은 학업 부담을 가중시킨다.

③ 학생의 과제가 일정 수준에 도달하도록 개선 기회를 주면 동기 부여에 도움이 된다.

Words

punish 벌주다
motivate 동기 부여를 하다
additional 추가적인, 추가의
performance (과제) 수행
acceptable 받아들일 수 있는

· 글의 주제는 '학생들이 과제 수행을 더 잘하도록 ❶ [   ]하기'이다.

· ❷ [   ] 문장에 글의 핵심 내용이 잘 나타나 있다.

답 ❶ 동기 부여 ❷ 첫 번째

3

다음 글의 주제로 가장 적절한 것은?

> Curiosity makes us much more likely to view a tough problem as an interesting challenge to take on. In general, curiosity motivates us to view stressful situations as challenges rather than threats, to talk about difficulties more openly, and to try new approaches to solving problems. In fact, curiosity is associated with a less defensive reaction to stress and less aggression when we respond to irritation.

① importance of defensive reactions in a tough situation

② curiosity as the hidden force of positive reframes

③ factors that reduce human curiosity

Words

curiosity 호기심
approach 접근법, 접근
associate 관련시키다
defensive 방어적인
aggression 공격성, 공격
irritation 짜증, 화

· 글의 중심 소재는 ❶ [   ]이다.

· 글의 주제문은 ❷ [   ] 문장이다.

❶ curiosity[호기심] ❷ 첫 번째

4

다음 글의 제목으로 가장 적절한 것은?

> When people think about the development of cities, rarely do they consider the critical role of vertical transportation. In fact, each day, more than 7 billion elevator journeys are taken in tall buildings all over the world. Efficient vertical transportation can expand our ability to build taller and taller skyscrapers. Antony Wood, a Professor of Architecture at the Illinois Institute of Technology, explains that advances in elevators over the past 20 years are probably the greatest advances we have seen in tall buildings.

① Elevators Bring Buildings Closer to the Sky

② The Higher You Climb, the Better the View

③ How to Construct an Elevator Cheap and Fast

Words

development 발전
critical 매우 중요한
vertical 수직의, 종적인
transportation 운송, 수송
skyscraper 고층 건물, 마천루
architecture 건축(학)

· 글의 핵심어는 ❶ [   ]이다.

· 글의 주제문은 ❷ [   ] 문장이다.

❶ elevator ❷ 세 번째

1주 2일 필수 체크 전략 ①

전략 ① | 필자의 주장 추론하기

- 핵심어(구)와 ❶□□□ 어구에 유의하여 글을 읽으면서 글의 주제를 파악한다.
- 글을 쓴 의도와 주제를 드러내기 위한 필자의 태도나 ❷□□□를 이해한다.
- 명령문 형태나 조동사 등 필자의 ❸□□□을 강하게 나타내는 표현을 찾는다.
- 글의 주제 및 필자의 의견이 결합된 주장을 확인한다.

답 ❶ 반복 ❷ 어조 ❸ 의견

필수 예제

1. 다음 글에서 필자가 주장하는 바로 가장 적절한 것은?

> As you set about to write, it is worth reminding yourself that while you ought to have a point of view, you should avoid telling your readers what to think. Try to hang a question mark over it all. This way you allow your readers to think for themselves about the points and arguments you're making. As a result, they will feel more involved, finding themselves just as committed to the arguments you've made and the insights you've exposed as you are. You will have written an essay that not only avoids passivity in the reader, but is interesting and gets people to think.

① 저자의 독창적인 견해를 드러내야 한다.
② 다양한 표현으로 독자에게 감동을 주어야 한다.
③ 독자가 능동적으로 사고할 수 있도록 글을 써야 한다.
④ 독자에게 가치판단의 기준점을 명확히 제시해야 한다.
⑤ 주관적 관점을 배제하고 사실을 바탕으로 글을 써야 한다.

Words

remind 상기시키다
a point of view 관점
argument 주장
involved 몰두한, 몰입한
committed 열성적인, 헌신적인
insight 통찰력
expose 드러내다, 노출하다
passivity 수동성

Guide

글을 쓸 때 독자들이 글의 ❶□□□과 주장에 대해 ❷□□□ 생각하고 글에 몰두하게 해야 한다는 내용의 글이다.

답 ❶ 요점 ❷ 스스로

© art4all / shutterstock

1. 다음 글을 읽고, 물음에 답하시오.

Words

distraction 집중을 방해하는 것
combine 결합하다, 겸하다
multi-task 다중 작업을 하다
focus on ～에 집중하다
concentrate on ～에 집중하다
break 휴식 (시간)
pastime 오락, 기분 전환

It can be tough to settle down to study when there are so many ⓐ <u>distractions</u>. Most young people like to ⓑ <u>combine</u> a bit of homework with quite a lot of instant messaging, chatting on the phone, updating profiles on social-networking sites, and checking emails. While it may be ⓒ <u>true</u> that you can multi-task and can focus on all these things at once, try to be honest with yourself. It is most likely that you will be able to work ⓓ <u>worst</u> if you concentrate on your studies but allow yourself regular ⓔ <u>breaks</u> — every 30 minutes or so — to catch up on those other pastimes.

 1-1

윗글에서 필자가 주장하는 바로 가장 적절한 것은?

① 공부할 때는 공부에만 집중하라.

② 평소 주변 사람들과 자주 연락하라.

③ 피로감을 느끼지 않게 충분한 휴식을 취하라.

④ 자투리 시간을 이용하여 숙제를 하라.

⑤ 학습에 유익한 취미 활동을 하라.

서술형⁺

 1-2

윗글의 밑줄 친 ⓐ～ⓔ 중 문맥상 어색한 것을 찾아 바르게 고치시오.

_____ ➡ _____

전략 ② | 글의 요지 파악하기

- 글의 바탕이 되는 재료인 [①_____]를 파악한다.
- 중심 소재에 대한 필자의 [②_____]이 드러나는 문장을 찾아 주제를 파악한다.
- 글을 읽으면서 중심 소재와 주제가 반복적으로 드러나고 있는지 살펴본다.
- 반복되는 [③_____]과 글에 제시된 내용을 근거로 글의 요지를 확인한다.

답 ❶ 소재 ❷ 의견 ❸ 핵심 내용

필수 예제

2. 다음 글의 요지로 가장 적절한 것은?

It's important that you think independently and fight for what you believe in, but there comes a time when it's wiser to stop fighting for your view and move on to accepting what a trustworthy group of people think is best. This can be extremely difficult. But it's smarter for you to be open-minded and have faith that the conclusions of a trustworthy group of people are better than whatever you think. If you can't understand their view, you're probably just blind to their way of thinking. If you continue doing what you think is best when all the evidence and trustworthy people are against you, you're being dangerously confident.

① 대부분의 사람들은 진리에 도달하지 못하고 고통을 받는다.
② 맹목적으로 다른 사람의 의견을 받아들이는 것은 위험하다.
③ 남을 설득하기 위해서는 타당한 증거로 주장을 뒷받침해야 한다.
④ 믿을만한 사람이 누구인지 판단하려면 열린 마음을 가져야 한다.
⑤ 자신의 의견이 최선이 아닐 수 있다는 것을 인정하는 것이 필요하다.

Words

independently 독자적으로
accept 받아들이다
trustworthy 신뢰할 수 있는
extremely 매우, 극히
conclusion 결론
blind 눈이 멀게 만들다
evidence 증거
confident 자신감에 찬

Guide

[①_____]할 수 있는 집단의 사람들이 가장 [②_____]고 생각하는 것을 받아들일 필요가 있다는 내용의 글이다.

답 ❶ 신뢰 ❷ 좋다

글의 요지 파악 유형은 필자의 주장 추론 유형과 유사하니 필자가 말하고자 하는 것이 무엇인지 알아내는 것이 중요해.

2. 다음 글을 읽고, 물음에 답하시오.

Words

patient 환자
shared 공동의, 공유되는
reveal 보여 주다, 드러내다
volunteer 자원봉사하다; 자원봉사자
reduce 줄이다
benefit 혜택을 받다
involve 참여하다
voluntary 자원봉사로 하는

There is one sure way for lonely patients to make a friend — to join a group that has a shared purpose. This may be difficult for people who are lonely, but research shows that it can help. Studies reveal that people who are engaged in service to others, such as volunteering, tend to be happier. Volunteering helps to reduce loneliness in two ways. First, (A) <u>외로운 사람은 다른 사람을 도와줌으로써 혜택을 받을지도 모른다.</u> Also, they might benefit from being involved in a voluntary program where they receive support and help to build their own social network.

2-1

윗글의 요지로 가장 적절한 것은?

① 외로움을 극복하는 데는 봉사 활동이 유익하다.
② 한 가지 봉사 활동을 지속적으로 하는 것이 좋다.
③ 봉사 활동은 진로를 탐색할 수 있는 기회를 제공한다.
④ 행복한 삶을 위해서는 혼자만의 시간이 필요하다.
⑤ 먼저 자신을 이해해야 남을 위해 봉사할 수 있다.

2-2

윗글의 밑줄 친 (A)의 우리말 의미에 맞도록 주어진 표현을 바르게 배열하시오.

someone / who / is / benefit from / helping /
lonely / might / others

➡ _____

[1~2] 다음 글을 읽고, 물음에 답하시오.

Words

condition 조건
racket (테니스) 라켓
train 훈련시키다
rice paper 화선지
cultivate 기르다, 함양하다
calligrapher 서예가
capacity 능력

You can buy conditions for happiness, but you can't buy happiness. It's like playing tennis. You can't buy the joy of playing tennis at a store. You can buy the ball and the racket, but you can't buy the joy of playing. To experience the joy of tennis, you have to learn, to train yourself to play. It's the same with writing calligraphy. You can buy the ink, the rice paper, and the brush, _____(A)_____ if you don't cultivate the art of calligraphy, you can't really do calligraphy. _____(B)_____ calligraphy requires practice, and you have to train yourself. You are happy as a calligrapher only when you have the capacity to do calligraphy. Happiness is also like that. You have to cultivate happiness; you cannot buy it at a store.

*calligraphy: 서예

1 윗글에서 필자가 주장하는 바로 가장 적절한 것은?

① 자기 계발에 도움이 되는 취미를 가져야 한다.

② 경기 시작 전 규칙을 정확히 숙지해야 한다.

③ 행복은 노력을 통해 길러가야 한다.

④ 성공하려면 목표부터 명확히 설정해야 한다.

⑤ 글씨를 예쁘게 쓰려면 연습을 반복해야 한다.

Tip

❶ _____ 은 돈으로 ❷ _____ 수 없음을 테니스와 서예를 예로 들어 설명하는 글이다.

답 ❶ 행복 ❷ 살

© Getty Images Korea

(서술형)

2 윗글의 빈칸 (A), (B)에 알맞은 말을 〈보기〉에서 골라 대·소문자에 맞게 쓰시오.

┌─ 보기 ─
│ but   so   though   and
└─

(A) _____   (B) _____

Tip

문맥상 (A)에는 ❶ _____ 의 연결어, (B)에는 ❷ _____ 의 연결어가 적절하다.

답 ❶ 역접 ❷ 인과

[3~4] 다음 글을 읽고, 물음에 답하시오.

> Certainly praise is critical to a child's sense of self-esteem, but when ⓐ <u>given</u> too often for too little, it kills the impact of real praise when it is called for. Awards are supposed to be *rewards* – *reactions* to positive actions, honors for doing ⓑ *something well*! The ever-present danger in ⓒ <u>handing out</u> such honors too lightly is that children may come to depend on them and do only those things ⓓ <u>that</u> they know will result in prizes. If they are not sure they can do ⓔ <u>enough well</u> to earn merit badges, or if gifts are not guaranteed, they may avoid certain activities.

Words

praise 칭찬
critical 매우 중요한
self-esteem 자존감
reward 보상
honor 훈장, 상
ever-present 항상 존재하는
result in 그 결과 ~이 되다, 초래하다
merit badge 공훈 배지
guarantee 보장하다

3 윗글의 요지로 가장 적절한 것은?

① 올바른 습관은 어린 시절에 형성된다.

② 칭찬은 아이의 감성 발달에 필수적이다.

③ 아이에게 칭찬을 남발하지 않는 것이 중요하다.

④ 물질적 보상은 학습 동기 부여에 도움이 되지 않는다.

⑤ 아이에게 감정 표현의 기회를 충분히 줄 필요가 있다.

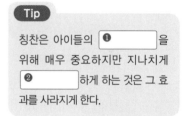

Tip

칭찬은 아이들의 [❶____]을 위해 매우 중요하지만 지나치게 [❷____]하게 하는 것은 그 효과를 사라지게 한다.

답 ❶ 자존감 ❷ 빈번

(서술형)

4 윗글의 밑줄 친 ⓐ~ⓔ 중 어법상 어색한 부분을 찾아 바르게 고치시오.

_____ ➡ _____

Tip

'~할 정도로 ❶____ …핸[하게]'은 「형용사/부사+enough+ ❷____」로 나타낼 수 있다.

답 ❶ 충분히 ❷ to부정사

© VIACHESLAV KRYLOV / shutterstock

전략 ③ | 글의 주제 파악하기

- 글을 읽으면서 반복되는 [❶   ]를 찾는다.
- 글의 전반부 또는 후반부에 주로 제시되는 [❷   ]을 찾는다.
- 주제문이 명확하지 않을 때는 글 전체를 [❸   ]할 수 있어야 한다.
- 연결어, 특히, 역접의 연결어(but, however 등) 다음에 글이 중점적으로 다루고 있는 핵심 내용이 제시되는 경우가 많다는 것에 유의하여 글의 주제를 확인한다.

답 ❶ 핵심어(구) ❷ 주제문 ❸ 요약

 3. 다음 글의 주제로 가장 적절한 것은?

Vegetarian eating is moving into the mainstream as more and more young adults say no to meat, poultry, and fish. But health concerns are not the only reason that young adults give for changing their diets. Some make the choice out of concern for animal rights. When faced with the statistics that show the majority of animals raised as food live in confinement, many teens give up meat to protest those conditions. Others turn to vegetarianism to support the environment. Meat production uses vast amounts of water, land, grain, and energy and creates problems with animal waste and resulting pollution.

* poultry: 가금류(닭·오리·거위 등)

① reasons why young people go for vegetarian diets
② ways to build healthy eating habits for teenagers
③ vegetables that help lower your risk of cancer
④ importance of maintaining a balanced diet
⑤ disadvantages of plant-based diets

Words

vegetarian 채식의
mainstream 주류
concern 걱정, 염려, 관심
statistics 통계자료
confinement 갇힘, 가둠
vegetarianism 채식주의
support 유지하다, 지지하다
animal waste 가축 배설물
resulting 결과로 초래된

Guide

많은 젊은이들이 [❶   ]상의 염려 때문만이 아니라 동물의 권리나 환경 문제 때문에 [❷   ]을 선택한다는 내용의 글이다.

답 ❶ 건강 ❷ 채식

© monticello / shutterstock

확인 문제 **3.** 다음 글을 읽고, 물음에 답하시오.

Words

form 형성하다, 만들다
ocean 바다, 해양
shell 조개껍데기
tiny 작은
bit (작은) 조각
trip 여정, 여행
glacier 빙하

While some sand is formed in oceans from things like shells and rocks, most sand is made up of tiny bits of rock that came all the way from the mountains! But that trip can take thousands of years. Glaciers, wind, and flowing water help move the rocky bits along, (A) <u>작은 여행자들은 점점 더 작아지면서</u> as they go. If they're lucky, a river may give them a lift all the way to the coast. There, they can spend the rest of their years on the beach as sand.

 3-1

윗글의 주제로 가장 적절한 것은?

① things to cause the travel of water

② factors to determine the size of sand

③ how most sand on the beach is formed

④ many uses of sand in various industries

⑤ why sand is disappearing from the beach

주제는 보통 핵심어(구)를 포함한 명사구 형태로 제시되니까 핵심어(구)를 찾는 것이 관건이야.

 서술형

3-2

윗글의 밑줄 친 (A)의 우리말 의미에 맞도록 주어진 〈조건〉에 맞게 영어로 쓰시오.

> • 조건 •
> 1. 분사구문 및 비교구문을 사용할 것
> 2. 다음의 단어를 활용할 것: with / small / travelers / get
> 3. 필요시 단어를 추가하거나 변형할 것
> 4. 8단어로 쓸 것

 → _____

전략 ❹ | 글의 제목 추론하기

- 글의 도입부에서 ❶ [____]를 찾는다.
- 반복해서 제시되는 표현을 통해 글의 ❷ [____]를 파악하고, 이를 반영하는 글의 제목을 확인한다.
- 선택지가 의문문이나 속담 등일 경우에는 함축 또는 ❸ [____]하는 바를 이해해야 한다.
- 글의 범위를 벗어나 너무 지엽적이거나 포괄적인 것은 제목으로 적절하지 않음에 유의한다.

 ❶ 중심 소재 ❷ 주제 ❸ 비유

필수 예제

4. 다음 글의 제목으로 가장 적절한 것은?

Diversity, challenge, and conflict help us maintain our imagination. Most people assume that conflict is bad and that being in one's "comfort zone" is good. That is not exactly true. Small disagreements with family and friends, trouble with technology or finances, or challenges at work and at home can help us think through our own capabilities. Problems that need solutions force us to use our brains in order to develop creative answers. Navigating landscapes that are varied, that offer trials and occasional conflicts, is more helpful to creativity than hanging out in landscapes that pose no challenge to our senses and our minds. Our two millionyear history is packed with challenges and conflicts.

① Technology: A Lens to the Future
② Diversity: A Key to Social Unification
③ Simple Ways to Avoid Conflicts with Others
④ Creativity Doesn't Come from Playing It Safe
⑤ There Are No Challenges That Can't Be Overcome

Words

diversity 다양성
challenge 어려움, 도전
conflict 갈등
imagination 상상력
comfort zone 안락 지대(편안함을 느끼는 구역)
disagreement 의견 충돌
finance 재정
navigate 운전하다, 항해하다
landscape 지형
trial 시련, 고난
pose (문제 등을) 제기하다

Guide

다양성, 어려움, ❶ [____]이 상상력과 ❷ [____]을 유지하는 데 도움이 된다는 내용의 글이다.

❶ 갈등 ❷ 창의력

 제목은 글의 핵심 내용을 함축적·우회적으로 표현하는데, 우리의 관심을 끌기 위해 강한 어구나 문장 형태로 제시되기도 해.

4. 다음 글을 읽고, 물음에 답하시오.

Simply providing students with complex texts is not enough for learning to happen. Quality questions are one way that teachers can check students' understanding of the text. Questions can also promote students' search for evidence and their need to return to the text to deepen their understanding. Teachers take an active role in developing and deepening students' comprehension by asking questions that cause them to read the text again, resulting in multiple readings of the same text. In other words, these text-based questions provide students with a purpose for rereading, which is critical for understanding complex texts.

Words

complex 까다로운, 복잡한
quality 양질의
promote 촉진하다
deepen 심화시키다
active 적극적인
comprehension 이해
multiple 여러 번의
text-based 글에 근거한
purpose 목적
critical 매우 중요한

4-1

윗글의 제목으로 가장 적절한 것은?

① Too Much Homework Is Harmful

② Questioning for Better Comprehension

③ Too Many Tests Make Students Tired

④ Questions That Science Can't Answer Yet

⑤ There Is Not Always Just One Right Answer

© Syda Productions / shutterstock

4-2

윗글의 주제문을 다음과 같이 나타낼 때 빈칸 (A), (B)에 알맞은 말을 본문에서 찾아 쓰시오.

The text-based ____(A)____ are helpful to ____(B)____ complex texts.

(A) _____ (B) _____

[1~2] 다음 글을 읽고, 물음에 답하시오.

Words

notice 알아차리다
ring (목재의) 나이테
sensitive 민감한
climate 기후
drought 가뭄
clue 단서
measurement 관측, 측정
record 기록하다

If you've ever seen a tree stump, you probably noticed that the top of the stump had a series of rings. These rings can tell us how old the tree is, and what the weather was like during each year of the tree's life. Because trees are sensitive to local climate conditions, such as rain and temperature, they give scientists some information about that area's local climate in the past. If the tree has experienced stressful conditions, such as a drought, the tree might hardly grow at all during that time. Very old trees in particular can offer clues about what the climate was like long before measurements were recorded.

* stump: 그루터기

1 윗글의 주제로 가장 적절한 것은?

① use of old trees to find direction

② traditional ways to predict weather

③ difficulty in measuring a tree's age

④ importance of protecting local trees

⑤ tree rings suggesting the past climate

Tip

나무의 ❶ [   ] 를 보면 수령 및 나무가 살아온 기간 동안의 과거 ❷ [   ] 정보를 알 수 있다는 내용의 글이다.

답 ❶ 나이테 ❷ 기후

(서술형)

2 윗글의 내용을 바탕으로 빈칸 (A), (B)에 알맞은 말을 주어진 철자로 시작하여 쓰시오.

Tree rings usually grow (A) w_____ in warm, wet years and are (B) t_____ in years when it is cold and dry.

Tip

나무가 ❶ [   ] 기후 조건을 겪게 되면 거의 ❷ [   ] 하지 못할 수 있다.

답 ❶ 힘든 ❷ 성장

[3~4] 다음 글을 읽고, 물음에 답하시오.

Words

honesty box 정직 상자, 무인 판매함
fund 기금, 돈
contribution 기부(금)
alternately 번갈아, 교대로
evolve 진화하다, 발달하다
psychology 심리(학)
cooperation 협동, 협조
subtle 미묘한
findings 연구[조사] 결과
implication 암시
beneficial 이익이 되는
outcome 성과, 결과

Near an honesty box, in which people placed coffee fund contributions, researchers at Newcastle University in the UK alternately displayed images of eyes and of flowers. During all the weeks in which eyes were displayed bigger contributions were made than during the weeks when flowers were displayed. Over the ten weeks of the study, contributions during the 'eyes weeks' (A) <u>꽃 주간의 그것(기부금)보다 거의 세 배 더 높았다</u>. It was suggested that 'the evolved psychology of cooperation is highly sensitive to subtle cues of being watched,' and that the findings may have implications for how to provide effective nudges toward socially beneficial outcomes.

*nudge: 넌지시 권하기

3 윗글의 제목으로 가장 적절한 것은?

① Is Honesty the Best Policy?

② Flowers Work Better than Eyes

③ Contributions Can Increase Self-Respect

④ The More Watched, The Less Cooperative

⑤ Eyes: Secret Helper to Make Society Better

Tip

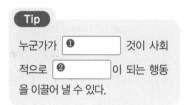

누군가가 ❶[   ] 것이 사회적으로 ❷[   ]이 되는 행동을 이끌어 낼 수 있다.

답 ❶ 지켜보는 ❷ 이익

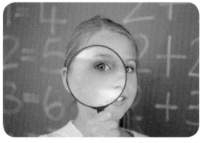

© Getty Images Bank

(서술형)

4 밑줄 친 (A)의 우리말 의미에 맞도록 주어진 표현을 바르게 배열하시오.

> almost / were / three times / those / made / during / the 'flowers weeks' / higher / than

➡ _____

Tip

'~보다 몇 배 더 …한'의 배수사 비교는 「배수사(숫자+❶[   ])+비교급+❷[   ]」으로 나타낼 수 있다.

답 ❶ times ❷ than

대표 예제 **1** 주장

Dr. Walters의 주장을 다음과 같이 나타낼 때 빈칸 (A), (B)에 알맞은 말을 본문에서 찾아 쓰시오.

> Host Is there anything people can do to protect keystone species?
>
> Dr. Walters Yes, there are many things, but the most important one is to avoid hunting them or disturbing the ecosystem significantly. Many elephants in Tanzania, for example, have disappeared because people have hunted them. We must also do much more research. This is as important as not hunting. We must identify the animals and plants that are keystone species so that we can better preserve them in the future.

➡ Since keystone species are important in keeping the _____(A)_____ balanced, we should _____(B)_____ them.

(A) _____ (B) _____

개념 Guide

동물과 식물의 **❶**[   ]은 **❷**[   ]의 균형을 유지하는 데 중요하다는 내용의 글이다.

답 **❶** 핵심종 **❷** 생태계

대표 예제 **2** 요지

다음 글의 요지로 가장 적절한 것은?

> If your kite or balloon got caught on a power line and you touched the string, what would happen? Of course, electricity would travel down the string and into your body on its way to the ground. This would mean a serious shock! So keep in mind that you must not fly kites near power lines. Basic science will help you stay safe near electricity. Now you can answer puzzling questions about electricity.

① 전기 절약을 생활화해야 한다.
② 감전 사고시 대처 방법을 알아야 한다.
③ 기초 과학을 통해 우리는 안전을 지킬 수 있다.
④ 각종 사고를 예방하기 위해 연 날리기를 금지해야 한다.
⑤ 전깃줄 근처에서 풍선을 날리면 안 된다.

개념 Guide

전깃줄 주변에서 연을 날리면 **❶**[   ]의 위험이 있다는 **❷**[   ] 지식이 안전을 지켜줄 것이다.

답 **❶** 감전 **❷** 과학적

대표 예제 3 주장

다음 글을 읽고, 물음에 답하시오.

Do you feel that you're not making much progress in English? If you do, perhaps you're not studying the language very (A) [creatively / effectively]. People might recommend doing a language exchange or reading easy books. However, I think you should think about how you study in the first place. I'd recommend you keep a learning (B) [journal / class]. Write about what you learn, what problems you have, how you deal with them, and how you feel. It will help you see whether you're on the right track.

© LStockStudio / shutterstock

(1) 필자가 주장하는 바로 가장 적절한 것은?

① 쉬운 책을 읽어라.

② 자신만의 학습 일지를 써라.

③ 사전을 적극적으로 활용하라.

④ 독서를 통해 어휘력을 길러라.

⑤ 외국인 친구와 언어 교환을 하라.

개념 Guide

[❶　　　　] 실력이 늘지 않아 고민하는 사람에게 도움이 되는 [❷　　　　]을 제안하는 내용의 글이다.

답 ❶ 영어[언어] ❷ 학습법

(2) 빈칸 (A), (B)에 알맞은 말을 골라 쓰시오.

(A) _____ (B) _____

개념 Guide

언어를 공부할 때는 먼저 [❶　　　　] 공부하고 있는지에 관해 생각한 뒤 [❷　　　　]를 쓰는 것이 효과적이다.

답 ❶ 어떻게 ❷ 학습 일지

대표 예제 4   주제

다음 글의 주제로 가장 적절한 것은?

Learners of English should not despair. Many metaphors are almost universal. In many cultures, for example, life is often compared to a journey. Since life is regarded as a purposeful journey, we think of it as having departures, paths, and destinations. The young can "get off to a good start" in life. The aged regard themselves as being "at the end of the road." In an old Korean popular song, the lyrics begin with, "Life is a wanderer's path. Where did I come from? Where am I going?" This clearly shows that life as a journey is not a metaphor unique to English.

① the value of journey
② the life as a long journey
③ the universality of metaphors
④ the ways of learning languages
⑤ the importance of metaphors to languages

개념 Guide

인생을 ❶[　　　]에 비유하는 다양한 문화권의 예를 들며 은유의 ❷[　　　]을 설명하는 글이다.

답 ❶ 여행 ❷ 보편성

대표 예제 5   제목

다음 글의 제목을 아래와 같이 나타낼 때 빈칸 (A), (B)에 알맞은 말을 주어진 철자로 시작하여 쓰시오.

High school is more than just schoolwork, so find your interests and pursue them by joining school clubs. This offers many benefits. For instance, club activities can relieve stress from schoolwork. They also help you meet people who share the same interests and make it easier to become friends with them. Moreover, some of these new friends may be students from the upper grades who can tell you how to deal with classes and teachers. You could instantly learn tips that took them a year to learn.

➡ The (A) B＿＿＿＿ of (B) J＿＿＿＿ School Clubs

© Poznyakov / shutterstock

개념 Guide

학교 동아리 활동을 통해 ❶[　　　]를 풀고, 새로운 ❷[　　　]나 선배들을 사귈 수 있다는 내용의 글이다.

답 ❶ 스트레스 ❷ 친구

대표 예제 6　　　　　　　　　　　　　　　　　　　　　　주제

다음 글을 읽고, 물음에 답하시오.

W: Today, I'm going to tell you the kinds of music I listen to. As you know, I love listening to pop music. However, my music preference varies depending on the time and place. In the morning, I prefer lively dance music because it wakes me up and gets me ready to start the day. While I study, I listen to classical music, especially piano music. I think it helps me concentrate better. Music is also a good way to cheer me up. When I'm angry, I listen to loud rock music. When I'm sad, I usually prefer sad music to cheerful music. I wonder what music you listen to when you're stressed.

© George Rudy / shutterstock

(1) 글의 주제로 가장 적절한 것은?

① speaker's musical talent

② kinds of healing music

③ the effect of music on studying

④ popular music among teenagers

⑤ music preferences of the speaker

개념 Guide

좋아하는 [❶　　　]을 [❷　　　]별로 소개하고 있는 글이다.

답 ❶음악 ❷상황

(2) 글의 내용과 일치하도록 빈칸 (A), (B)에 알맞은 말을 쓰시오.

> The speaker usually listens to ＿＿(A)＿＿ music in the morning because it wakes her up and ＿＿(B)＿＿ .

(A) ＿＿＿＿＿＿＿＿＿＿＿＿＿＿＿

(B) ＿＿＿＿＿＿＿＿＿＿＿＿＿＿＿

개념 Guide

화자는 [❶　　　]에 자신을 깨워 주는 경쾌한 [❷　　　] 음악 듣는 것을 선호한다.

답 ❶아침 ❷댄스

01 다음 글의 요지로 가장 적절한 것은?

A metaphor is a figure of speech in which a comparison is made between two different things. In fact, we use metaphors every day. There are thousands of metaphors native speakers of English use in everyday situations. You may not know as many as native speakers. Plus, you may find some of them difficult to understand. Consider the examples below.

Life is a roller coaster.

The slide on the playground was a hot stove.

Her angry words were bullets to him.

My dad always says to me, "You're the apple of my eye."

① All metaphors are easy to native speakers.

② Some metaphors are difficult to understand.

③ Metaphors are commonly made up of familiar words.

④ A lot of common sense is the key to understanding metaphors.

⑤ Many metaphors pose difficulty for non-native speakers.

Tip

❶ [   ]는 우리가 매일 사용하는 ❷ [   ] 표현으로, 이해하기 어려운 경우도 있다.

답 ❶ 은유 ❷ 비유적

02 다음 글의 제목으로 가장 적절한 것은?

The Internet has changed our lives so much. For example, it can turn even an ordinary girl into a star overnight. A teenage girl thrilled the world with her cover version of songs. Min Nayeong, a Korean high school student, posted her singing videos on SNS, and suddenly her cover version of "Let It Go" became popular. Within a week, it got more than one million views and made her a star. She was even invited to a TV talk show. She was given a big hand in the studio after she sang her cover of "Let It Go" on stage. She said it was an unbelievable experience and that she'd work hard to be a good singer.

① How to Make Cover Version Songs

② An Internet Broadcasting's New Show

③ The Power of Internet to Spread News

④ Popular Hobbies Among Teenage Girls

⑤ The Teenagers' Influence on the Art World

Tip

❶ [   ]을 통해 자신의 ❷ [   ]이 담긴 비디오가 알려져 유명해진 한 소녀의 이야기이다.

답 ❶ 인터넷[SNS] ❷ 커버 버전 음악

Words

metaphor 은유 figure of speech 비유적 표현 comparison 비교
as many as ~만큼 많이 native speaker 원어민 bullet 총알
apple of my eye 가장 사랑하는 사람, 애지중지

Words

overnight 하룻밤 사이에 thrill 놀라게 하다
cover version 커버 버전(음악 분야에서 다른 사람이 발표한 곡을 또 다른 음악가가 자신의 음악적 기법을 활용해 재연주 또는 재가창하는 것)
post 게시하다 view 조회 수 give ~ a big hand ~에게 큰 박수를 보내다

[03~04] 다음 글을 읽고, 물음에 답하시오.

The virtual choir was Eric Whitacre's idea. One day in 2009, the modern music ⓐ composer was told by a friend about a young fan. She had videoed herself singing the soprano part of his composition "Sleep" and posted it for him ⓑ online. In the video, her voice sounded sweet and pure. He thought, "If I can ⓒ forbid 50 people to sing their parts and post their videos, I can put them together and create something beautiful. Those who love to sing don't have to be in the ⓓ same place to perform a choral work together." Whitacre soon sent out a call to his online fans to record themselves singing and ⓔ upload their videos.

© Getty Images Bank

Words

virtual 가상의   choir 합창단   composer 작곡가   composition 작곡
pure 순수한   forbid 금지하다   put ~ together ~을 한데 모으다
perform 공연하다   choral 합창의   upload 전송하다, 업로드하다

03 글의 주제로 가장 적절한 것은?

① the necessity of a virtual choir

② singing videos online fans made

③ the technology virtual choirs need

④ a virtual choir inspired by a fan video

⑤ the impact of a virtual choir on singers

> **Tip**
> 작곡가 Eric Whitacre은 팬이 게시한 ❶ [   ]를 보고 영감을 받아 ❷ [   ]을 만들기로 결심했다.
> 답 ❶ 비디오 ❷ 가상 합창단

04 밑줄 친 ⓐ~ⓔ 중 문맥상 어색한 것을 찾아 바르게 고치시오.

_____ ➡ _____

> **Tip**
> 가상 합창단의 단원들은 각자의 파트를 노래한 뒤 ❶ [   ]하여 ❷ [   ]해야 한다.
> 답 ❶ 녹화 ❷ 전송

01 다음 글에서 필자가 주장하는 바로 가장 적절한 것은?

Twenty-three percent of people admit to having shared a fake news story on a popular social networking site, either accidentally or on purpose, according to a 2016 Pew Research Center survey. The news ecosystem has become so overcrowded and complicated that I can understand why navigating it is challenging. When in doubt, we need to cross-check story lines ourselves. The simple act of fact-checking prevents misinformation from shaping our thoughts.

① 뉴스 내용의 사실 여부를 확인할 필요가 있다.

② 가짜 뉴스 생산에 대한 규제를 강화해야 한다.

③ 기사 작성 시 주관적인 의견을 배제해야 한다.

④ 시민들의 뉴스 제보 참여가 활성화되어야 한다.

⑤ 언론사는 뉴스 보도에 대한 윤리의식을 가져야 한다.

02 다음 글의 요지로 가장 적절한 것은?

Attaining the life a person wants is simple. However, most people settle for less than their best because they fail to start the day off right. If a person starts the day with a positive mindset, that person is more likely to have a positive day. Moreover, how a person approaches the day impacts everything else in that person's life. Consequently, if people want to live the life of their dreams, they need to realize that how they start their day not only impacts that day, but every aspect of their lives.

① 업무 생산성 향상을 위해 적절한 보상이 필요하다.

② 긍정적인 하루의 시작이 삶에 좋은 영향을 끼친다.

③ 매일 해야 할 일의 우선순위를 정하는 것이 좋다.

④ 규칙적인 생활 습관이 목표 달성에 도움이 된다.

⑤ 원만한 대인 관계를 위해 감정 조절이 중요하다.

© ra2studio / shutterstock

글에서 반복되는 어구를 파악하면 요지가 쉽게 보여. 여기서는 positive, day 등이 계속 반복되고 있지?

03 다음 글의 주제로 가장 적절한 것은?

Social relationships benefit from people giving each other compliments because people like to be liked and like to receive compliments. In that respect, social lies such as making deceptive but flattering comments ("I like your new haircut.") may benefit mutual relations. They serve self-interest because liars may gain satisfaction when their lies please other people. They also serve the interest of others because hearing the truth all the time ("You look much older now than you did a few years ageo.") could damage a person's confidence and self-esteem.

① ways to differentiate between truth and lies
② roles of self-esteem in building relationships
③ importance of praise in changing others' behaviors
④ balancing between self-interest and public interest
⑤ influence of social lies on interpersonal relationships

04 다음 글의 제목으로 가장 적절한 것은?

We have all had the experience of suddenly noticing that a source of constant background noise, such as a distant jackhammer or music from a store, has just ceased — yet we hadn't noticed the sound while it was ongoing. Your auditory areas were predicting its continuation, moment after moment, and as long as the noise didn't change you paid it no attention. By ceasing, it violated your prediction and attracted your attention. After New York City stopped running elevated trains, people called the police at night claiming that something woke them up. They tended to call around the time the trains used to run past their apartments.

① When a Noise Stops, You Notice It
② Noises: The Main Cause of Our Stress
③ Why Are Our Predictions Often Wrong?
④ Various Noises We Can Perceive Easily
⑤ Human Emotions: Deeper than You Think

A 다음 글을 읽고, 필자의 주장이 담긴 카드를 고르시오.

These days, electric scooters have quickly become a campus staple. Their rapid rise to popularity is thanks to the convenience they bring, but it isn't without problems. Scooter companies provide safety regulations, but the regulations aren't always followed by the riders. Universities already have certain regulations, such as walk-only zones, to restrict motorized modes of transportation. However, they need to do more to target motorized scooters specifically. To ensure the safety of students who use electric scooters, as well as those around them, officials should look into reinforcing stricter regulations.

ⓐ 미성년자의 전동 스쿠터 사용을 금지해야 한다.

© Getty Images Bank

ⓑ 전동 스쿠터 충전 시설을 더 많이 설치해야 한다.

ⓒ 학생을 위한 대중교통 할인 제도를 정비해야 한다.

© Getty Images Korea

ⓓ 캠퍼스 간 이동을 위한 셔틀버스 서비스를 도입해야 한다.

© Getty Images Bank

ⓔ 대학 내 전동 스쿠터 이용에 대한 규정 강화를 검토해야 한다.

> **Tip**
>
> ❶ ____에 대한 더 엄격한 ❷ ____ 규정의 필요성을 강조하는 내용의 글이다.
>
> 目 ❶ 전동 스쿠터 ❷ 안전

B 다음 글을 읽고, 물음에 답하시오.

> Storing medications correctly is very important. The bathroom medicine cabinet is not a good place to keep medicine because the room's moisture and heat speed up the chemical breakdown of drugs. Storing medication in the refrigerator is also not a good idea because of the moisture inside the unit. Light and air can affect drugs, but dark bottles and air-tight caps can keep these effects to a minimum. A closet is probably your best bet for storage of your medications, as long as you keep them out of the reach of children.

(1) 윗글의 내용과 일치하도록 다음 대화를 완성하시오.

Is it okay keep medications in the bathroom?

I don't think so. The room's _____ and _____ aren't good for the medications.

Then, where is the best place for keeping medications out of the reach of children?

I think _____ _____ is the best place.

(2) What do you think the topic of the article is? Fill in the blanks.

The topic is (A) "p_____ _____ of (B) s_____ m_____."

Tip
❶ [   ]을 안전하게 ❷ [   ]하기 위한 적절한 방법 및 장소를 소개하는 글이다.

답 ❶ 의약품[약] ❷ 보관

C 다음 글을 읽고, 알맞은 단어를 골라 요지문을 완성하시오.

> Ecosystems are dynamic, and although some may endure, apparently unchanged, for periods that are long in comparison with the human lifespan, they must and do change eventually. Species come and go, climates change, plant and animal communities adapt to altered circumstances, and when examined in fine detail such adaptation and consequent change can be seen to be taking place constantly. The 'balance of nature' is a myth. Our planet is dynamic, and so are the arrangements by which its inhabitants live together.

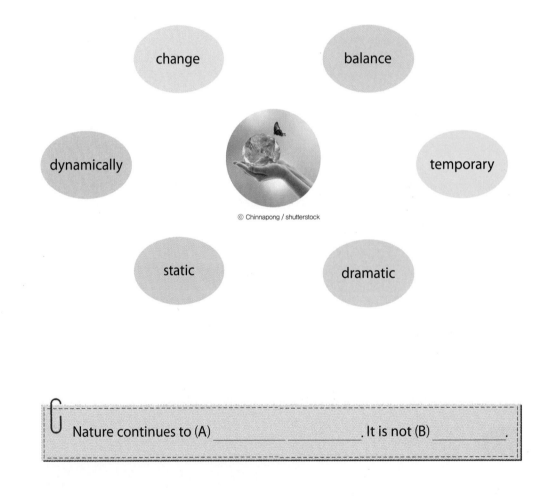

© Chinnapong / shutterstock

change   balance   dynamically   temporary   static   dramatic

Nature continues to (A) _____ _____. It is not (B) _____.

Tip

'자연의 ❶ _____'은 생태계에 대한 ❷ _____ 통념이라는 내용의 글이다.

답 ❶ 균형 ❷ 잘못된

D 다음 글을 읽고, 물음에 답하시오.

Language skills can be acquired only through practice. In the case of the mother tongue, the child does this practice in his daily environment. And he has so many teachers in his day-to-day life. He also has the strongest motivation or urge to learn the language, for if he cannot express himself in his mother tongue, some of his basic needs are likely to remain unfulfilled. And _____(A)_____ is perhaps most remarkable, the child practices the language without _____(B)_____ conscious of the fact _____(C)_____ he is learning a highly complex code.

(1) 다음 단어들을 모두 사용하여 윗글의 제목을 완성하시오.

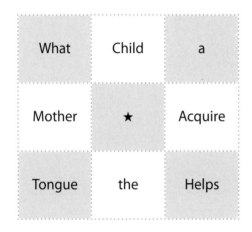

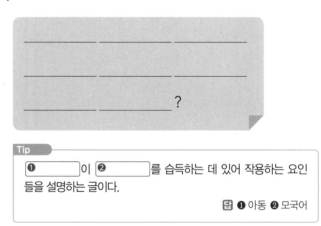

Tip
❶ [   ]이 **❷** [   ]를 습득하는 데 있어 작용하는 요인들을 설명하는 글이다.

답 **❶** 아동 **❷** 모국어

(2) 윗글의 빈칸 (A)~(C)에 알맞은 말을 〈보기〉에서 골라 쓰시오.

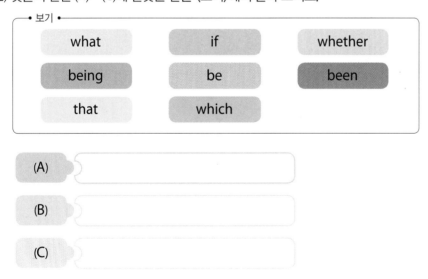

(A) [   ]

(B) [   ]

(C) [   ]

Tip
• 선행사가 없을 때는 관계대명사 **❶** [   ]을 쓴다.
• 전치사 뒤에는 **❷** [   ]가 온다.
• the fact와 빈칸 (C) 이하 문장은 **❸** [   ]을 나타낸다.

답 **❶** what **❷** (동)명사 **❸** 동격

진하야 노올~자.

어 진하가 어디 갔지?

타

타

흠... 컴퓨터도 켜 놓고 갔네. 어디 급히 나갔나?

뭐라고 써 있는 거야? 읽어 봐도 되겠지?

함축적 의미 파악하기

나는 오늘 아주 중요한 할 일이 있다.
나에게는 아주 중요하고 꼭 필요한 일이다.
지금껏 난 너무 많은 것을 짊어지고 살았다.
난 이제 무거웠던 짐을 훨훨 털어낼 것이다.

흠...
무거웠던 짐?
훨훨 털어내?
도대체 이게
무슨 뜻이지?

심경·분위기 파악하기

난 이제 속박에서 벗어나
자유롭고 홀가분하게 살고 싶다.
모든 것을 다 버리고 다시 시작하는 거야!
오늘 드디어 실행에 옮길 거야!
기어코 해 내고 말 거야!!

분위기가 넘 이상한데?
안되겠다.
무슨 일이 생긴 거 아닐까?
무슨 심경의 변화가 있길래...

개념 짚어 보기

유형 ❶ | 글의 목적 추측하기

지시문 다음 글의 목적으로 가장 적절한 것은?

- 필자가 글을 쓴 [❶] 를 파악하는 유형이다.
- 글감으로 주로 편지나 이메일 등의 [❷] 이 제시된다.
- 1문항 출제되고 배점은 2점이다.

Quiz 1

'필자가 글을 쓴 의도'를 뜻하는 말은?

① 종류
② 목적
③ 주제

답 ❶ 의도[이유] ❷ 실용문

답 ②

유형 Tip

- 목적에 해당하는 표현에 집중한다.

advise(조언) / advertise(광고) / apologize(사과) / appreciate(감사) / complain(불평) / consult(상담) / invite(초대) / persuade(설득) / recommend(추천) / reject(거절) 등

유형 ❷ | 심경 변화, 분위기 파악하기

지시문 다음 글에 드러난 ~의 심경으로 가장 적절한 것은? / 다음 글에 드러난 ~의 심경 변화로 가장 적절한 것은? / 다음 글의 분위기로 가장 적절한 것은?

- 심경 변화 파악 문제는 특정 상황에서 글의 주인공이 느꼈을 [❶] 을 파악하는 유형이다.
- 분위기 파악 문제는 등장인물이 처해 있는 [❷] 이나 일어난 사건, 또는 특정 대상에 대한 묘사 등을 통해 이야기의 흐름을 파악하는 유형이다.
- 번갈아 가며 1문항 출제되고 배점은 2점이다.

Quiz 2

심경 변화나 분위기는 등장인물의 [ ] (이)나 이야기의 흐름과 관계가 있다.

① 외모 ② 성격 ③ 감정

심경 변화나 분위기를 파악하는 유형은 이야기 형태의 서사적인 글이 주로 제시되므로 글의 배경이 되는 시간과 장소를 파악해야 해.

답 ❶ 감정 ❷ 상황

답 ③

유형 Tip

- 심경 및 분위기를 나타내는 표현들을 알아둔다.
  - 심경: annoyed(짜증 난) / bored(지루한) / calm(차분한) / concerned(걱정하는) / depressed(우울한) / disappointed(실망한) / embarrassed(당황한) / envious(질투하는) / excited(흥분한) / frightened(겁먹은) / frustrated(좌절한) / indifferent(무관심한) / nervous(불안한) / regretful(후회하는) / relaxed(느긋한) / satisfied(만족한) / scared(겁먹은) / solitary(외로운) / terrified(무서워하는) / upset(언짢은) 등
  - 분위기: busy(붐비는) / cheerful(즐거운) / comfortable(편안한) / desperate(절박한) / exciting(흥미진진한) / fantastic(환상적인) / festive(즐거운) / gloomy(우울한) / humorous(유머러스한) / lively(생기 있는) / miserable(비참한) / monotonous(단조로운) / noisy(시끌벅적한) / peaceful(평화로운) / romantic(낭만적인) / scary(무서운) / spectacular(장관인) / tense(긴장되는) / urgent(급박한) 등

On behalf of the Youth Soccer Tournament Series, I'd like to remind you of the 2019 Series next week. Surely, we understand the importance of a player's education. Regrettably, however, the Series will result in players missing two days of school for the competition. I'd like to request your permission for the absence of the players from your school during this event. Thank you for your understanding.

Guide 청소년 축구 대회에 참가할 선수들의 **❶** 을 **❷** 해 달라고 요청하는 글이다.

目 ❶ 결석 ❷ 허락

1-1
글의 목적이 가장 잘 드러난 문장을 찾아 밑줄 치시오.

1-2
글의 목적으로 적절한 것을 고르시오.

ⓐ 선수들의 학력 향상 프로그램을 홍보하려고

ⓑ 선수들의 대회 참가를 위한 결석 허락을 요청하려고

Words

on behalf of ~을 대신해서
remind 상기시키다
miss (수업에) 빠지다
competition 대회
permission 허락, 허가
absence 결석

Norm and his friend Jason went on a winter camping trip. In the middle of the night, Norm suddenly woke up sensing something was terribly wrong. To his surprise, the stove was glowing red! Jason said he had filled it with every piece of wood he could fit into it. Norm pulled Jason out of his bed, opened the front door and threw him out into the snow. Norm yelled out in anger, "Don't come back in until I get this stove cooled off!".

Guide Norm은 친구 Jason의 실수로 난로에 **❶** 이 붙은 것을 보고 놀라서 **❷** 상황이다.

目 ❶ 불 ❷ 화를 내는

2-1
Norm의 심경이 잘 드러난 문장을 <u>모두</u> 찾아 밑줄 치시오.

2-2
글에 드러난 Norm의 심경으로 적절한 것을 고르시오.

ⓐ alarmed and upset

ⓑ thrilled and joyful

Words

to one's surprise ~가 놀랍게도
stove 난로
glow 타오르다
throw ~ out ~을 쫓아내다
anger 화

유형 ❸ | 밑줄 친 부분의 의미 파악하기

지시문 밑줄 친 ~가 다음 글에서 의미하는 바로 가장 적절한 것은?

- 단어나 어구, 문장이 글자 그대로의 의미가 아닌 <u>❶   </u>으로 나타내고 있는 의미를 파악하는 유형이다.
- 문맥을 통해 어구의 <u>❷   </u> 뜻인 함의를 추론해야 하므로 난이도가 높은 문제 유형이며, 글감으로 서사적인 글뿐 아니라 논리적인 글도 제시된다.
- 1문항 출제되고 배점은 3점이다.

답 ❶ 비유적 ❷ 숨은

Quiz 3

'문맥을 통해 파악해야 하는 어구의 숨은 뜻'을 뜻하는 말은?

① 화제
② 주제
③ 함의

답 ③

유형 Tip
- 단락 내에서 밑줄 친 문장의 의미를 추론할 수 있는 근거를 찾는다.
- 밑줄 친 문장을 글자 그대로 해석하는 데 그치지 않고 그 숨은 뜻을 파악한다.

주로 글의 주제와 관련된 중요 개념을 포함한 어구가 밑줄로 제시되므로 주제를 파악하는 것이 우선이야!

유형 ❹ | 한 문장으로 요약하기

지시문 다음 글의 내용을 한 문장으로 요약하고자 한다. 빈칸 (A), (B)에 들어갈 말로 가장 적절한 것은?

- 글 전체의 내용을 <u>❶   </u> 한 문장의 빈칸 두 곳에 알맞은 표현을 추론하는 유형이다.
- 글의 <u>❷   </u>를 요약한, 다른 구조로 표현된 문장의 빈칸에 들어갈 핵심어(구)를 찾는 것이 관건이다.
- 1문항 출제되고 배점은 3점이다.

답 ❶ 짧게 줄인 ❷ 주제

Quiz 4

'글 전체의 내용을 짧게 줄인 문장'을 뜻하는 말은?

① 주장
② 주제문
③ 요약문

답 ③

유형 Tip
- 요약문을 먼저 읽어보는 것이 글을 이해하는 데 도움이 된다.
- 선택지에 제시된 어휘를 빈칸에 넣어 글의 내용을 대략 추론한 후, 문제 풀이에 접근하는 것도 좋은 방법이다.
- 선택지 어휘는 주제문의 어휘와 유사어 또는 반의어로 제시되므로, 어휘의 의미를 혼동하지 않도록 주의한다.

There is the leopard seal in the icy-cold water, which likes to have penguins for a meal. The penguins' solution is to play the waiting game. They wait and wait and wait by the edge of the water until one of them gives up and jumps in. The moment that occurs, the rest of the penguins watch with anticipation to see what happens next. If the pioneer survives, everyone else will follow suit. If it perishes, they'll turn away. Their strategy, you could say, is "learn and live."

Guide 펭귄의 ❶ [ ] 전략은 다른 펭귄이 하는 것을 보고 ❷ [ ] 것이다.

❶ 생존 ❷ 따라 하는

3-1
밑줄 친 부분의 단서가 되는 문장을 찾아 밑줄 치시오.

3-2
밑줄 친 "learn and live"가 의미하는 바로 적절한 것을 고르시오.

ⓐ support the leader's decisions for the best results

ⓑ follow another's action only when it is proven safe

Words

anticipation 기대, 예측
pioneer 개척자
follow suit 따라 하다
perish 죽다
strategy 전략

4-1
글의 주제문을 찾아 밑줄 치시오.

When a child experiences painful, disappointing, or scary moments, it can be overwhelming, with intense emotions and bodily sensations flooding the right brain. When this happens, we as parents can help bring the left hemisphere into the picture so that the child can begin to understand what's happening. One of the best ways to promote this type of integration is to help retell the story of the frightening or painful experience.

↓

We may enable a child to ___(A)___ their painful, frightening experience by having them ___(B)___ as much of the painful story as possible.

Guide 감정적으로 힘든 상황을 겪은 아이에게 ❶ [ ] 하여 그 사실을 말하게 함으로써 ❷ [ ] 하게 했다는 내용의 글이다.

4-2
요약문의 빈칸 (A), (B)에 들어갈 말로 적절한 것을 고르시오.

   (A)   (B)

ⓐ prevent ⋯⋯ erase

ⓑ overcome ⋯⋯ repeat

Words

overwhelming 감당하기 힘든
intense 격렬한
flood 몰려들다, 밀려들다, 쇄도하다
left hemisphere 좌뇌, 좌반구
picture 상황
promote 증진하다
integration 통합

❶ 반복 ❷ 극복

2주 1일 개념 돌파 전략 ②

1

다음 글의 목적으로 가장 적절한 것은?

Dear Mr. Jones,

I am James Arkady, PR Director of KHJ Corporation. We are planning to redesign our brand identity and launch a new logo to celebrate our 10th anniversary. We request you to create a logo that best suits our company's core vision, 'To inspire humanity.' Please send us your logo design proposal once you are done with it. Thank you.

Best regards,
James Arkady

① 회사 로고 제작을 의뢰하려고
② 변경된 회사 로고를 홍보하려고
③ 회사 비전에 대한 컨설팅을 요청하려고

Words

PR(= Public Relations) director 홍보부 이사
identity 정체성
launch 새로 시작하다
anniversary 기념일
inspire 고취하다, 영감을 주다
proposal 제안서

· 글의 중심 소재는 ❶ [ ] 이다.
· ❷ [ ] 문장에 글의 목적이 잘 나타나 있다.

📋 ❶ a (new) logo[(새로운) 로고] ❷ 네 번째

© Getty Images Korea

2

다음 글에 드러난 Cindy의 심경 변화로 가장 적절한 것은?

One day, Cindy happened to sit next to a famous artist in a café. She was thrilled to see him in person. He was drawing on a used napkin over coffee. After a few moments, the man finished his coffee and was about to throw away the napkin as he left. Cindy stopped him. "Can I have that napkin you drew on?", she asked. "Sure," he replied. "Twenty thousand dollars." She said, with her eyes wide-open, "What?" Being at a loss, she stood still rooted to the ground.

① relieved → worried
② indifferent → embarrassed
③ excited → surprised

Words

in person 직접
throw away 버리다, 던지다
reply 응답하다
at a loss 어쩔 줄을 모르는
still 가만히
root 꼼짝 못 하다

· ❶ [ ] 문장에 처음 심경이 잘 나타나 있다.
· ❷ [ ] 문장에 바뀐 심경이 잘 나타나 있다.

📋 ❶ 두 번째 ❷ 마지막

3

밑줄 친 <u>want to use a hammer</u>가 다음 글에서 의미하는 바로 가장 적절한 것은?

We have a tendency to interpret events selectively. Selective perception is based on what seems to us to stand out. However, what seems to us to be standing out may very well be related to our goals, interests, expectations, past experiences, or current demands of the situation — "with a hammer in hand, everything looks like a nail." This quote highlights the phenomenon of selective perception. If we <u>want to use a hammer</u>, then the world around us may begin to look as though it is full of nails!

① are unwilling to stand out

② make our effort meaningless

③ intend to do something in a certain way

Words

interpret 해석하다
selectively 선택적으로
selective perception 선택적 지각
stand out 두드러지다, 눈에 띄다
expectation 기대, 예상
quote 인용(문)
highlight 강조하다
phenomenon 현상

······································

• 글의 중심 소재는 **❶** [　　　　　]이다.

• 밑줄 친 부분의 단서가 되는 문장은
[　**❷**　] ~ a nail이다.

📑 **❶** selective perception[선택적 지각]
❷ with

4

다음 글의 내용을 한 문장으로 요약하고자 한다. 빈칸 (A), (B)에 들어갈 말로 가장 적절한 것은?

The cleaning people at the University of California left several rolls of toilet paper in the bathroom each weekend. However, by Monday all the toilet paper would be gone. Because some people took more toilet paper than their fair share, the public resource was destroyed. A woman named Rhonda at the university put a note in the bathrooms asking people not to remove the toilet paper, as it was a shared item. To her satisfaction, one roll reappeared in a few hours, and another the next day.

↓

A small ___(A)___ brought about a change in the behavior of the people who had taken more of the ___(B)___ goods than they needed.

Words

share 몫; 함께 쓰다, 공유하다
public resource 공공재
destroy 파괴시키다
remove 치우다, 제거하다
satisfaction 만족
behavior 행동

······································

• 글의 핵심어는 **❶** [　　　　]이다.

• 글의 주제는 **❷** [　　　] 문장에 잘 나타나 있다.

📑 **❶** share[shared]
❷ 네 번째

　　(A)　　　　　　(B)

① reminder ······ shared

② reminder ······ recycled

③ mistake ······ stored

요약문의 빈칸에는 글의 핵심어
(구)가 들어가는데, 본문의 어휘가
그대로 쓰이는 경우보다는 유사한
표현이 쓰이는 경우가 많아.

필수 체크 전략 ①

전략 ❶ | 글의 목적 추측하기

- 핵심어(구)와 반복어(구)에 유의하여 글을 읽으면서 글의 ❶ ⬚ 를 파악한다.

- 글을 쓴 의도나 주제를 드러내기 위한 필자의 ❷ ⬚ 나 어조를 확인한다.

- 글의 ❸ ⬚ 을 이해한다.

  – 전반부: 목적을 나타내는 글의 전반부에는 보통 의례적인 인사말이 등장한다.

  – 중·후반부: 글의 의도가 담긴 문장은 주로 중간 이후에 제시된다.

- 최종적으로 필자와 독자를 파악한 후 글을 쓴 목적을 확인한다.

의례적인 인사말에 현혹되어 필자의 의도를 성급하게 판단하지 않도록 유의하자.

🄰 ❶ 주제 ❷ 태도 ❸ 흐름

필수 예제

1. 다음 글의 목적으로 가장 적절한 것은?

Dear Mr. Dennis Brown,

　We at G&D Restaurant are honored and delighted to invite you to our annual Fall Dinner. The annual event will be held on October 1st, 2021 at our restaurant. At the event, we will be introducing new wonderful dishes that our restaurant will be offering soon. These delicious dishes will showcase the amazing talents of our gifted chefs. Also, our chefs will be providing cooking tips, ideas on what to buy for your kitchen, and special recipes. We at G&D Restaurant would be more than grateful if you can be part of our celebration. We look forward to seeing you. Thank you so much.

Regards,
Marcus Lee, Owner — G&D Restaurant

① 식당 개업을 홍보하려고
② 식당의 연례행사에 초대하려고
③ 신입 요리사 채용을 공고하려고
④ 매장 직원의 실수를 사과하려고
⑤ 식당 만족도 조사 참여를 부탁하려고

Words

be honored 영광스럽다
annual 일 년마다의
introduce 소개하다
offer 제공하다
showcase 전시하다, 소개하다
gifted 재능 있는
celebration 기념 행사
look forward to ~을 고대하다

Guide

식당의 연례행사에 ❶ ⬚ 해 줄 것을 요청하는 내용의 ❷ ⬚ 이다.

🄰 ❶ 참석 ❷ 초대장

1. 다음 글을 읽고, 물음에 답하시오.

Words

policy 정책, 방침
employee 사원, 직원
department 부(서), 과
complete 완료하다, 채우다
training 연수, 훈련
settle 배정하다, 정착시키다
personnel 인사의

Dear Ms. Sue Jones,

As you know, ⓐ it is our company's policy that all new employees must gain experience in all departments. As you have completed your three months in the Sales Department, it's time ⓑ to move on to your next department. From next week, you ⓒ will be working in the Marketing Department. We are looking forward to ⓓ see excellent work from you in your new department. I hope that when your training is finished we ⓔ will be able to settle you into the department of your choice.
Yours sincerely,

Angie Young
PERSONNEL MANAGER

1-1

윗글의 목적으로 가장 적절한 것은?

① 근무 부서 이동을 통보하려고

② 희망 근무 부서를 조사하려고

③ 부서 간 업무 협조를 당부하려고

④ 새로운 마케팅 전략을 공모하려고

⑤ 직원 연수 일정 변경을 안내하려고

© Getty Images Bank

서술형+

1-2

밑줄 친 ⓐ~ⓔ 중 어법상 어색한 것을 찾아 바르게 고치시오.

_____ ➡ _____

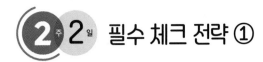

전략 ② | 심경 변화, 분위기 파악하기

- 심경 변화 파악 문제
  - 글의 [①⬛] 와 주인공을 찾고, 주인공이 처한 [②⬛] 을 파악한다.
  - 심경을 묘사하는 형용사나 부사에 주목하면서, 주인공의 심경을 추론한다.
- 분위기 파악 문제
  - 서사의 3요소인 인물, [③⬛], 배경을 통해 이야기의 흐름을 파악한다.
  - 글에 쓰인 형용사나 부사, 명사 등의 어휘들이 공통적으로 주는 느낌을 추론한다.

답 ① 소재 ② 상황 ③ 사건

 2. 다음 글의 상황에 나타난 분위기로 가장 적절한 것은?

> In the middle of the night, Matt suddenly awakened. He glanced at his clock. It was 3:23. For just an instant he wondered what had wakened him. He had heard someone come into his room. Matt sat up in bed, rubbed his eyes, and looked around the small room. "Mom?" he said quietly, hoping he would hear his mother's voice assuring him that everything was all right. But there was no answer. Matt tried to tell himself that he was just hearing things. But he knew he wasn't. There was someone in his room. He could hear rhythmic, scratchy breathing and it wasn't his own. He lay awake for the rest of the night.

① humorous and fun
② boring and dull
③ calm and peaceful
④ noisy and exciting
⑤ mysterious and frightening

Words

awaken 잠에서 깨다; 깨우다
glance 힐끗 쳐다보다
instant 순간, 아주 짧은 동안
rub 문지르다
assure 안심시키다
rhythmic 규칙적으로 순환하는
scratchy 긁는 듯한 소리를 내는
lie 누워 있다, 눕다(-lay-lain)

Guide

필자는 [①⬛]에 누군가가 자신의 방에 들어오는 소리를 듣고 잠이 [②⬛] 상황이다.

답 ① 한밤중 ② 깬

먼저 어떤 상황인지 파악해야겠지? 한밤중이고, 누군가의 소리가 들리고… 대충 상황이 짐작이 가네.

2. 다음 글을 읽고, 물음에 답하시오.

Words

uniform 교복
fancy 멋진, 아주 좋은
label 표식, 라벨
khaki 카키색
get into (차에) 타다
head 향하다
turn out (사태 따위가) 펼쳐지다

> It was my first day of school at St. Roma High School. The uniforms were a lot fancier than in middle school. As a St. Roma student, I had to wear a green sweater with the school label on the shoulder, khaki skirt or khaki pants, a white blouse, and a green St. Roma tie. "There's my St. Roma student," said Mom. "You're ready for your first day?" she asked. "Yes!" I told her. When we got into the car and headed to school, (A) 내 마음은 나의 학기 첫날이 어떨지 상상하기 시작했다. *Maybe I'll have new friends. Maybe I'll be the best in the class.* I could not wait to start my first day at a new school.

2-1

윗글에 드러난 'I'의 심경으로 가장 적절한 것은?

① angry   ② excited   ③ jealous

④ regretful   ⑤ disappointed

© Pressmaster / shutterstock

2-2

밑줄 친 (A)의 우리말 의미에 맞도록 주어진 표현을 바르게 배열하시오.

> my mind / school / started / to / imagine / how /
> turn out / my / first day / of / would

➡ _____

[1~2] 다음 글을 읽고, 물음에 답하시오.

Words

issue (잡지의) 호
brief 간결한
subscription 구독
upcoming 다가오는
renew 갱신하다
delivery 배달, 배송
reply 응답, 답변
complete (서류 등에) 기입하다
monthly 월간의

Dear Mr. Hane,

Our message to you is brief, but important: Your subscription to Winston Magazine will end soon and we haven't heard from you about (A) r_____ it. We're sure you won't want to miss even one upcoming issue. Renew now to make sure that the service will (B) c_____. You'll get continued delivery of the excellent stories and news that make Winston Magazine the fastest growing magazine in America. To make it as easy as possible for you to act now, we've sent a reply card for you to complete. Simply send back the card today and you'll continue to receive your monthly issue of Winston Magazine.

Best regards,
Thomas Strout

1 윗글의 목적으로 가장 적절한 것은?

① 무료 잡지를 신청하려고
② 잡지 구독 갱신을 권유하려고
③ 배송 지연에 대해 사과하려고
④ 경품에 당첨된 사실을 통보하려고
⑤ 기사에 대한 독자 의견에 감사하려고

Tip

독자에게 잡지의 ❶ [   ] 만료를 알리며 ❷ [   ]을 권유하는 글이다.

답 ❶ 구독 기간 ❷ 갱신

서술형

2 윗글의 빈칸 (A), (B)에 들어갈 말을 주어진 철자로 시작하여 알맞은 형태로 쓰시오.

(A) r_____   (B) c_____

Tip

(A) 구독 기간 만료 전인데 독자로부터 ❶ [   ] 답변을 듣지 못했다.
(B) 서비스가 ❷ [   ] 되도록 회신용 카드를 보내라.

답 ❶ 갱신 ❷ 계속

[3~4] 다음 글을 읽고, 물음에 답하시오.

Words

chief 추장, 우두머리
tie 묶다
leather 가죽
ceremony 기념식
celebration 축하 행사
blanket 담요
beat 장단
clap (손뼉을) 치다
raise 올리다

The Chief called for Little Fawn to come out, and took her right hand and Sam's right hand and tied them together with a small piece of leather. He gave a big yell and told Sam, "You're now a married man." As soon as the wedding ceremony was over, the celebration began. Fawn and Sam sat on blankets as young boys and girls began dancing to flute music and drum beats. They danced in circles making joyful sounds and (A) <u>머리 위로 팔을 올린 채로 손을 흔들며.</u> Fawn rose up and joined them. People started clapping and singing. Fawn and Sam were two happy people.

3 윗글의 분위기로 가장 적절한 것은?

① boring   ② scary   ③ calm
④ humorous   ⑤ festive

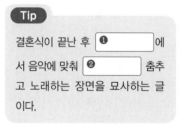

결혼식이 끝난 후 ❶ [   ]에서 음악에 맞춰 ❷ [   ] 춤추고 노래하는 장면을 묘사하는 글이다.

❶ 축하 행사 ❷ 즐겁게

© Getty Images Korea

(서술형)

4 밑줄 친 (A)의 우리말 의미에 맞도록 주어진 〈조건〉에 맞게 영어로 쓰시오.

• 조건 •
1. 분사구문을 사용할 것
2. 다음의 단어를 활용할 것: shake / with / raise
3. 필요시 단어를 추가하거나 변형할 것
4. 9단어로 쓸 것

Tip

'~가 …된 채로'는 「❶ [   ] +목적어+ ❷ [   ]」로 나타낼 수 있다.

❶ with ❷ 과거분사

➡ _____

전략 ❸ | 밑줄 친 부분의 의미 파악하기

- 밑줄 친 부분이 포함된 문장을 먼저 있는 그대로 해석한다.
- 무슨 일이 일어나고 있는지 혹은 무엇에 대해 설명하고 있는지 등의 글의 ❶[   ]을 파악한다.
- 글을 처음부터 읽어가면서 밑줄 친 부분이 포함된 문장과 ❷[   ]을 연결짓는다.
- 전체 맥락 속에서 밑줄 친 부분이 포함된 문장의 ❸[   ]을 확인한다.

답 ❶ 상황 ❷ 전체 맥락 ❸ 숨은 뜻

필수 예제

3. 밑줄 친 "matter out of place"가 다음 글에서 의미하는 바로 가장 적절한 것은?

Nothing is trash by nature. Anthropologist Mary Douglas brings back and analyzes the common saying that dirt is "matter out of place." Dirt is relative, she emphasizes. "Shoes are not dirty in themselves, but it is dirty to place them on the dining-table; food is not dirty in itself, but it is dirty to leave pots and pans in the bedroom, or food all over clothing; similarly, bathroom items in the living room; clothing lying on chairs; outdoor things placed indoors; upstairs things downstairs, and so on." Sorting the dirty from the clean — removing the shoes from the table, putting the dirty clothing in the washing machine — involves systematic ordering and classifying. Eliminating dirt is thus a positive process.

① something that is completely broken
② a tiny dust that nobody notices
③ a dirty but renewable material
④ what can be easily replaced
⑤ a thing that is not in order

Words

by nature 본래부터
anthropologist 인류학자
analyze 해석하다, 분석하다
relative 상대적인
emphasize 강조하다
sort 분류하다
systematic 체계적인
classify 분류하다
eliminate 제거하다

Guide

❶[   ]이라는 개념은 상황에 따른 ❷[   ]인 것임을 설명하는 글이다.

답 ❶ 더러움 ❷ 상대적

3. 다음 글을 읽고, 물음에 답하시오.

Words

balance 조절하다, 균형을 잡다
decision-making process 의사 결정 과정
blinded 눈먼
deer in (the) headlights 전조등 앞의 사슴
(깜짝 놀라서 움직이지 못하는 상태)
accomplish 이루다
analysis 분석
decision maker 의사 결정자
intuition 직관(력)

We must balance too much information versus using only the right information and keeping the decision-making process simple. The Internet has made so much free information available on any issue that we think we have to consider all of it in order to make a decision. So we keep searching for answers on the Internet. This makes us <u>information blinded</u>, like deer in headlights, when trying to make personal, business, or other decisions. In the land of the blind, a one-eyed person can accomplish the seemingly impossible. The one-eyed person understands the power of keeping any analysis simple and will be the decision maker when he uses his one eye of intuition.

3-1

밑줄 친 information blinded가 윗글에서 의미하는 바로 가장 적절한 것은?

① unwilling to accept others' ideas

② unable to access free information

③ unable to make decisions due to too much information

④ indifferent to the lack of available information

⑤ willing to take risks in decision-making

서술형✚

3-2

윗글의 주제문을 다음과 같이 나타낼 때 빈칸 (A)~(C)에 알맞은 말을 본문에서 찾아 쓰시오.

The ____(A)____ should be made by selecting only the accurate ____(B)____ from the Internet, the sea of the ____(C)____ .

(A) _____ (B) _____ (C) _____

전략 ❹ | 한 문장으로 요약하기

- ❶ [　　　]을 먼저 읽어 본문의 내용을 예측한다.
- 요약문은 글의 ❷ [　　　]를 한 문장으로 나타낸 것이므로 이를 먼저 파악하는 것이 핵심이다.
- 글에 등장하는 어휘가 그대로 들어가는 경우는 거의 없으므로 단락 내 ❸ [　　　]를 대체할 어구나 어휘를 찾는다.
- 선택한 표현을 요약문에 넣어 글의 내용을 포괄적으로 설명하고 있는지 확인한다.

🔑 ❶ 요약문 ❷ 주제 ❸ 핵심어(구)

 4. 다음 글의 내용을 한 문장으로 요약하고자 한다. 빈칸 (A), (B)에 들어갈 말로 가장 적절한 것은?

> An experiment was conducted to study a teaching environment where students were assigned to interact on a topic. With one group, the discussion was led in a way that built an agreement. With the second group, the discussion was designed to produce disagreements about the right answer. Students who easily reached an agreement were less interested in the topic and studied less. The most noticeable difference, though, was revealed when teachers showed a film about the discussion topic! Only 18 percent of the agreement group missed lunch time to see the film, but 45 percent of the students from the disagreement group stayed for the film. The thirst to fill a knowledge gap can be more powerful than the thirst for slides and jungle gyms.

⬇

> According to the experiment above, students' interest in a topic _____(A)_____ when they are encouraged to _____(B)_____.

(A)	(B)		(A)	(B)
① increases	····· differ		② increases	····· approve
③ increases	····· cooperate		④ decreases	····· participate
⑤ decreases	····· argue			

Words

conduct 실시하다, 실행하다
assign (~하도록) 명하다
interact 상호작용하다
agreement 일치, 합의
disagreement 불일치
noticeable 뚜렷한, 분명한
reveal 나타내다, 드러내다
thirst 열망, 갈망

Guide

한 주제에 대한 학생들의 ❶ [　　　]
는 의견이 불일치할 때 ❷ [　　　]한
다는 내용의 글이다.

🔑 ❶ 흥미 ❷ 증가

© Syda Productions / shutterstock

4. 다음 글을 읽고, 물음에 답하시오.

Words

multiple-choice 선다식(選多式)의
observe 관찰하다
perform 과제를 수행하다
initial 초반의, 초기의
rate 평가하다
intelligent 똑똑한
recall 기억하다, 회상하다
opinion 의견
opposite 반대의
evidence 증거
chance 우연

In one experiment, subjects observed a person solve 30 multiple-choice problems. One group of subjects saw the person solve more problems correctly in the first half and another group saw the person solve more problems correctly in the second half. The group that saw the person perform better on the initial examples rated the person as more intelligent and recalled that he had solved more problems correctly. The explanation for the difference is that one group formed the opinion that the person was intelligent on the initial set of data, while the other group formed the opposite opinion. Once this opinion is formed, when opposing evidence is presented it can _____ by attributing later performance to some other cause such as chance or problem difficulty.

* subject: 실험 대상자 ** attribute ~ to ...: ~을 …의 탓으로 돌리다

4-1

윗글의 내용을 한 문장으로 요약하고자 한다. 빈칸 (A), (B)에 들어갈 말로 가장 적절한 것은?

People tend to form an opinion based on ___(A)___ data, and when evidence against the opinion is presented, it is likely to be ___(B)___.

	(A)	(B)		(A)	(B)
①	more	⋯⋯ accepted	②	more	⋯⋯ tested
③	earlier	⋯⋯ ignored	④	earlier	⋯⋯ accepted
⑤	easier	⋯⋯ ignored			

요약문 유형의 선택지에는 (A), (B)에 들어갈 2~3개의 표현이 짝지어져 반복하여 등장하는 경우가 많아.

서술형⁺

4-2

윗글의 빈칸에 들어갈 말을 주어진 영영 풀이를 참고하여 알맞은 형태로 쓰시오.

1. to regard something as unlikely to be true or important
2. to reduce the price of something

➡ _____

[1~2] 다음 글을 읽고, 물음에 답하시오.

> For almost all things in life, there can be too much of a good thing. Even the best things in life aren't so great in excess. This concept has been discussed at least as far back as Aristotle. He argued that being virtuous means finding a balance. For example, people should be brave, but if someone is too brave they become reckless. People should be trusting, but if someone is too trusting they are considered gullible. For each of these traits, it is best to avoid both deficiency and excess. The best way is to live <u>at the "sweet spot"</u> that maximizes well-being. Aristotle's suggestion is that virtue is the midpoint, (A) 그곳에서는 누군가가 너무 관대하지도 너무 인색하지도 않고, 너무 두려워하거나 무모하게 용감하지도 않다.
>
> *excess: 과잉 **gullible: 잘 속아 넘어가는

Words

virtuous 미덕이 있는
reckless 무모한
trusting 믿는
deficiency 부족, 결핍
spot 지점
maximize 최대화하다
suggestion 의견
virtue 미덕
midpoint 중간 지점
generous 관대한, 너그러운
stingy 인색한

1 윗글의 밑줄 친 at the "sweet spot"이 윗글에서 의미하는 바로 가장 적절한 것은?

① at the time of a biased decision

② in the area of material richness

③ away from social pressure

④ in the middle of two extremes

⑤ at the moment of instant pleasure

Tip
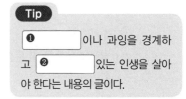

❶[   ]이나 과잉을 경계하고 ❷[   ]있는 인생을 살아야 한다는 내용의 글이다.

답 ❶ 지나침 ❷ 균형

© Anatoli Styf / shutterstock

서술형

2 윗글의 밑줄 친 (A)의 우리말 의미에 맞도록 주어진 표현을 바르게 배열하시오.

> where / neither / is / someone / too afraid / nor / too stingy / neither / too generous / nor / recklessly brave

→ _____

Tip
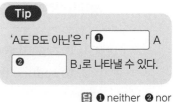

'A도 B도 아닌'은 「❶[   ] A ❷[   ] B」로 나타낼 수 있다.

답 ❶ neither ❷ nor

[3~4] 다음 글을 읽고, 물음에 답하시오.

Words

motivate ~에게 동기를 부여하다
achieve 달성하다
respond 대응하다, 반응하다
challenge 도전 과제
measure 측정하다
participant 참가자
fantasize 공상하다
outcome 결과
idealized 이상화된
reveal 보여 주다
recover 회복하다

What really works to motivate people to achieve their goals? (①) In one study, researchers looked at how people respond to life challenges. (②) The researchers also measured how much these participants fantasized about positive outcomes and how much they actually expected a positive outcome. (③) While fantasy involves imagining an idealized future, expectation is actually based on a person's past experiences. (④) The results revealed that those who had engaged in fantasizing about the desired future did worse in all the conditions. (⑤) Those who had more positive expectations for success did better. These individuals were more likely to have found jobs, passed their exams, or successfully recovered from their surgery.

3 윗글의 내용을 한 문장으로 요약하고자 한다. 빈칸 (A), (B)에 들어갈 말로 가장 적절한 것은?

> Positive expectations are more ____(A)____ than fantasizing about a desired future, and they are likely to increase your chances of ____(B)____ in achieving goals.

	(A)		(B)
①	effective	·····	frustration
③	discouraging	·····	cooperation
⑤	common	·····	difficult

	(A)		(B)
②	effective	·····	success
④	discouraging	·····	failure

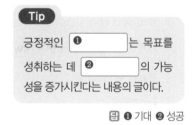

Tip

긍정적인 **❶** ____ 는 목표를 성취하는 데 **❷** ____ 의 가능성을 증가시킨다는 내용의 글이다.

답 **❶** 기대 **❷** 성공

주어진 문장의 위치를 결정할 때는 문장을 이어 주는 접속사, (접)관사, 대명사, 지시어 등의 연결 고리를 찾아야 해.

(서술형)

4 윗글의 흐름으로 보아 (1) 주어진 문장이 들어가기에 가장 적절한 곳을 고르고, (2) 이 문장에 대한 답을 우리말로 쓰시오.

> What's the difference really between fantasy and expectation?

(1) _____

(2) _____

Tip

'~하는 반면'이라는 의미의 접속사 **❶** ____ 을 이용하여 비교나 **❷** ____ 를 표현할 수 있다.

답 **❶** while[whereas] **❷** 대조

교과서 대표 전략 ①

대표 예제 ① 목적

다음 글의 목적을 아래와 같이 나타낼 때 빈칸 (A), (B)에 알맞은 말을 주어진 철자로 시작하여 쓰시오.

Dear passerby whose name I do not know,

Thank you very much for helping me last month in Hong Kong. I was afraid I would not arrive at the airport in time because I did not know how to get there. Then you kindly showed me the directions to the airport. Thanks to your help, I was able to get to the airport in time. I feel I would have missed the flight if you had not helped. How can I ever thank you enough?

Best wishes,
Mina

➡ to (A) t＿＿＿＿＿＿ for (B) h＿＿＿＿＿＿ her with finding the directions to the airport

© Rawpixel.com / shutterstock

개념 Guide

홍콩에서 ❶＿＿＿＿에 가는 방법을 알려준 행인에게 ❷＿＿＿＿를 표하는 편지글이다.

답 ❶ 공항 ❷ 감사

대표 예제 ② 심경

다음 글의 밑줄 친 부분에 나타난 필자의 심경으로 가장 적절한 것은?

We took a boat from the town harbor to see the icebergs better. <u>What we saw as we approached them left us speechless.</u> Enormous icebergs of different shapes were floating in the sea. Some of them were as big as mountains. Mr. Nielsen said, "The icebergs are melting and slowly changing into new shapes every day. In fact, they are melting faster than ever." That means we can never see the icebergs in the same shape twice. Dad kept taking pictures, and I tried my best to record the images of the beautiful icebergs in my mind.

① worried
② admiring
③ depressed
④ relieved
⑤ indifferent

개념 Guide

바다에 떠 있는 거대하고 아름다운 ❶＿＿＿＿을 보며 ❷＿＿＿＿하는 상황이다.

답 ❶ 빙산 ❷ 감탄

대표 예제 3

다음 글을 읽고, 물음에 답하시오.

A red curtain slowly opens. Rows of little screens, ⓐ <u>show</u> people of all ages and colors, fill the stage against a dark background. In the center ⓑ <u>appears a man</u>. He soon begins conducting and disappears. Then the singing images move slowly to the music. Some of them ⓒ <u>are zoomed in</u> to show different faces. There is neither an orchestra ⓓ <u>nor</u> an audience. The singers have never met each other or practiced together. Yet a song ⓔ <u>called</u> "Lux Aurumque" is performed by a beautiful mix of voices. This is a "virtual choir." "I was actually moved to tears when I first saw it. These souls, all on their own desert island, sent electronic messages in bottles to each other," the modern music composer, Eric Whitacre said.

© Fer Gregory / shutterstock

(1) 글의 분위기로 가장 적절한 것은?

① noisy ② tense

③ festive ④ touching

⑤ romantic

개념 Guide

❶ ⬜ 공연의 ❷ ⬜ 첫 장면을 묘사하는 글이다.

답 ❶ 가상 합창단 ❷ 감동적인

(2) 밑줄 친 ⓐ~ⓔ 중 어법상 어색한 것을 찾아 바르게 고치시오.

＿＿＿＿＿＿＿ ➡ ＿＿＿＿＿＿＿

개념 Guide

두 번째 문장의 주어는 ❶ ⬜, 동사는 ❷ ⬜이다.

답 ❶ Rows of little screens ❷ fill

대표 예제 4　　함축적 의미

밑줄 친 (A), (B)가 다음 글에서 의미하는 바를 아래와 같이 나타낼 때 빈칸에 알맞은 말을 쓰시오.

Now, think carefully about the comparisons made and what you already know about the world. Then you may be able to understand what the metaphors mean. If you know that a roller coaster goes up and down, you can guess that (A) "Life is a roller coaster." However, you may not always be able to guess correctly. For instance, you may fail to see what (B) "You're the apple of my eye." means even though you understand all the words that make up the metaphor.

(A) Life has lots of _____ _____ _____.

(B) You're a person who _____ _____ or favored.

© goodluz / shutterstock

개념 Guide

(A) a roller coaster는 '❶　　　'이 많음을 의미한다.
(B) the apple of my eye는 '❷　　　'을 의미한다.

답 ❶ (인생의) 굴곡 ❷ 가장 사랑하는 사람

대표 예제 5　　요약문

다음 글의 내용을 한 문장으로 요약하고자 한다. 빈칸 (A), (B)에 들어갈 말로 가장 적절한 것은?

Here is a poem that I would like to share with you. I hope you keep its message in mind: high school happens only once, so try to stay positive and make the most of it. Good luck!

Life is like a piece of art.
Don't be afraid. Follow your heart.
Choose your paint and your brush.
Take your time; avoid the rush.

As I closed the notebook, I felt warm and confident. Thank you, my secret mentor!

↓

You do not have to ___(A)___ others; live a life of ___(B)___.

	(A)		(B)
①	push	⋯⋯	rush
②	follow	⋯⋯	your own
③	follow	⋯⋯	an example
④	push	⋯⋯	freedom
⑤	imitate	⋯⋯	an example

개념 Guide

한 번뿐인 고등학교 생활을 ❶　　　으로 생각하고 ❷　　　이 원하는 삶을 살라는 내용의 글이다.

답 ❶ 긍정적 ❷ 자신

대표 예제 **6**

다음 글을 읽고, 물음에 답하시오.

Throughout the ages, many people have shaped human history by viewing things differently and thus developing ideas that were new and useful. One such person was Johannes Gutenberg. In Gutenberg's world, two devices were in common use: the wine press and the coin punch. The first one pressed grapes to make wine, and the other made images on coins. One day, Gutenberg playfully asked himself: "What if I took a bunch of these coin punches and put them under the wine press so that they left images on p_____?" In the end, his idea of linking the two devices led to the birth of the modern printing press. This changed history forever.

© Jan Schneckenhaus / Shutterstock

(1) 글의 내용을 한 문장으로 요약하고자 한다. 빈칸 (A), (B)에 들어갈 말로 가장 적절한 것은?

> Gutenberg thought in a(n) __(A)__ way and invented the modern printing press by __(B)__ two different devices.

	(A)		(B)
①	different	······	creating
②	unique	······	making
③	different	······	buying
④	ordinary	······	pressing
⑤	unique	······	combining

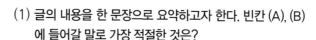

개념 Guide

Gutenberg는 와인 압착기와 [❶]를 이용하여 현대적인
[❷]를 발명하였다.

답 ❶ 동전 천공기 ❷ 인쇄기

(2) 빈칸에 알맞은 말을 주어진 철자로 시작하여 한 단어로 쓰시오.

➡ p_____

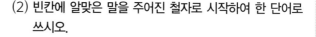

개념 Guide

인쇄기를 이용해 [❶] 위에 [❷]를 남길 수 있다.

답 ❶ 종이 ❷ 이미지

01 다음 글의 목적으로 가장 적절한 것은?

How do you usually solve problems? There are several steps that you need to follow for effective problem solving. First, look closely, identify the problem, and then gather all the important facts about the problem. You need to understand the problem before you can solve it. Second, make a list of possible solutions and evaluate all the possibilities before you choose the best one. Then, put the chosen solution into action and observe what happens. Finally, evaluate the result. I'm sure these steps will help you solve your problems.

① 논쟁을 해결하기 위해

② 상대방을 설득하기 위해

③ 새로운 문제점을 제시하기 위해

④ 문제 해결 능력을 평가하기 위해

⑤ 효과적인 문제 해결 방법을 알려주기 위해

> **Tip**
> ❶ [　　　] 절차에 관한 유용한 ❷ [　　　] 를 주는 글이다.
>
> 답 ❶ 문제 해결 ❷ 정보

02 다음 글에 드러난 필자의 심경 변화로 가장 적절한 것은?

We went to Kangerlussuaq, the final destination of our journey. It is one of the best places in Greenland to see the Northern Lights. Mr. Nielsen insisted that we get settled early. So, we set up on a hill and had dinner while waiting calmly for the lights. Hours passed without any sign of them in the sky. I began to doubt that we could see the lights. At that moment, Mom shouted, "Look up there!" Some lights began to appear in the sky! At first, they looked like candle flames waving in the wind. Then, they gradually turned into curtains of green lights that kept changing color and shape. It was the best night of my life.

① bored → indifferent

② anxious → confused

③ doubtful → delighted

④ excited → disappointed

⑤ encouraged → discouraged

> **Tip**
> 북극광을 볼 수 있을지 ❶ [　　　] 하다가 마침내 나타난 북극광을 감상하며 ❷ [　　　] 밤을 보내는 상황이다.
>
> 답 ❶ 의심 ❷ 최고의

> 심경 변화 유형은 상황이 바뀌는 곳을 확인해야게지? 여기서는 친절하게도 엄마가 신호탄을 주니네.

Words

effective 효과적인 identify 확인하다 solution 해결책 evaluate 평가하다 possibility 가능성 put ~ into action ~을 실행하다

Words

destination 목적지 journey 여행 the Northern Lights 북극광 sign 조짐 appear 나타나다 flame 연기 wave 흔들리다

[03~04] 다음 글을 읽고, 물음에 답하시오.

Can we learn to think ⓐ <u>differently</u> or more creatively like these famous inventors? Luckily, the answer is "yes." Creative thinking is a skill, and we can improve it. To think more creatively, look for ⓑ <u>many</u> possible answers, not just one. Ask yourself, "What if ...?" or say to yourself, "Imagine ...." Also, do not be afraid of making ⓒ <u>mistakes</u>. When you do make mistakes, try to ⓓ <u>learn</u> from them. As Albert Einstein once said, "Anyone who has never made a mistake has never tried anything ⓔ <u>usual</u>." Most importantly, do not forget that creativity is based on knowledge and experience. You need to keep learning new things. That way, you will have the tools for creativity.

© Africa Studio / shutterstock

03 글의 내용을 한 문장으로 요약하고자 한다. 빈칸 (A), (B)에 들어갈 말로 가장 적절한 것은?

We can improve ____(A)____ by finding many different answers and trying to learn from ____(B)____ and experience.

(A) (B)
① creativity ······ mistakes
② creativity ······ success
③ imagination ······ mistakes
④ imagination ······ skills
⑤ knowledge ······ failure

> **Tip**
> ❶ [ ]을 ❷ [ ]시킬 수 있는 방법을 설명하는 글이다.
>
> 답 ❶ 창의성 ❷ 향상

04 밑줄 친 ⓐ~ⓔ 중 문맥상 어색한 것을 찾아 바르게 고치시오.

_____ ➡ _____

> **Tip**
> ❶ [ ]를 두려워 하지 말고 끊임없이 ❷ [ ] 것을 배워야 한다.
>
> 답 ❶ 실수 ❷ 새로운

Words

inventor 발명가   improve 향상시키다   make a mistake 실수하다
creativity 창의성   tool 도구

01 다음 글의 목적으로 가장 적절한 것은?

Dear Community Members,

As the director of Save-A-Pet Animal Shelter, I appreciate your help and support in looking after our animals. Despite your efforts, it is beyond our facility's capacity to care for animals with special needs. Without community members who will take these pets into their homes, our shelter can fill up with difficult-to-adopt cases. Consider adopting a pet with medical or behavioral needs. Come into our adoption center and meet some of our longer-term residents. It takes an entire community to save animals' lives — we cannot do it without you!

Sincerely,
Dr. Sarah Levitz

① 반려동물 입양을 요청하려고
② 유기견 보호 센터 개설을 알리려고
③ 동물 보호 정책 강화를 요구하려고
④ 동물 구조 자원봉사자를 모집하려고
⑤ 동물 보호 단체 가입 방법을 안내하려고

02 다음 글에 드러난 'I'의 심경 변화로 가장 적절한 것은?

I board the plane, take off, and climb out into the night sky. Within minutes, the plane shakes hard, and I freeze, feeling like I'm not in control of anything. Rain hits the windscreen and I'm getting into heavier weather. When I reach for the microphone to call the center to declare an emergency, my shaky hand accidentally bumps the carburetor heat levers, and the left engine suddenly regains power. Both engines backfire and come to full power. Feeling that the worst is over, I find my whole body loosening up and at ease.

* carburetor heat lever: 기화기 열 레버

① ashamed → delighted
② terrified → relieved
③ satisfied → regretful
④ indifferent → excited
⑤ hopeful → disappointed

© Mila Supinskaya Glashchenko / shutterstock

03 밑줄 친 translate it from the past tense to the future tense가 다음 글에서 의미하는 바로 가장 적절한 것은?

Get past the 'I wish I hadn't done that!' reaction. If the disappointment you're feeling is linked to an exam you didn't pass because you didn't study for it, or a job you didn't get because you said silly things at the interview, or a person you didn't impress because you took entirely the wrong approach, accept that it's *happened* now. The only value of 'I wish I hadn't done that!' is that you'll know better what to do next time. The learning pay-off is useful and significant. This 'if only I ...' agenda is virtual. Once you have worked that out, it's time to translate it from the past tense to the future tense: 'Next time I'm in this situation, I'm going to try to ...'.

*agenda: 의제 **tense: 시제

① look for a job linked to your interest
② get over regrets and plan for next time
③ surround yourself with supportive people
④ study grammar and write clear sentences
⑤ examine your way of speaking and apologize

함축적 의미를 추론하는 유형은 전체 맥락 속에서 그 숨은 뜻을 찾아야 해. 여기서 past tense, future tense가 정말 문법에서 말하는 과거 시제, 미래 시제를 의미하는 것은 아니겠지?

04 다음 글의 내용을 한 문장으로 요약하고자 한다. 빈칸 (A), (B)에 들어갈 말로 가장 적절한 것은?

In a study, 306 people were divided into three age groups: young adolescents, with a mean age of 14; older adolescents, with a mean age of 19; and adults, aged 24 and older. Subjects played a computerized driving game in which the player must avoid crashing into a wall that appears, without warning, on the roadway. They played alone or with two same age peers looking on. Older adolescents scored about 50 percent higher on an index of risky driving when their peers were in the room — and the driving of early adolescents was twice as reckless when other teens around. In contrast, adults behaved in similar ways regardless of whether they were on their own or observed by others.

↓

The ___(A)___ of peers makes adolescents, but not adults, more likely to ___(B)___.

	(A)	(B)
①	presence	take risks
②	presence	behave cautiously
③	indifference	perform poorly
④	absence	enjoy adventures
⑤	absence	act independently

© Getty Images Korea

A 다음 글을 읽고, 물음에 답하시오.

> Our recycling program ⓐ <u>has been working</u> well thanks to your participation. Because there is no given day for recycling, residents are putting their recycling out at any time. This makes the recycling area ⓑ <u>messy</u>, ⓒ <u>which</u> requires extra labor and cost. To deal with this problem, the residents' association has decided on a day ⓓ <u>to recycle</u>. I would like to let you know ⓔ <u>that</u> you can put out your recycling on Wednesdays only.

(1) 윗글의 목적을 다음과 같이 나타낼 때 빈칸 (a)~(c)에 알맞은 말을 주어진 철자로 시작하여 쓰시오.

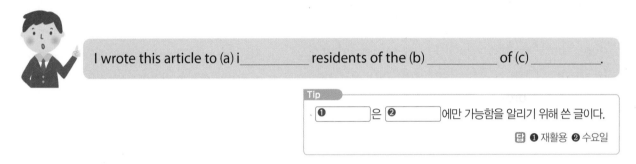

I wrote this article to (a) i_____ residents of the (b) _____ of (c) _____.

> **Tip**
>
> ❶ _____은 ❷ _____에만 가능함을 알리기 위해 쓴 글이다.
>
> 🔑 ❶ 재활용 ❷ 수요일

(2) 윗글의 밑줄 친 ⓐ~ⓔ에 관한 설명으로 **틀린** 것을 고르시오.

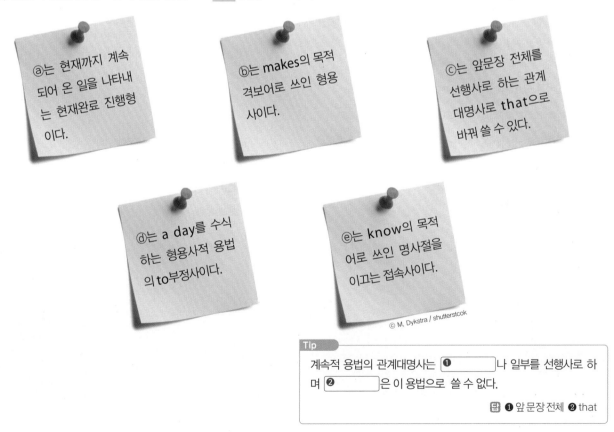

ⓐ는 현재까지 계속되어 온 일을 나타내는 현재완료 진행형이다.

ⓑ는 makes의 목적격보어로 쓰인 형용사이다.

ⓒ는 앞문장 전체를 선행사로 하는 관계대명사로 that으로 바꿔 쓸 수 있다.

ⓓ는 a day를 수식하는 형용사적 용법의 to부정사이다.

ⓔ는 know의 목적어로 쓰인 명사절을 이끄는 접속사이다.

© M. Dykstra / shutterstcok

> **Tip**
>
> 계속적 용법의 관계대명사는 ❶ _____나 일부를 선행사로 하며 ❷ _____은 이 용법으로 쓸 수 없다.
>
> 🔑 ❶ 앞 문장 전체 ❷ that

B 다음 글을 읽고, 물음에 답하시오.

> It was a day I was due to give a presentation at work. As I stood up to begin, I froze. A chilly 'pins-and-needles' feeling crept over me, starting in my hands. Time seemed to stand still as I struggled to start speaking, and I felt a pressure around my throat, as though my voice was trapped and couldn't come out. Gazing around at the blur of faces, I realized they were all waiting for me to begin, but by now I knew I couldn't continue.

(1) 필자의 심경을 나타내는 부분을 <u>모두</u> 고르시오.

☐ I froze.

☐ a chilly 'pins-and-needles' feeling

☐ a pressure around my throat

☐ my voice was trapped

☐ the blur of faces

> **Tip**
> ❶ [   ], chilly, ❷ [   ], trapped 등의 단어는 필자의 심경과 관련이 있다.
> 답 ❶ froze ❷ pressure

(2) 윗글의 내용과 일치하도록 빈칸에 알맞은 말을 <u>모두</u> 고르시오.

☐ proud

☐ panicked

☐ satisfied

I was ＿＿＿＿＿ as I had to give a presentation at work.

☐ stressed

☐ embarrassed

☐ pleased

☐ amazed

> **Tip**
> 필자가 직장에서 ❶ [   ]를 하려고 일어났을 때 ❷ [   ] 상황을 묘사하는 글이다.
> 답 ❶ 발표 ❷ 당황한

C 다음 글을 읽고, 밑줄 친 부분이 의미하는 바를 바르게 설명한 사람을 고르시오.

The creative team exhibits paradoxical characteristics. It shows tendencies of thought and action that we'd assume to be mutually exclusive or contradictory. For example, to do its best work, a team needs deep knowledge of subjects relevant to the problem it's trying to solve, and a mastery of the processes involved. But at the same time, the team needs fresh perspectives that are unencumbered by the prevailing wisdom or established ways of doing things. Often called a "beginner's mind," this is the newcomers' perspective: people who are curious, even playful, and willing to ask anything — no matter how naive the question may seem — because they don't know what they don't know. Thus, bringing together contradictory characteristics can accelerate the process of new ideas.

* unencumbered: 방해 없는

민지

It means establishing short-term and long-term goals.

재림

No. It means performing both challenging and easy tasks.

규한

I think it means adopting temporary and permanent solutions.

다솜

I understand it as utilizing aspects of both experts and rookies.

Daniel

Umm. I think of it as considering processes and results simultaneously.

> **Tip**
> contradictory characteristics
> = deep ❶[   ] of subjects + a ❷[   ] of the processes + fresh perspectives
>
> 📖 ❶ knowledge ❷ mastery

D 다음 글을 읽고, 물음에 답하시오.

Do animals have a sense of fairness? Researchers decided to test this by paying dogs for "giving their paw." Dogs were asked repeatedly to give their paw. The researchers had two dogs sit next to each other and asked each dog in turn to give a paw. Then one of the dogs was given a ⓐ <u>better</u> reward than the other. In response, the dog that was being "paid" ⓑ <u>less</u> for the same work began giving its paw more reluctantly and stopped giving its paw ⓒ <u>later</u>. This finding raises the possibility that dogs may have a basic sense of ⓓ <u>fairness</u>, or at least a hatred of ⓔ <u>inequality</u>.

* paw: 동물의 발

(1) 윗글을 읽고, 알맞은 단어를 골라 요약문을 완성하시오.

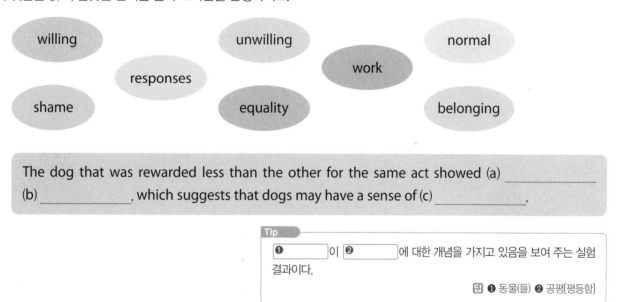

willing　　　　unwilling　　　normal

responses　　　　work

shame　　　　equality　　　belonging

The dog that was rewarded less than the other for the same act showed (a) _____ (b) _____ , which suggests that dogs may have a sense of (c) _____ .

Tip

❶ [　　　　] 이 ❷ [　　　　] 에 대한 개념을 가지고 있음을 보여 주는 실험 결과이다.

답 ❶ 동물(들) ❷ 공평[평등함]

(2) 윗글의 밑줄 친 ⓐ~ⓔ 중 문맥상 어색한 것을 찾아 바르게 고친 것을 고르시오.

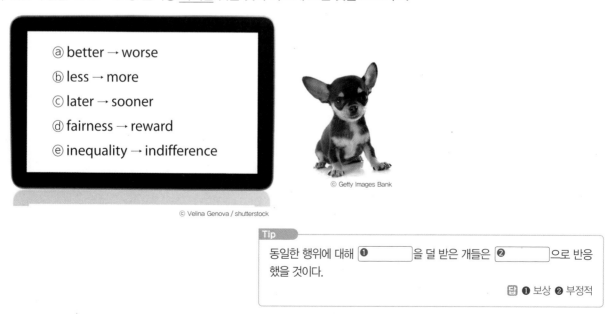

ⓐ better → worse
ⓑ less → more
ⓒ later → sooner
ⓓ fairness → reward
ⓔ inequality → indifference

© Velina Genova / shutterstock

© Getty Images Bank

Tip

동일한 행위에 대해 ❶ [　　　　] 을 덜 받은 개들은 ❷ [　　　　] 으로 반응 했을 것이다.

답 ❶ 보상 ❷ 부정적

마무리 전략

전략 1	'주장'은 필자가 글을 통해 내세우는 '의견'이다.
전략 2	'요지'는 글의 '핵심 내용'이다.
전략 3	'주제'는 글이 '중점적으로 다루고 있는 문제'이다.
전략 4	'제목'은 글의 '주제를 함축적으로 표현한 것'이다.

모든 글은 필자가
전달하고자 하는 바를
담고 있어.

주장은
필자가 강하게 피력하는
의견을 말해.

필자의 주장을 찾으려면 have to나
must 등 강한
어조의 표현에 주목해 봐.

주제란
글이 중점적으로 다루고 있는
문제를 말해.

요지 파악 유형은
글의 초점이 명확하고
핵심어(구)가 반복되지.

요지란
필자가 말하고자
하는 핵심 내용이야.

글의 주제를 파악했으면
그것의 다른 표현을
찾는다고 생각해 봐.

그게 바로 제목이지.
글의 제목은 핵심 내용을
함축하고 있어.

GOOD
JOB!

전략 5	'목적'은 필자가 글을 쓴 '의도'이다.
전략 6	'심경 변화·분위기'는 '등장인물의 감정'이나 '이야기의 흐름'이다.
전략 7	'함축적 의미[함의]'는 문맥을 통해 파악해야 하는 어구의 '숨은 뜻'이다.
전략 8	'요약문'은 글 전체의 내용을 '짧게 줄인 문장'이다.

목적은 필자가 그 글을 쓰게 된 의도나 이유를 말하지.

심경 변화나 글의 분위기는 등장인물의 감정이나 이야기의 흐름과 관계가 있어.

이런 유형은 대상에 대한 묘사나 일어나고 있는 사건의 흐름을 잘 파악해야 해.

이런 문장은 문맥을 통해 그 숨은 뜻을 알아내야 해.

글에 쓰인 단어나 어구 등이 글자 그대로의 의미가 아닌 비유적인 의미를 나타낼 수도 있어.

요약문은 주제문의 다른 표현이라고 할 수 있어.

요약문을 먼저 읽으면 글의 내용을 예측하기 쉬워지니 문제 풀기가 수월해.

GOOD JOB!

신유형·신경향·서술형 전략

[1~2] 다음 글을 읽고, 물음에 답하시오.

In some sense, tea played a life-changing role for herdsmen and hunters after it spread to China's grasslands and pasture lands. ⓐ It is often said that people make a living according to ⓑ given circumstances. On high mountains and grasslands in the northwest part of China, a large quantity of cattle, sheep, camels, and horses are raised. The milk and meat provide people with much fat and protein but ⓒ few vitamins. Tea, therefore, supplements the basic needs of the nomadic tribes, ⓓ who diet lacks vegetables. Therefore, the herdsmen from the QinghaiTibet Plateau, the Xinjiang and Inner Mongolia autonomous regions follow the tea culture system ⓔ in which they drink tea with milk. And they make milky tea the most precious thing for the people in the northwest part of China.

도입

❶_____는 중국 유목민의 삶에서 매우 중요한 역할을 했어.

원인

중국 유목민은 우유와 고기에서 충분한 지방과 단백질을 얻지만 ❷_____이 부족했고 차를 마심으로써 보충했지.

결과

그래서 유목민들은 균형 잡힌 식단을 위해 우유와 함께 차를 마시고 ❸_____를 만들게 되었다.

답 ❶ 차(茶) ❷ 비타민 ❸ 밀크티

1 윗글의 주제로 가장 적절한 것은?

① importance of drinking tea for reducing fat
② the reason nomadic tribes in China drink tea
③ the difficulties of living in high altitude areas
④ history of nomadic life in the northwest China
⑤ items that make the Chinese tea culture simple

© Pierre Jean Durieu / shutterstock

2 윗글의 밑줄 친 ⓐ~ⓔ 중 어법상 어색한 것을 찾아 바르게 고치시오.

_____ ➡ _____

[3~4] 다음 글을 읽고, 물음에 답하시오.

We began helping in the kitchen when we each turned three years old. We're sure that, at that age, we were more of a hindrance than help, but because our mom thought cooking was a good learning tool, she tolerated all of the mess that we made. Of course, we didn't care about any of that learning stuff, we just thought it was fun, and we still do. We learned to cook through trial and many errors. We can't tell you how many times we have dropped eggs on the floor, coated the kitchen in flour, or boiled things over on the stove. The point is, if there is a(n) _____ that could be made, we have made it. But, as our mom always says, _____s are the best teachers. Through those _____s we have learned what works and definitely what doesn't.

주제: 시행착오를 통한 학습 효과

필자가 어렸을 때 엄마로부터 **❶** 를 배웠던 사례 제시

엄마는 요리가 좋은 **❷** 라고 생각하셨지만, 우리는 재밌거리로만 생각했지.

우리는 많은 **❸** 와 실수를 통해 요리를 배웠어.

❶ 요리 **❷** 학습 도구 **❸** 시행착오

3 윗글의 요지로 가장 적절한 것은?

① 시행착오를 통해서 학습이 이루어질 수 있다.
② 주방에서 요리를 할 때 안전에 유의해야 한다.
③ 요리가 어린아이들의 신체 활동에 도움을 준다.
④ 어릴 때부터 정리하는 습관을 길러줄 필요가 있다.
⑤ 사소한 실수를 줄이기 위해서는 신중함이 요구된다.

4 윗글의 빈칸에 공통으로 알맞은 말을 주어진 영영 풀이를 참고하여 쓰시오.

something that has been done in the wrong way

➡

© Getty Images Korea

[5~6] 다음 글을 읽고, 물음에 답하시오.

My dog, Pinky, was a handful. But Pinky and I loved each other. Every day when I got off the school bus she'd bark, race to the end of her run and try to jump over the gate to greet me. (A) <u>그것이 무엇인가 크게 잘못되었다는 것을 내가 알게 된 이유였다</u> that afternoon last spring. Not a sound. Pinky's run was empty. I searched the streets until my feet ached. No Pinky. None of my neighbors had seen her either. The next day I called the animal shelters. I examined the "dog found" ads in the paper. There were lots of them, but none matched my Pinky's description. "Don't worry," Mom said. "We will put up lost dog signs and keep looking." We checked the neighborhood for six days. Still Pinky didn't turn up.

❶ [   ] 소개

다루기 힘들지만 서로 정말 좋아함

사건 발생 1일

❷ [   ] 봄에 Pinky가 사라짐

사건 발생 2일 ~ 현재

동물 보호소 전화하기, 신문 광고 확인하기, **❸ [   ]** 붙이기 등을 했지만 지금까지 찾지 못하고 있음

📖 ❶ 애완견 Pinky ❷ 작년
❸ 전단지

5 윗글에 드러난 'I'의 심경으로 가장 적절한 것은?

① bored and lonely

② worried and disappointed

③ excited and delighted

④ frightened and threatened

⑤ relieved and satisfied

6 윗글의 밑줄 친 (A)의 우리말 의미에 맞도록 주어진 〈조건〉에 맞게 영어로 쓰시오.

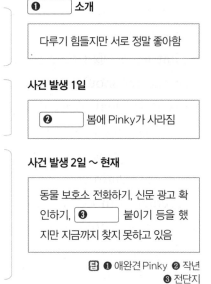

┌─ • 조건 • ─
1. 다음의 단어를 활용할 것: that / why / something / wrong / terribly
2. 필요시 단어를 추가하거나 변형할 것
3. 8단어로 쓸 것

➡ _____

[7~8] 다음 글을 읽고, 물음에 답하시오.

We must be careful when looking at proverbs as expressing aspects of a certain worldview or ⓐ <u>mentality</u> of a people. That is, no ⓑ <u>fixed</u> conclusions about a so-called "national character" should be drawn. There are so many popular proverbs from classical, Biblical, and medieval times current in various cultures that it would be foolish to think of them as showing some imagined national character. Nevertheless, the ⓒ <u>rare</u> use of certain proverbs in a particular culture could be used together with other social and cultural indicators to form some ⓓ <u>common</u> concepts. Thus, if the Germans really do use the proverb, "*Morgenstunde* hat Gold im Munde" (*The morning hour* has gold in its mouth) with ⓔ <u>high</u> frequency, then it does mirror at least to some degree the German attitude towards getting up early.

도입

❶ 　　　　을 민족과 관련된 측면에서 볼 때는 주의해야 해.

부연

속담들이 ❷ 　　　　을 직접적으로 반영할 수는 없어.

반론

하지만 특정 속담들의 빈번한 사용이 한 국가에 관한 ❸ 　　　　인 개념을 형성할 수는 있지.

사례

아침과 관련된 독일 속담의 예로 확인해 보자.

답 ❶ 속담 ❷ 국민성 ❸ 일반적

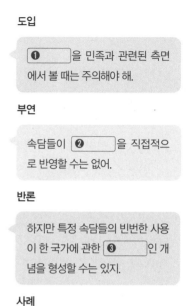

7 윗글의 내용을 한 문장으로 요약하고자 한다. 빈칸 (A), (B)에 들어갈 말로 가장 적절한 것은?

Although proverbs cannot directly 　　(A)　　 national character, the frequent use of certain proverbs is likely to form 　　(B)　　 concepts of a nation.

	(A)	(B)		(A)	(B)
①	reflect	ideal	②	reflect	general
③	include	creative	④	evaluate	specific
⑤	evaluate	typical			

8 윗글의 밑줄 친 ⓐ~ⓔ 중 문맥상 어색한 것을 찾아 바르게 고치시오.

　　　　　　　　 ➡ 　　　　　　　　

01 다음 글에서 필자가 주장하는 바로 가장 적절한 것은?

We tend to go long periods of time without reaching out to the people we know. Then, we suddenly take notice of the distance that has formed and we scramble to make repairs. We call people we haven't spoken to in ages, hoping that one small effort will erase the months and years of distance we've created. However, this rarely works: relationships aren't kept up with big one-time fixes. This isn't to say that you shouldn't bother calling someone just because it's been a while since you've spoken; just that it's more ideal not to let yourself fall out of touch in the first place. Consistency always brings better results.

① 가까운 사이일수록 적당한 거리를 유지해야 한다.
② 사교성을 기르려면 개방적인 태도를 가져야 한다.
③ 대화를 할 때 상대방의 의견을 먼저 경청해야 한다.
④ 인간관계를 지속하려면 일관된 노력을 기울여야 한다.
⑤ 원활한 의사소통을 위해 솔직하게 감정을 표현해야 한다.

02 다음 글의 요지로 가장 적절한 것은?

How many of you have a hard time saying no? No matter what anyone asks of you, no matter how much of an inconvenience it poses for you, you do what they request. This is not a healthy way of living because by saying yes all the time you are building up emotions of inconvenience. You will resent the person who you feel you cannot say no to because you no longer have control of your life and of what makes you happy. When you are suppressed emotionally and constantly do things against your own will, your stress will eat you up faster than you can count to three.

① 거절하지 못하고 삶의 통제권을 잃으면 스트레스가 생긴다.
② 상대방의 거절을 감정적으로 해석하지 않는 것이 바람직하다.
③ 대부분의 스트레스는 상대에 대한 지나친 요구에서 비롯된다.
④ 일에 우선순위를 정해서 자신의 삶을 통제하는 것이 필요하다.
⑤ 사람마다 생각이 다를 수 있다는 점을 인정하는 것이 중요하다.

일반적인 진술을 먼저 한 뒤에 But, However 등의 말을 하면서 자신의 주장을 펼치기도 하지.

03 다음 글의 주제로 가장 적절한 것은?

You can say that information sits in one brain until it is communicated to another, unchanged in the conversation. That's true of *sheer* information, like your phone number or the place you left your keys. But it's not true of knowledge. Knowledge relies on judgements, which you discover and polish in conversation with other people or with yourself. Therefore you don't learn the details of your thinking until speaking or writing it out in detail and looking back critically at the result. In the speaking or writing, you uncover your bad ideas, often embarrassing ones, and good ideas too, sometimes fame-making ones. Thinking requires its expression.

① critical roles of speaking or writing in refining thoughts

② persuasive ways to communicate what you think to people

③ important tips to select the right information for your writing

④ positive effects of logical thinking on reading comprehension

⑤ enormous gaps between spoken language and written language

04 다음 글의 제목으로 가장 적절한 것은?

Throughout time, communities have forged their identities through dance rituals that mark major events in the life of individuals, including birth, marriage, and death — as well as religious festivals and important points in the seasons. Historically, dance has been a strong, binding influence on community life, a means of expressing the social identity of the group, and participation allows individuals to demonstrate a belonging. As a consequence, in many regions of the world there are as many types of dances as there are communities with distinct identities.

*forge: 구축하다

① What Makes Traditional Dance Hard to Learn?

② Dance: A Distinct Sign of Social Identity

③ The More Varieties, the Better Dances

④ Feeling Down? Enjoy Dancing!

⑤ The Origin of Tribal Dances

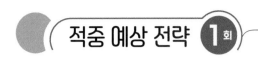

[05~07] 다음 글을 읽고, 물음에 답하시오.

The title of Thomas Friedman's 2005 book, *The World Is Flat*, was based on the belief that globalization would inevitably bring us ⓐ <u>closer</u> together. It has done that, but it has also inspired us to build ⓑ <u>equality</u>. When faced with perceived threats — the financial crisis, terrorism, violent conflict, refugees and immigration, the increasing gap between rich and poor — people cling more tightly to their groups. One founder of a famous social media company believed social media would ⓒ <u>unite</u> us. In some respects it has, but it has simultaneously given voice and organizational ability to new cyber tribes, (A) <u>이들 중 일부는 비난과 분열을 확산하는 데 자신들의 시간을 보낸다</u> across the World Wide Web. There seem now to be as many tribes, and as much ⓓ <u>conflict</u> between them, as there have ever been. Is it possible for these tribes to ⓔ <u>coexist</u> in a world where the concept of "us and them" remains?

05 윗글의 밑줄 친 ⓐ~ⓔ 중 문맥상 어색한 것을 찾아 바르게 고치시오.

_____ ➡ _____

06 윗글의 밑줄 친 (A)의 우리말 의미에 맞도록 주어진 〈조건〉에 맞게 영어로 쓰시오.

> **조건**
> 1. 관계대명사를 사용할 것
> 2. 다음의 단어를 활용할 것: some / spend / spread / blame / division
> 3. 필요시 단어를 추가하거나 변형할 것
> 4. 10단어로 쓸 것

➡ _____

07 윗글의 필자의 주장을 다음과 같이 나타낼 때 빈칸 (a), (b)에 알맞은 말을 본문에서 찾아 쓰시오.

> Through ____(a)____ , the era of collective ____(b)____ has arrived with globalization.

(a) _____ (b) _____

[08~10] 다음 글을 읽고, 물음에 답하시오.

Most of us are suspicious of rapid cognition. We believe ⓐ that the quality of the decision is directly related to the time and effort ⓑ that went into making it. That's what we tell our children: "Haste makes waste." "Look before you leap." "Stop and think." "Don't judge a book by its cover." We believe that (A) 가능한 한 많은 정보를 모으고 가능한 한 많은 시간을 보내면 우리가 늘 더 나을 것이다 in careful consideration. But there are moments, particularly in time-driven, critical situations, when haste does not make waste, when our snap judgement and first impressions can offer better means of making sense of the world. Survivors have somehow learned this lesson and have developed and sharpened their skill of rapid cognition.

* cognition: 인식

08 윗글의 밑줄 친 ⓐ that과 ⓑ that의 기능을 서술하시오.

ⓐ that: _____

ⓑ that: _____

09 윗글의 밑줄 친 (A)의 우리말 의미에 맞도록 주어진 표현을 바르게 배열하시오.

as / spending / much information / as / gathering / as / better off /
are / we / and / always / possible / as / much time / possible

➡ _____

10 윗글의 요지를 다음과 같이 나타낼 때 빈칸 (a)~(c)에 알맞은 말을 본문에서 찾아 쓰시오.

Judgement based on the quick and first ____(a)____ can be ____(b)____ than overly careful ____(c)____ .

(a) _____ (b) _____ (c) _____

01 다음 글의 목적으로 가장 적절한 것은?

Dear members of Eastwood Library,

Thanks to the Friends of Literature group, we've successfully raised enough money to remodel the library building. John Baker, our local builder, has volunteered to help us with the remodelling but he needs assistance. By grabbing a hammer or a paint brush and donating your time, you can help with the construction. Join Mr. Baker in his volunteering team and become a part of making Eastwood Library a better place! Please call 541-567-1234 for more information.

Sincerely,
Mark Anderson

① 도서관 임시 휴관의 이유를 설명하려고
② 도서관 자원봉사자 교육 일정을 안내하려고
③ 도서관 보수를 위한 모금 행사를 제안하려고
④ 도서관 공사에 참여할 자원봉사자를 모집하려고
⑤ 도서관에서 개최하는 글쓰기 대회를 홍보하려고

02 다음 글에 드러난 Shirley의 심경으로 가장 적절한 것은?

On the way home, Shirley noticed a truck parked in front of the house across the street. New neighbors! Shirley was dying to know about them. "Do you know anything about the new neighbors?" she asked Pa at dinner. He said, "Yes, and there's one thing that may be interesting to you." Shirley had a billion more questions. Pa said joyfully, "They have a girl just your age. Maybe she wants to be your playmate." Shirley nearly dropped her fork on the floor. How many times had she prayed for a friend? Finally, her prayers were answered! She and the new girl could go to school together, play together, and become best friends.

① curious and excited
② sorry and upset
③ jealous and annoyed
④ calm and relaxed
⑤ disappointed and unhappy

앞부분에서는 우선 예의 차려 인사를 하고 그 이후부터 진짜 하고 싶은 말을 하는 것이 일반적이지.

03 밑줄 친 "There is no there there."가 다음 글에서 의미하는 바로 가장 적절한 것은?

There are still millions of people who equate success with money and power. There are still millions desperately looking for the next promotion, the next million-dollar payday that they believe will satisfy their longing to feel better about themselves, or silence their dissatisfaction. But both in the West and in emerging economies, there are more people every day who recognize that these are all dead ends — that they are chasing a broken dream. That we cannot find the answer in our current definition of success alone because "There is no there there."

① People are losing confidence in themselves.

② Without dreams, there is no chance for growth.

③ We should not live according to others' expectations.

④ It is hard to realize our potential in difficult situations.

⑤ Money and power do not necessarily lead you to success.

글의 주제와 관련된 핵심 개념이 밑줄로 제시되었다고 했지? 여기서 밑줄 친 부분은 성공에 대한 현대의 정의만으로는 답을 찾을 수 없는 이유에 해당하는데, 그럼 성공에 대한 현대의 정의는 뭐까? 글 앞부분을 잘 읽어 봐.

04 다음 글의 내용을 한 문장으로 요약하고자 한다. 빈칸 (A), (B)에 들어갈 말로 가장 적절한 것은?

In one study, researchers asked pairs of strangers to sit down in a room and chat. In half of the rooms, a cell phone was placed on a nearby table; in the other half, no phone was present. After the conversations had ended, the researchers asked the participants what they thought of each other. Here's what they learned: when a cell phone was present in the room, the participants reported the quality of their relationship was worse than those who'd talked in a cell phone-free room. Think of all the times you've sat down to have lunch with a friend and set your phone on the table. Your unchecked messages were still hurting your connection with the person sitting across from you.

⇩

The presence of a cell phone ___(A)___ the connection between people involved in conversations, even when the phone is being ___(B)___ .

	(A)		(B)
①	weakens	……	answered
②	weakens	……	ignored
③	renews	……	answered
④	maintains	……	ignored
⑤	maintains	……	updated

[05~07] 다음 글을 읽고, 물음에 답하시오.

Benjamin Franklin once suggested that a newcomer to a neighborhood ask a new neighbor to do him or her a favor, citing an old maxim: He that has once done you a kindness will be more ready to do you another than he whom you yourself have obliged. In Franklin's opinion, (A) asking someone for something was the most useful and immediate invitation to social interaction. Such asking on the part of the newcomer provided the neighbor with an opportunity to show himself or herself as a good person, at first encounter. It also meant that the latter could now ask the former for a favor, in return, increaing the familiarity and trust. In that manner, both parties could _____(B)_____ their natural hesitancy and mutual fear of the stranger.

*oblige: ~에게 친절을 베풀다

05 윗글의 밑줄 친 (A)와 같은 의미가 되도록 빈칸에 알맞은 말을 쓰시오.

= Nothing _____ _____ _____ _____ _____ _____ to social interaction as asking someone for something.

= Nothing _____ _____ _____ _____ _____ _____ to social interaction than _____ _____ _____ _____.

06 윗글의 빈칸 (B)에 알맞은 말을 주어진 영영 풀이를 참고하여 한 단어로 쓰시오.

to control a feeling or problem that prevents you from achieving something

➡ _____

07 윗글의 목적을 다음과 같이 나타낼 때 빈칸 (a), (b)에 알맞은 말을 본문에서 찾아 쓰시오.

to inform the best way for a(n) _____(a)_____ to increase familiarity and trust with a new neighbor is to ask for a(n) _____(b)_____.

(a) _____ (b) _____

[08~10] 다음 글을 읽고, 물음에 답하시오.

Music connects people to one another not only through a shared interest or hobby, but also through emotional connections to particular songs, communities, and artists. (①) The significance of others in the search for the self is meaningful. (②) As Agger, a sociology professor, states, "identities are largely social products, formed in relation to others and how we think they view us." (③) For music fans, the genres, artists, and songs in which people find meaning, thus function as potential "places" (A) 그 장소를 통해 자신의 정체성이 다른 사람들과 연관되어 자리 잡힐 수 있다. (④) That is, they act as chains that hold at least parts of one's identity in place. (⑤) The _____(a)_____ made through shared _____(b)_____ passions provide a sense of safety and security in the notion that there are groups of similar people who can provide the feeling of a(n) _____(c)_____.

08 윗글의 흐름으로 보아, 주어진 문장이 들어가기에 가장 적절한 곳은?

And Frith, a socio-musicologist, argues that popular music has such connections.

①   ②   ③   ④   ⑤

09 윗글의 밑줄 친 (A)의 우리말 의미에 맞도록 주어진 표현을 바르게 배열하시오.

which / through / can / positioned / be / in relation to / others / one's identity

➡ _____

10 윗글을 요약한 마지막 문장의 빈칸 (a)~(c)에 들어갈 말을 본문에서 찾아 알맞은 형태로 쓰시오.

(a) _____ (b) _____ (c) _____

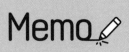

Memo

고등 내신 필수 기본서

2022 신간

내신을 대비하고 실력을 쌓는 필수 기본서

고등 내신전략 시리즈
국어/영어/수학

효율적인 내신 대비
고등 과정에서 꼭 익혀야 할
주요 개념을 중심으로 정리하여
실력을 확실하게 UP!

체계적인 학습 구성
주 4일, 하루 6쪽 구성으로
2주간 전략적으로 빠르게
끝낼 수 있는 체계적인 학습 구성!

편리한 미니북 제공
핵심 개념만 모은 미니북으로
언제 어디서나 개념 체크!
필수 내신 개념 완성!

국·영·수 내신을 확실하게!

국어: 예비고~고1(문학/문법)
영어: 고1~2(구문/문법/어휘/독해)
수학: 고1~3(수학(상)/수학(하)/수학Ⅰ/수학Ⅱ/미적분/확률과 통계)

book.chunjae.co.kr

교재 내용 문의 ·························· 교재 홈페이지 ▶ 고등 ▶ 교재상담
교재 내용 외 문의 ····················· 교재 홈페이지 ▶ 고객센터 ▶ 1:1문의
발간 후 발견되는 오류 ··············· 교재 홈페이지 ▶ 고등 ▶ 학습지원 ▶ 학습자료실

★ 고등 **11종** 영어 교과서
필수 학습 내용 반영!

실력향상 필수학습!
고득점을 예약하자!

시험적중
내신전략

고등 영어 **독해**

BOOK 2

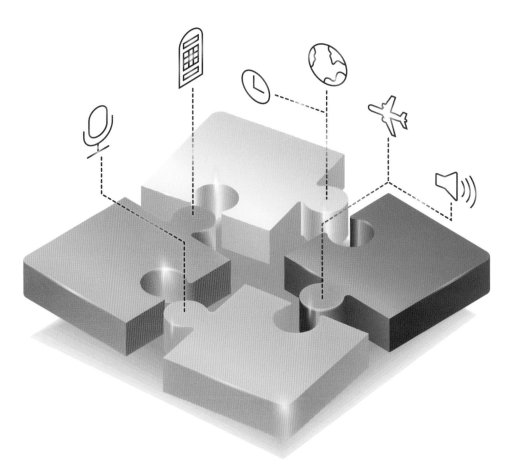

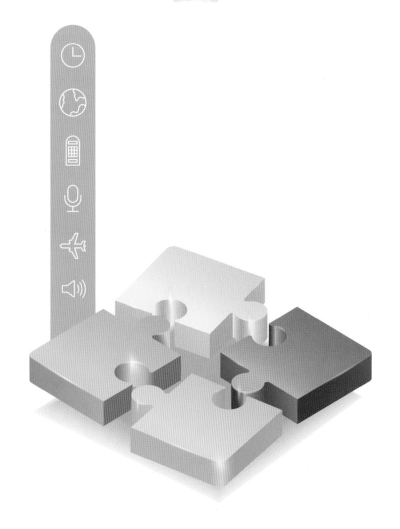

시험적중

내신전략

고등 영어 **독해**

BOOK 2

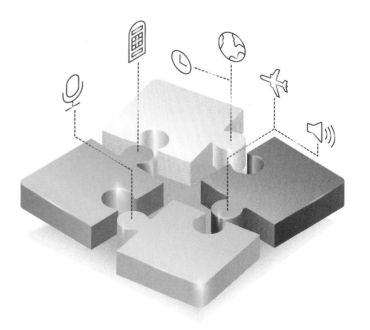

이 책의 구성과 활용

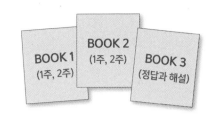

BOOK 1
(1주, 2주)

BOOK 2
(1주, 2주)

BOOK 3
(정답과 해설)

이 책은 3권으로 이루어져 있는데 본책인 BOOK 1 · 2의 구성은 아래와 같아.

주 도입 1주 · 2주 + 1주 · 2주

이번 주에 배울 내용이 무엇인지 안내하는 부분입니다. 재미있는 만화를 통해 앞으로 공부할 내용을 미리 살펴봅니다.

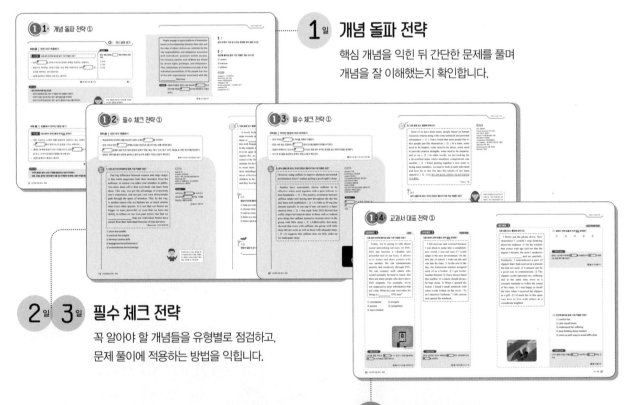

1일 개념 돌파 전략

핵심 개념을 익힌 뒤 간단한 문제를 풀며 개념을 잘 이해했는지 확인합니다.

2일 3일 필수 체크 전략

꼭 알아야 할 개념들을 유형별로 점검하고, 문제 풀이에 적용하는 방법을 익힙니다.

4일 교과서 대표 전략

교과서 지문으로 구성된 대표 유형의 문제를 풀어 볼 수 있습니다. 문제에 접근하는 것이 어려울 때는 '개념 Guide'를 참고할 수 있습니다.

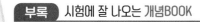
주 마무리와 권 마무리의 특별 코너들로 영어 실력이 더 탄탄해 질 거야!

주 마무리 코너

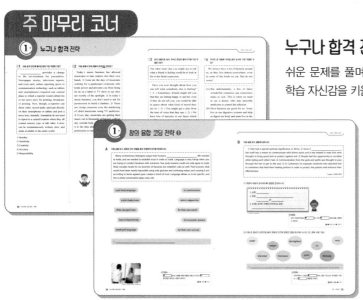

누구나 합격 전략

쉬운 문제를 풀며 공부한 내용을 정리하고
학습 자신감을 키울 수 있습니다.

창의·융합·코딩 전략

융복합적 사고력과 해결력을 길러 주는 문제를
풀며 한 주의 학습을 마무리합니다.

권 마무리 코너

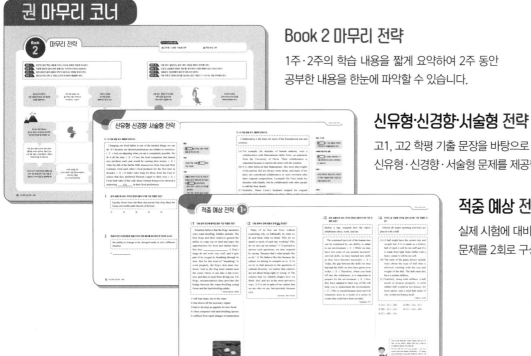

Book 2 마무리 전략

1주·2주의 학습 내용을 짧게 요약하여 2주 동안
공부한 내용을 한눈에 파악할 수 있습니다.

신유형·신경향·서술형 전략

고1, 고2 학평 기출 문장을 바탕으로 한
신유형·신경향·서술형 문제를 제공합니다.

적중 예상 전략

실제 시험에 대비할 수 있는 모의 실전
문제를 2회로 구성하였습니다.

이 책의 차례

1주 중심 내용 파악하기 ❶

- 필자의 주장 추론하기
- 글의 요지 파악하기
- 글의 주제 파악하기
- 글의 제목 추론하기

2주 중심 내용 파악하기 ❷

- 글의 목적 추측하기
- 심경 변화, 분위기 파악하기
- 밑줄 친 부분의 의미 파악하기
- 한 문장으로 요약하기

권 마무리 코너

1주 논리적 추론 및 흐름 파악하기

글을 읽으면서 글의 순서를
알맞은 순서로 배열하거나 흐름에서 벗어난
문장을 찾을 수 있어요.

❶ Bear는 Ryan이라는 소년과 함께 살았다. Bear는 매일 아침 밖으로 나가서 나비를 쫓아다니기를 좋아했다. 그는 항상 딱 저녁 시간에 맞춰 집에 왔다.

❷ 그날 밤, Ryan의 집에서 Bear가 보이지 않았다. Ryan은 밖을 확인했지만 그를 찾을 수 없었다.

❸ 다섯 블록 떨어진 곳에 Max라는 고양이가 Sheila와 함께 살았다. Sheila가 지난달에 이 마을로 이사 왔을 때 친구가 없어 외로웠다. 하지만 Max가 그녀를 따라 집으로 온 후, 그는 그녀의 좋은 친구가 되었다.

❹ 하루는 Sheila가 Max의 다리에서 베인 상처를 발견했고 동물 병원으로 데려갔다. 의사는 충분한 휴식을 취하면 나을 거라며 일주일 동안 그를 집 안에 두라고 말했다.

❺ 고양이는 야행성입니다. 밤에 돌아다니면서 쥐를 잡는 습성이 남아 있지요. 고양이과에 속한 동물은 대부분 그러합니다.

흐름에서 벗어난 문장 찾기

위의 글 중 글의 흐름에 어울리지 않는 것이 하나 있어요. 먼지 찾을 수 있나요?

답 ❺

글의 순서 배열하기

자, 이제 어색한 글을 제외하고 나머지 글들의 순서를 정리해 보세요. 다음 빈칸에 번호를 쓰세요.

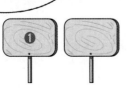

❶

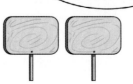

답 ❶-❸-❹-❷

그는 포스터를 만들어 마을에 붙였다. 세 번째 밤이 지나도 여전히 Bear는 나타나지 않았다.

주어진 문장의 위치 파악하기

이 글은 어느 위치에 들어가야 할까요?

Sheila가 그녀의 집 근처에서 산책하고 있었을 때, 그녀는 잃어버린 고양이에 대한 포스터를 보았다. "이 고양이는 Max와 똑같이 생겼어. 정말 이상해."

① 6번 앞
② 7번 앞
③ 8번 앞

답 ①

그녀는 그를 포스터에 있는 주소로 데리고 가서 벨을 눌렀다.
"Bear, 돌아왔구나!" Ryan이 외쳤다.
Max는 Ryan의 두 팔 안으로 뛰어올랐다.

빈칸 어구 추론하기

너의 고양이는 저녁에만 집에 돌아오지. 그리고 너는 그를 지난주 금요일에 잃어버렸지?

응! 어떻게 알았어?

빈칸엔 어떤 말이 들어가면 좋을까요?

왜냐하면 이건 내 고양이이기도 한데,
_____

① 고양이는 항상 집을 잘 찾거든.
② 그는 주로 낮 동안에만 우리 집에 오거든.
③ 처음부터 내 고양이였으니까.

답 ②

"우리 고양이에게는 두 가족이 있구나!"라고 Ryan이 말했다. Ryan과 Sheila는 Bear이면서 Max인 고양이와 함께 웃었다.

1주 1일 개념 돌파 전략 ①

개념 짚어 보기

유형 ❶ | 빈칸 어구 추론하기

지시문 다음 글의 빈칸에 들어갈 말로 가장 적절한 것은?

- 글의 ❶ [_____]을 단어나 어구로 압축한 표현을 추론하는 유형이다.

- 빈칸으로 제시되는 단어/구/절은 주로 핵심 표현이므로 글의 ❷ [_____] 및 요지를 파악하는 것이 관건이다.

- 4문항 출제되고 배점은 2점 또는 3점이다.

달 ❶ 핵심 내용 ❷ 주제

Quiz 1

빈칸 추론 문제는 [_____] 추론 문제의 변형이다.

① 주제
② 지칭
③ 주장

달 ①

유형 Tip

- **빈칸 위치에 따른 핵심 포인트**
  - 빈칸이 앞부분에 있는 경우: 주제문과 부연 설명을 구별한다.
  - 빈칸이 지문의 중간에 있는 경우: 글의 일관성을 파악한다.
  - 빈칸이 마지막 문장에 있는 경우: 필자가 말하고자 하는 바를 파악한다.

빈칸 앞뒤에 제시된 연결어를 이용하여 글의 흐름을 파악하자!
- 역접: however, in contrast 등
- 인과: as a result, thus 등
- 재진술: that is, in other words 등

유형 ❷ | 흐름에서 벗어난 문장 찾기

지시문 다음 글에서 전체 흐름과 관계 없는 문장은?

- 어떤 사건이나 소재에 대해 일관되게 설명하고 있는 글에서 전체 흐름이나 ❶ [_____]에서 벗어나는 한 문장을 고르는 유형이다.

- 대체로 첫 번째 문장이 주로 주제문이거나 글의 ❷ [_____]를 소개하는 역할을 하고, 나머지 문장들의 방향을 암시해 준다.

- 1문항 출제되고 배점은 2점이다.

달 ❶ 주제 ❷ 소재

Quiz 2

무관한 문장은 글의 전체 흐름이나 [_____]에서 벗어나는 문장이다.

① 상황
② 주제
③ 분위기

달 ②

유형 Tip

- 각각의 문장이 글의 소재나 주제를 뒷받침하고 있는지 확인한다.
- 보통, 소재는 같지만 다른 방향의 내용 또는 주제문과 반대되는 내용이 무관한 문장으로 제시된다.

People engage in typical patterns of interaction based on the relationship between their roles and the roles of others. Actions are restricted by the role responsibilities and obligations associated with individuals' positions within society. For instance, parents and children are linked by certain rights, privileges, and obligations. Thus, interactions are functions not only of the individual personalities of the people but also of the role requirements associated with the _____ they have.

Guide 사람들의 행동은 개인의 사회 내에서의 ❶_____와 관련된 역할 책임과 ❷_____에 의해 제한된다는 내용의 글이다.

답 ❶ 지위 ❷ 의무

1-1
글의 주제가 가장 잘 드러난 문장을 찾아 밑줄 치시오.

1-2
빈칸에 들어갈 말로 가장 적절한 것을 고르시오.

ⓐ careers

ⓑ statuses

ⓒ abilities

Words

engage in ~에 참여하다
interaction 상호 작용
restrict 제한[한정]하다
obligation 의무
be associated with ~와 관련이 있다
privilege 특권
requirement 요구

Most managers and coaches saw strength training as something for bodybuilders, not baseball players. ⓐ Unlike more isolated bodybuilding exercises, athletic exercises train many muscle groups and functions. ⓑ They feared that weight lifting and building large muscles would cause players to lose flexibility. ⓒ Today, though, experts understand the importance of strength training and have made it part of the game.

Guide ❶_____ 선수를 위한 몸 만들기에서 ❷_____ 운동이 중요해졌다는 내용의 글이다.

답 ❶ 야구 ❷ 근력

2-1
글의 주제가 가장 잘 드러난 문장을 찾아 밑줄 치시오.

2-2
ⓐ~ⓒ 중 전체 흐름과 관계 없는 문장을 고르시오.

ⓐ   ⓑ   ⓒ

Words

strength 근력, 힘
isolated exercise 고립 운동(특정한 근육만을 키우기 위해 하는 운동)
athletic 운동선수의
flexibility 유연성
expert 전문가

개념 짚어 보기

유형 ❸ | 주어진 문장의 위치 파악하기

지시문 글의 흐름으로 보아, 주어진 문장이 들어가기에 가장 적절한 곳은?

• 글 전체의 흐름과 문장과 문장 간의 [❶] 을 바탕으로 주어진 문장이 들어갈 위치를 찾는 유형이다.

• 글의 내용이 갑작스럽게 전환되는 비약이 일어나거나 글의 흐름이 [❷] 되는 부분을 찾는 것이 관건이다.

• 2문항 출제되고 배점은 2점이다.

답 ❶ 연결성 ❷ 단절

Quiz 3

'글의 내용이 중간에 갑작스럽게 전환되는 경우'를 뜻하는 말은?

① 비약
② 요약
③ 대조

답 ①

유형 Tip

• 정관사, 대명사, 지시어 등은 이미 앞에 나온 어구를 전제로 제시되므로, 가리키는 어구들을 확인하면서 글을 읽는다.
• 원인·결과·반전 등이 일어날 때는 반드시 연결 고리가 있어야 한다는 점에 유의한다.

두 유형 모두 대명사, 정관사가 포함된 명사, 그리고 연결어(시간, 예시, 비교, 대조, 첨가 등)가 문제 해결을 위한 핵심 포인트야!

유형 ❹ | 글의 순서 배열하기

지시문 주어진 글 다음에 이어질 글의 순서로 가장 적절한 것은?

• 주어진 글 다음에 이어질 단락 (A), (B), (C)의 순서를 글의 [❶] 흐름에 맞도록 배열하는 유형이다.

• 단락과 단락을 이어주는 [❷] 역할을 하는 표현들(연결어, 정관사, 대명사, 지시어, 부사 등)을 찾는 것이 관건이다.

• 2문항 출제되고 배점은 2점이다.

답 ❶ 논리적 ❷ 연결 고리

Quiz 4

주어진 글 및 각 단락의 앞부분에는 글의 순서를 알려 주는 지시어 혹은 [ ] 가 있다.

① 연결어
② 핵심어
③ 주제어

답 ①

유형 Tip

• 글의 순서를 정해 주는 연결 고리에 집중한다.
  – 역접: but, yet, however, nevertheless 등
  – 대조: on the contrary, in contrast, on the other hand 등
  – 인과: therefore, as a result, thus, consequently, hence 등
  – 첨가: in addition, moreover, furthermore 등
  – 재진술: that is, in other words, so to speak, indeed 등
  – 예시: for example, for instance 등
  – 비교: similarly, likewise, otherwise 등

You've probably heard the expression, "first impressions matter a lot". (ⓐ) This is very noticeable in recruitment processes, where top recruiters can predict the direction of their eventual decision on any candidate within a few seconds of introducing themselves. (ⓑ) On a date with a wonderful somebody who you've painstakingly tracked down for months, subtle things like bad breath or wrinkled clothes may spoil your noble efforts. (ⓒ)

Guide ❶ [　　　]이 취업 문제뿐만 아니라 ❷ [　　　]이나 관계 문제에도 적용된다는 내용의 글이다.

目 ❶ 첫인상 ❷ 사랑

3-1
글의 핵심어구를 찾아 쓰시오.

3-2
ⓐ~ⓒ 중 주어진 문장이 들어가기에 가장 적절한 곳을 고르시오.

> In this way, quick judgements are not only relevant in employment matters; they are equally applicable in love and relationship matters too.

ⓐ　　　　　　ⓑ　　　　　　ⓒ

Words

impression 인상, 느낌
noticeable 명백한, 확실한
recruitment 채용
candidate 지원자, 후보자
painstakingly 힘들여서, 공들여서

© aijiro / shutterstock

(A) One possible answer is stress. We know that encounters with members of other ethnic-racial categories trigger stress responses.

(B) That difference remains even when obvious factors, such as social class and access to medical services are controlled for. How could that be the case?

(C) However minimal such responses may be, their frequency may increase total stress, which would account for part of the health disadvantage of minority individuals.

Guide 소수 집단의 구성원들이 ❶ [　　　]로 인해 다수 집단보다 더 ❷ [　　　] 건강 결과를 가진다는 내용의 글이다.

目 ❶ 스트레스 ❷ 나쁜

4-1
주어진 글 다음에 이어질 (A)~(C)의 순서를 쓰시오.

> Members of minority groups in general have poorer health outcomes than the majority group.

_____ ➡ _____ ➡ _____

4-2
(C)의 밑줄 친 such responses가 가리키는 것을 찾아 쓰시오.

Words

encounter 접촉, 만남
ethnic 민족의, 민족적인
racial 인종적인
trigger 유발하다
access 접근(성)
frequency 빈도

1

다음 글의 빈칸에 들어갈 말로 가장 적절한 것은?

Moral reasoning and good sporting behavior seem to decline as athletes progress to higher competitive levels, in part because of the increased emphasis on winning. Thus winning can be _____ in teaching character development. Some athletes may want to win so much that they lie, cheat, and break team rules. They may develop undesirable character traits that can enhance their ability to win in the short term. However, when athletes resist the temptation to win in a dishonest way, they can develop positive character traits that last a lifetime.

① a piece of cake

② a one-way street

③ a double-edged sword

Words

decline 감소하다
progress 진전을 보이다
competitive 경쟁적인
emphasis 강조
develop 계발하다, 개발하다
enhance 강화하다
resist 저항하다
temptation 유혹

• 반복되는 핵심어구는 [❶_____] 이다.
• 글의 주제는 '운동선수의 바람직한 [❷_____]'이다.

답 ❶ character traits ❷ 인격 형성

빈칸 문장은 글의 중심 내용과 관련 있거나 주제를 뒷받침하는 내용이니 주제 파악이 우선시 되어야겠지?

2

다음 글에서 전체 흐름과 관계 없는 문장은?

Doctors saw the connection between poor living conditions, overcrowding, sanitation, and disease. ① A recognition of this connection led to the replanning and rebuilding of cities to stop the spread of epidemics. ② In spite of reconstruction efforts, cities declined in many areas and many people started to leave. ③ In the mid-nineteenth century, London's pioneering sewer system was built as a result of understanding the importance of clean water in stopping the spread of cholera.

* sewer system: 하수 처리 시스템

Words

overcrowding 인구 과밀
sanitation 위생
epidemic 전염병
pioneering 선구적인
spread 확산

• [❶_____] 문장에 글의 주제가 잘 나타나 있다.
• 19세기 런던의 하수 처리 시스템은 도시 [❷_____]의 예이다.

답 ❶ 첫 번째 ❷ 재계획[재건축]

3

글의 흐름으로 보아, 주어진 문장이 들어가기에 가장 적절한 곳은?

That may seem like a lot until you consider that the average native in Venezuela has roughly 1,600 species, a full third more.

The average American adult has approximately 1,200 different species of bacteria residing in his or her gut. (①) Similarly, other groups of humans with lifestyles and diets similar to our ancestors have more varied bacteria in their gut than we Americans do. (②) Our processed Western diet, overuse of antibiotics, and sterilized homes are threatening the health and stability of our gut inhabitants. (③)

* sterilized: 소독된

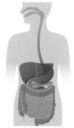

© metamorworks / shutterstock

4

주어진 글 다음에 이어질 글의 순서로 가장 적절한 것은?

People spend much of their time interacting with media, but that does not mean that people have the critical skills to analyze it.

(A) A research found that people over 65 shared seven times as much misinformation as their younger counterparts. What's the solution to the misinformation problem?

(B) Youth are easily fooled by misinformation, especially when it comes through social media channels. This weakness is not found only in youth, however.

(C) Governments and tech platforms certainly have a role to play in blocking misinformation.

* counterpart: 상대방

① (A) – (C) – (B)

② (B) – (A) – (C)

③ (C) – (A) – (B)

전략 ① | 빈칸 어구 추론하기

- 핵심어(구)에 유의하여 글을 읽으면서 글의 소재와 [❶_____]를 파악한다.
- 문장 구조와 빈칸 [❷_____] 문맥을 토대로 빈칸으로 묻고자 하는 바를 생각해 본다.
- [❸_____] 문제의 경우 빈칸 앞뒤 문장의 관계가 역접, 대조, 예시, 인과, 첨가, 요약, 재진술 등 어떤 것인지를 판단한다.
- 알맞은 선택지를 골라 빈칸에 넣어보고 글의 논리적 흐름이 자연스러운지 확인한다.

답 ❶ 주제 ❷ 전후[앞뒤] ❸ 연결어

---

 1. 다음 글의 빈칸에 들어갈 말로 가장 적절한 것은?

> One big difference between science and stage magic is that while magicians hide their mistakes from the audience, in science you make your mistakes in public. You show them off so that everybody can learn from them. This way, you get the advantage of everybody else's experience, and not just your own idiosyncratic path through the space of mistakes. This, by the way, is another reason why we humans are so much smarter than every other species. It is not that our brains are bigger or more powerful, or even that we have the ability to reflect on our own past errors, but that we _____ that our individual brains have earned from their individual histories of trial and error.
>
> *idiosyncratic: (개인에게) 특유한

① share the benefits
② overlook the insights
③ develop creative skills
④ exaggerate the achievements
⑤ underestimate the knowledge

Words

hide 숨기다
in public 공개적으로
show ~ off ~을 자랑스럽게 내보이다
advantage 이익
reflect on 되돌아보다, 깊게 생각하다
trial and error 시행착오

Guide

과학에서는 [❶_____]를 드러내 보임으로써 [❷_____]이라는 이익을 얻는다는 내용의 글이다.

답 ❶ 실수 ❷ 경험

빈칸의 단서가 되는 문장을 찾아 빈칸에 들어갈 말을 선택한 뒤 문맥이 자연스러운지 확인하는 절차를 꼭 거치도록!

확인 문제

1. 다음 글을 읽고, 물음에 답하시오.

Words

technique 기법, 기술
original 원작(의), 원문(의)
saint 성자, 성인
disturb 방해하다
prayer 기도
regret 후회하다
invite 권하다
including ~을 포함하여
involve 참여시키다

A lovely technique for helping children take the first steps towards creating their own, unique story, is to ask them to _____. One story I have done this with frequently is a tale I call Benno and the Beasts. In the original, the saint meets a frog in a marsh and tells it to be quiet in case it disturbs his prayers. Later, he regrets this, in case God was enjoying listening to the sound of the frog. I invite children to think of different animals for the saint to meet and different places for him to meet them. I then tell them the story including their own ideas. <u>It</u> is a most effective way of involving children in the art of creating stories and they love hearing their ideas used.

*marsh: 늪

 1-1

윗글의 빈칸에 들어갈 말로 가장 적절한 것은?

① help you complete a story before you tell it

② choose some books they are interested in

③ read as many book reviews as possible

④ listen to a story and write a summary

⑤ draw a picture about their experience

 서술형⁺

1-2

윗글의 밑줄 친 It이 의미하는 바를 우리말로 쓰시오.

➡ _____

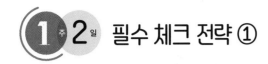

전략 ② | 흐름에서 벗어난 문장 찾기

- 각 문장들이 ❶[　　　]을 중심으로 통일성 있게 연결되어 있어야 하므로 우선 주제문이 무엇인지 파악한다.

- 주제문을 통해 글의 주제를 파악한 다음, 주제와 상관없이 글 전체의 ❷[　　　]을 해치는 문장을 찾는다.

- 보통 on the contrary와 같은 비교 및 대조의 연결어를 통해 단락이 구분되며, 그 지점에서 형성된 논점이 곧 글의 ❸[　　　]가 된다는 점을 염두에 두고 이에서 벗어나는 문장을 찾는다.

- 선택한 문장을 제외하고 글 전체를 읽었을 때 문맥이 자연스러운지 확인한다.

답 ❶ 주제문 ❷ 일관성 ❸ 주제

 2. 다음 글에서 전체 흐름과 관계 <u>없는</u> 문장은?

> The Zeigarnik effect is commonly referred to as the tendency of the subconscious mind to remind you of a task that is incomplete until that task is complete. ① A psychologist Bluma Zeigarnik noticed the effect while watching waiters serve in a restaurant. ② The waiters would remember an order, however complicated, until the order was complete, but they would later find it difficult to remember the order. ③ Zeigarnik did further studies giving both adults and children puzzles to complete then interrupting them during some of the tasks. ④ They developed cooperation skills after finishing tasks by putting the puzzles together. ⑤ The results showed that both adults and children remembered the tasks that hadn't been completed because of the interruptions better than the ones that had been completed.

Words

commonly 흔히
be referred to as ~로 언급되다
tendency 경향
subconscious 잠재적인
incomplete 끝나지 않은, 미완성의
complete 끝난; 끝내다
psychologist 심리학자
complicated 복잡한
interrupt 방해하다
cooperation 협동

Guide

어떤 과업이 끝날 때까지 그것이 끝나지 않은 과업임을 ❶[　　　]시켜 주는 경향을 말하는 Zeigarnik ❷[　　　]를 소개하는 글이다.

답 ❶ 상기 ❷ 효과

© michaeljung / shutterstock

2. 다음 글을 읽고, 물음에 답하시오.

Words

audience 청중
speech 연설
monitor 주시하다
feedback 피드백, 반응
indicate 나타내다, 보여 주다
assist 돕다
question-and-answer session 질의응답 시간
memorize 암기하다
respectful 정중한, 공손한
connection 관계

Public speaking is audience centered because speakers "listen" to their audiences during speeches. They monitor audience feedback, the verbal and nonverbal signals an audience gives a speaker. ① Audience feedback often indicates whether listeners understand, have interest in, and are ready to accept the speaker's ideas. ② This feedback assists the speaker in many ways. ③ It helps the speaker know when to slow down, explain something more carefully, or even tell the audience that she or he will return to an issue in a question-and-answer session at the close of the speech. ④ It is important for the speaker to memorize his or her script to reduce on-stage anxiety. ⑤ Audience feedback assists the speaker in creating a respectful connection with the audience.

* verbal: 언어적인

2-1

윗글에서 전체 흐름과 관계 <u>없는</u> 문장은?

①   ②   ③   ④   ⑤

2-2

윗글의 주제문을 다음과 같이 나타낼 때 빈칸 (A), (B)에 알맞은 말을 본문에서 찾아 쓰시오.

In public speaking (A) _____ _____ is important because it helps the speaker make a(n) (B) _____ _____ with the audience.

1주 2일 필수 체크 전략 ②

[1~2] 다음 글을 읽고, 물음에 답하시오.

Words

survival 생존
breakthrough 돌파구
quietude 정적
nationwide 전국적인
inquiry 조사, 연구
decisive 결정적인
phase 단계
majority 대다수

The mind is essentially a survival machine. All true artists create from a place of no-mind, from inner ⓐ noise. Even great scientists have reported that their creative breakthroughs came at a time of mental ⓑ quietude. The surprising result of a nationwide inquiry among America's most famous mathematicians, including Einstein, to find out their working methods, was that thinking "plays only a ⓒ subordinate part in the brief, decisive phase of the creative act itself." So I would say that the simple reason why the majority of scientists are *not* ⓓ creative is not because they don't know how to ⓔ think, but because they don't know how to _____!

*subordinate: 부수적인

1 윗글의 빈칸에 들어갈 말로 가장 적절한 것은?

① organize their ideas

② interact socially

③ stop thinking

④ gather information

⑤ use their imagination

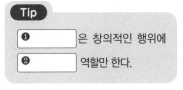

Tip

❶ ▢▢▢▢ 은 창의적인 행위에
❷ ▢▢▢▢ 역할만 한다.

🔑 ❶ 생각 ❷ 부수적

(서술형)

2 윗글의 밑줄 친 ⓐ~ⓔ 중 문맥상 어색한 것을 찾아 다음 철자로 시작하는 단어로 고치시오.

_____ ➡ s_____

Tip

진정한 예술가들은 ❶ ▢▢▢▢ 이
없는 상태, 즉 내적인 ❷ ▢▢▢▢
속에서 창작을 한다.

🔑 ❶ 창의적 ❷ 고요함

[3~4] 다음 글을 읽고, 물음에 답하시오.

Words

depending on ~에 따라
bar 창살, 막대기
cage (동물의) 우리, 새장
length 길이
local 지역의, 지방의
improve 향상시키다

Words like 'near' and 'far' can mean different things depending on where you are and what you are doing. If you (A) [are / were] at a zoo, then you might say you are 'near' an animal if you could reach out and touch it through the bars of its cage. ① Here the word 'near' means an arm's length away. ② If you were telling someone how to get to your local shop, you might (B) [call / have called] it 'near' if it was a five-minute walk away. ③ It seems that you had better (C) [walk / to walk] to the shop to improve your health. ④ Now the word 'near' means much longer than an arm's length away. ⑤ Words like 'near', 'far', 'small', 'big', 'hot', and 'cold' all mean different things to different people at different times.

3 윗글에서 전체 흐름과 관계 <u>없는</u> 문장은?

①   ②   ③   ④   ⑤

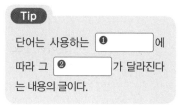

Tip

단어는 사용하는 **❶**□□□ 에 따라 그 **❷**□□□ 가 달라진다는 내용의 글이다.

🔑 ❶ 상황 ❷ 의미

서술형

4 윗글의 (A)~(C)의 네모 안에서 어법상 알맞은 것을 골라 쓰시오.

(A) _____   (B) _____   (C) _____

Tip

가정법 과거는 「if+주어+동사의 **❶**□□□ /were ~, 주어+조동사의 과거형+**❷**□□□ ...」 으로 나타낼 수 있다.

🔑 ❶ 과거형 ❷ 동사원형

전략 ❸ | 주어진 문장의 위치 파악하기

- 먼저 주어진 [❶   ]의 의미를 정확히 이해한다.
- 문장 내에 있는 연결어나 [❷   ] 등의 단서를 활용해 위치를 파악한다.
- 연결이 어색하거나 논리적 [❸   ]이 있는 곳을 찾아 주어진 문장을 넣고 앞뒤 연결을 살펴본다.
- 다시 한 번 글을 읽으면서 문맥이 자연스러운지 확인한다.

답 ❶ 문장 ❷ 지시어 ❸ 비약[단절]

필수 예제

3. 글의 흐름으로 보아, 주어진 문장이 들어가기에 가장 적절한 곳은?

> However, using caffeine to improve alertness and mental performance doesn't replace getting a good night's sleep.

Studies have consistently shown caffeine to be effective when used together with a pain reliever to treat headaches. (①) The positive correlation between caffeine intake and staying alert throughout the day has also been well established. (②) As little as 60 mg (the amount typically in one cup of tea) can lead to a faster reaction time. (③) One study from 2018 showed that coffee improved reaction times in those with or without poor sleep, but caffeine seemed to increase errors in the group with little sleep. (④) Additionally, this study showed that even with caffeine, the group with little sleep did not score as well as those with adequate sleep. (⑤) It suggests that caffeine does not fully make up for inadequate sleep.

Words

alertness 각성
performance 수행 능력
replace 대신하다
consistently 일관적으로, 일관되게
pain reliever 진통제
correlation 상관관계
intake 섭취(량)
stay alert 깨어 있는[각성된] 상태로 있다
adequate 적절한, 충분한
make up for 보충하다

Guide

[❶   ]과 수면의 긍정적 혹은 [❷   ] 상관관계를 설명하는 글이다.

답 ❶ 카페인 ❷ 부정적

© Getty Images Bank

3. 다음 글을 읽고, 물음에 답하시오.

Words

hire 고용하다
human resources 인적 자원
doer 실천가, 행동가
inspirer 사기를 불어넣는 사람
diversified 다양화된
complement 보완[보충]하다
put together ～을 짜다[구성하다], 만들다
objective 목적, 목표
interconnected 상호 연결된
diversity 다양성

Most of us have hired many people based on human resources criteria along with some technical and personal information. (①) I have found that most people like to hire people just like themselves. (②) In a team, some need to be leaders, some need to be doers, some need to provide creative strengths, some need to be inspirers, and so on. (③) In other words, we are looking for a diversified team where members complement one another. (④) When putting together a new team or hiring team members, we need to look at each individual and how he or she fits into the whole of our team objective. (⑤) (A) 팀이 크면 클수록, 다양성의 가능성이 더욱더 많이 존재한다.

*criteria: 기준

3-1

글의 흐름으로 보아, 주어진 문장이 들어가기에 가장 적절한 곳은?

This may have worked in the past, but today, with interconnected team processes, we don't want all people who are the same.

주어진 문장의 지시어 This가 가리키는 것이 무엇인지 파악하는 것이 관건이겠지? 아울러 we don't want all people who are the same도 This가 가리키는 것을 찾는 데 도움이 될 거야.

 ①   ②   ③   ④   ⑤

3-2

윗글의 밑줄 친 (A)의 우리말 의미에 맞도록 주어진 〈조건〉에 맞게 영어로 쓰시오.

┌─ 조건 ─
1. 비교 구문을 사용할 것
2. 다음의 단어를 활용할 것: big / possibilities / exist / diversity
3. 필요시 단어를 추가하거나 변형할 것
4. 10단어로 쓸 것

 ➡ _____

전략 ④ | 글의 순서 배열하기

- 주어진 글을 먼저 읽고 글이 어떻게 전개될지 [❶] 하면서 글의 소재 및 [❷] 를 파악한다.
- (A), (B), (C)를 차례대로 읽으면서 단락을 연결해 주는 단서, 즉 [❸], 정관사, 대명사, 지시어, 부사 등이 가리키는 말을 찾는다.
- 세 단락을 순서대로 재배열한 후, 다시 한 번 읽으면서 글의 흐름이 자연스러운지 확인한다.

답 ❶ 추측[예측] ❷ 주제 ❸ 연결어

 4. 주어진 글 다음에 이어질 글의 순서로 가장 적절한 것은?

> Understanding how to develop respect for and a knowledge of other cultures begins with reexamining the golden rule: "I treat others in the way I want to be treated."

> (A) It can also create a frustrating situation where we believe we are doing what is right, but what we are doing is not being interpreted in the way in which it was meant.
>
> (B) In a multicultural setting, however, where words, gestures, beliefs, and views may have different meanings, this rule has an unintended result; it can send a message that my culture is better than yours.
>
> (C) This rule makes sense on some level. This rule works well in a monocultural setting, where everyone is working within the same cultural framework.

① (A) – (C) – (B)　　② (B) – (A) – (C)
③ (B) – (C) – (A)　　④ (C) – (A) – (B)
⑤ (C) – (B) – (A)

Words

respect 존중
reexamine 재점검하다
golden rule 황금률
treat 대접하다
frustrating 불만스러운
interpret 해석하다
multicultural 다문화의
unintended 의도하지 않은
monocultural 단일 문화의
framework 틀, 체제

Guide

"나는 내가 대접받고 싶은 [❶] 대로 당신을 대접합니다."의 의미는 문화적 상황에 따라 [❷] 해석될 수 있다는 내용의 글이다.

답 ❶ 방식 ❷ 달리[다르게]

 가 단락에서 글의 순서를 알려주는 단서를 찾는 것이 포인트! 단락 (C)의 This rule, 단락 (B)의 however, 단락 (A)의 It과 also에 유의해 순서를 정해 보자.

4. 다음 글을 읽고, 물음에 답하시오.

Words

AI 인공 지능(= Artificial Intelligence)
adapt to ~에 적응하다
circumstance 환경
obstacle 장애물
route 경로
specific 구체적인
behavior 행동
input 입력 (데이터)
output 결과, 출력

The basic difference between an AI robot and a normal robot is the ability of the robot and its software to make decisions, and learn and adapt to its environment based on data from its sensors.

(A) For instance, if faced with the same situation, the robot will always do the same thing. An AI robot, _____(a)_____ do two things the normal robot cannot: make decisions and learn from experience.

(B) It will adapt to circumstances, and may do something different each time a situation is faced. The AI robot may try to push the obstacle out of the way, or make up a new route, or change goals.

(C) To be a bit more specific, the normal robot shows deterministic behaviors. _____(b)_____, for a set of inputs, the robot will always produce the same output.

*deterministic: 결정론적인

4-1

주어진 글 다음에 이어질 글의 순서로 가장 적절한 것은?

① (A) – (C) – (B) ② (B) – (A) – (C)

③ (B) – (C) – (A) ④ (C) – (A) – (B)

⑤ (C) – (B) – (A)

© Getty Images Bank

© MOLPIX / shutterstock

4-2

윗글의 빈칸 (a), (b)에 알맞은 말을 〈보기〉에서 골라 쓴 뒤 이유를 서술하시오.

┌─ 보기 ─────────────────────────────┐
│ however   that is   nevertheless │
│   so   for example   similarly   │
└──────────────────────────────────┘

(a) _____ 이유: _____

(b) _____ 이유: _____

1주 3일 필수 체크 전략 ②

[1~2] 다음 글을 읽고, 물음에 답하시오.

Some years ago at the national spelling bee in Washington, D.C., a thirteen-year-old boy (A) 들은 것은 무엇이든 반복하는 경향을 의미하는 단어인 'echolalia'의 철자를 말하라는 요청을 받았다. (①) Although he misspelled the word, the judges misheard him and told him he had allowed him to advance. (②) So he was eliminated from the competition after all. (③) Newspaper headlines the next day called the honest young man a "spelling bee hero." (④) "The judges said I had a lot of honesty," the boy told reporters. (⑤) He added that part of his motive was, "I didn't want to feel like a liar."

* spelling bee: 단어 철자 맞히기 대회

1 글의 흐름으로 보아, 주어진 문장이 들어가기에 가장 적절한 곳은?

When the boy learned that he had misspelled the word, he went to the judges and told them.

①   ②   ③   ④   ⑤

Tip

주어진 문장은 필자가 대회에서 탈락한 ❶ [ ] 에 해당하므로 ❷ [ ] 를 나타내는 문장 앞에 와야 한다.

답 ❶ 원인 ❷ 결과

서술형

2 밑줄 친 (A)의 우리말 의미에 맞도록 주어진 표현을 바르게 배열하시오.

was / a tendency / to / repeat / asked / to / spell / *echolalia* / a word / that / means / whatever / hears / one

➡ _____

Tip

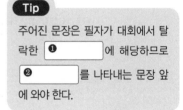

• *echolalia* = a word ❶ [ ]
• ~은 무엇이든(= anything that):
❷ [ ]

답 ❶ that ❷ whatever

[3~4] 다음 글을 읽고, 물음에 답하시오.

Words

freedom 자유
general 장군
liberating force 해방군
first version 초안
slave 노예
set ~ free ~를 해방하다
citizen 시민
appreciation 감사
offer 주다, 제공하다

In 1824, Peru won its freedom from Spain. Soon after, Simón Bolívar, the general who ⓐ had led the liberating forces, ⓑ calling a meeting to write the first version of the constitution for the new country.

(A) "Then," said Bolívar, "I'll add ⓒ whatever is necessary to this million pesos you have given me and I will buy all the slaves in Peru and set them ⓓ free. It makes no sense to free a nation, unless all its citizens enjoy freedom as well."

(B) Bolívar accepted the gift and then asked, "How many slaves are there in Peru? And how much does a slave sell for?" He was told there were about three thousand and they were sold about 350 pesos for a man.

(C) After the meeting, the people wanted to do ⓔ something special for Bolívar to show their appreciation for all he had done for them, so they offered him a gift of one million pesos.

*constitution: 헌법

3 주어진 글 다음에 이어질 글의 순서로 가장 적절한 것은?

① (A) – (C) – (B)
② (B) – (A) – (C)
③ (B) – (C) – (A)
④ (C) – (A) – (B)
⑤ (C) – (B) – (A)

Tip

단락 (B)의 첫 번째 문장에 언급된 the gift는 단락 ❶ 의 ❷ 를 가리킨다.

🔑 ❶ (C) ❷ a gift of one million pesos

서술형

4 밑줄 친 ⓐ~ⓔ 중 어법상 어색한 것을 찾아 바르게 고치시오.

_____ ➡ _____

Tip

주어진 글의 Simón Bolívar와 the general who had led the liberating forces는 ❶ 관계로 문장의 ❷ 역할을 한다.

🔑 ❶ 동격 ❷ 주어

교과서 대표 전략 ①

대표 예제 ① 〔빈칸〕

다음 글의 빈칸에 들어갈 말로 가장 적절한 것은?

Today, we're going to talk about social networking services, or SNS. SNS has become a valuable and powerful tool in our lives. It allows us to create and share content with one another. We can communicate quickly and creatively through SNS. We can connect with others who would normally be hard to reach. But there are many people who don't know SNS etiquette. For example, we're not supposed to post information that isn't true. What are your own rules for being a _____ SNS user?

① considerate ② arrogant

③ passive ④ competitive

⑤ open-minded

© Getty Images Bank

개념 Guide

SNS를 통해 빠르게 〔❶　　　　〕할 수 있으나 사용자들에게는 〔❷　　　〕이 요구된다는 내용의 글이다.

〔답〕 ❶ 의사소통 ❷ 예절[에티켓]

대표 예제 ② 〔무관한 문장〕

다음 글에서 전체 흐름과 관계 없는 문장은?

I felt nervous and worried because I was about to jump into a completely new world. I was not sure if I could adapt to the new environment. On the first day of school, I woke up late and was late for class. ① At the end of the day, the homeroom teacher assigned each of us a locker. ② I got locker number thirteen! ③ I have always hated this number. ④ Lockers should always be kept clean. ⑤ When I opened the locker, I found a small notebook with some words written on the cover: "To an Unknown Freshman." I felt curious and opened the notebook.

개념 Guide

필자는 싫어하는 번호로 배정받은 〔❶　　　　〕에서 신입생에게 주는 〔❷　　　〕을 발견했다.

〔답〕 ❶ 사물함 ❷ (작은)공책

대표 예제 ❸

다음 글을 읽고, 물음에 답하시오.

I firmly put the phone down. How shameless! I couldn't stop thinking about her rudeness. ① Yet the wisdom that comes with age told me that the angrier I became, the more I needed to _____ and act carefully. Suddenly, I remembered a pair of slippers that I had received as a present but had not used. ② A present can be a good way to communicate. ③ The slippers could represent my suffering and at the same time serve as a constant reminder to soften the sound of her steps. ④ I was happy to recall the time when I received the slippers as a gift. ⑤ I'd teach her in this quiet way how to live with others as a considerate neighbor.

(1) 글에서 전체 흐름과 관계 <u>없는</u> 문장은?

①   ②   ③   ④   ⑤

개념 Guide

필자는 시끄러운 이웃에게 [❶   ]를 선물함으로써 [❷   ]과 함께 사는 법을 배우기를 바랐다.

답 ❶ 슬리퍼 ❷ 타인

(2) 빈칸에 들어갈 말로 가장 적절한 것은?

① comfort her

② calm myself down

③ understand her suffering

④ stop thinking about wisdom

⑤ come up with ways to avoid difficulties

개념 Guide

나이가 들면서 얻은 지혜는 [❶   ]가 날수록 더 [❷   ]하라는 것 이다.

답 ❶ 화 ❷ 진정

대표 예제 4   문장 삽입

글의 흐름으로 보아, 주어진 문장이 들어가기에 가장 적절한 곳은?

> However, tradition cannot be the basis for our judgment.

Did you find any logical fallacies in the debate on social media as a means of making friends? (①) Speaker A appeals to tradition to back up her opinion. (②) Doing something for a long time does not guarantee it is correct. (③) In other words, making friends face to face, which is the traditional way, cannot be the reason to reject social media. (④) In the case of Speaker B, she is making a hasty generalization. (⑤) She says those who use social media do not always become closer to one another.

문장 삽입 유형은 주어진 문장의 연결어나 (대)명사, 지시어 등을 단서로 활용해야 해. 여기서는 역접의 연결어 However, 반복되는 단어인 tradition 등을 통해 반론을 제기한 부분을 확인해 보자구.

개념 Guide

❶[   ]와 친구 사귀기의 관계에 대한 토론에 있어서 ❷[   ]를 설명하는 글이다.

目 ❶ 소셜 미디어 ❷ 논리적 오류

대표 예제 5   글의 순서

주어진 글 다음에 이어질 (A)~(C)의 순서를 쓰시오.

I had always been interested in volunteering, but I did not know what I could do. One day, when I was watching TV, I learned about "voice volunteering." I said to myself, "That's what I've been looking for!"

(A) Even though I made some mistakes, I successfully finished my first recording. The recording manager said that I had done well.

(B) A few days later, I came back to the recording room where I had taken the test. My first job was to read a history book for high school students. I was very nervous but tried my best to read naturally.

(C) The next day I went to the community center and took a quick test in the recording room. Luckily, I passed it.

_____ ➡ _____ ➡ _____

개념 Guide

필자는 ❶[   ]을 읽어 주는 ❷[   ]에 지원해 성공적으로 마쳤다.

目 ❶ 역사책 ❷ 음성 자원봉사

대표 예제 6 　　　　　　　　　　　　　　　　　　　　　　　　　　**문장 삽입 / 제목**

다음 글을 읽고, 물음에 답하시오.

Whales bring essential nutrients from the deep sea to the surface waters. (①) Whales are also really important after they die. (②) The dead body, also called "whale fall," sinks toward the bottom of the sea and becomes food for many fish species that live in the harsh conditions of the sea floor. (③) As it has a lot of carbon in it, by sinking to the sea floor, it keeps the carbon out of the atmosphere. (④) According to marine scientists, the amount of carbon that whales take to the bottom of the sea is about 190,000 tons annually, which equals the amount of carbon produced by 80,000 cars. (⑤)

(1) 글의 흐름으로 보아, 주어진 문장이 들어가기에 가장 적절한 곳은?

In addition, the dead body is good for the environment.

① 　　　② 　　　③ 　　　④ 　　　⑤

개념 Guide

고래 사체의 [❶ 　　　]는 해저에 가라앉음으로써 [❷ 　　　]에 이로운 역할을 한다.

답 ❶ 탄소 ❷ 환경

(2) 글의 제목을 다음과 같이 나타낼 때 빈칸 (A), (B)에 알맞은 말을 주어진 철자로 시작하여 쓰시오.

➡ (A) C_____ of Whale Fall to the

(B) E_____

개념 Guide

[❶ 　　　]에 미치는 [❷ 　　　]의 긍정적 역할에 대해 설명하는 글이다.

답 ❶ 생태계 ❷ 고래 사체

01 다음 글의 빈칸에 들어갈 말로 가장 적절한 것은?

This was the last day of exam. I could not answer the last two questions. Frustrated, I looked up and saw Emma sitting in the front row. To my astonishment, she had her smartphone under the table and was stealing quick glances at it. Was that how Emma always got good grades? I felt really angry at her but did not know what to do. I thought about telling the teacher but could not bring myself to do it. "What would everyone else think of me?" I thought. "It's not fair. I've never cheated, and I ended up failing lots of exams." With a sigh, I told myself, "_____"

① Why did I fail the exams?

② How can I get good grades?

③ Better to be a failure than a cheat.

④ Everyone would know she's cheating.

⑤ I should have prepared for an exam earlier.

Tip

❶ [_____]를 한 적이 없는 필자는 자신의 지난 행동이 ❷ [_____]고 생각한다.

답 ❶ 부정행위 ❷ 옳았다

02 글의 흐름으로 보아, 주어진 문장이 들어가기에 가장 적절한 곳은?

I picked up the intercom to call the apartment manager again.

I was resting on my couch after a long day. (①) Suddenly, the terrible noise from the apartment above started again. (②) I had heard that some thoughtless, inconsiderate mothers let their children ride bicycles and skateboards inside their homes these days, and I imagined what was going on up there. (③) "May I help you?" he said. (④) His voice seemed impatient. (⑤) "Is this about the noise upstairs again? Do you want me to tell her to be quiet?" I hung up and waited.

Tip

소파에서 쉬던 필자 → 또 다시 들리는 윗집의 ❶ [_____] → ❷ [_____]에게 전화 → 통화 후 기다림

답 ❶ 소음 ❷ 아파트 관리자

May I help you?

© Iriskana / shutterstock

© Jinga / shutterstock

Words

frustrate 좌절시키다 astonishment 놀람 glance 힐끗 봄 fair 공평한 cheat 부정행위를 하다; 부정행위(자), 사기꾼 end up -ing 결국 ~하다

Words

couch 소파 noise 소음 thoughtless 몰지각한 inconsiderate 배려심 없는 impatient 조급한

[03~04] 다음 글을 읽고, 물음에 답하시오.

Creative thinking was also behind Josephine Cochrane's invention of the modern dishwasher. ① Before her time, people used to place dishes in a dishwasher, add water, and let scrubbers clean the dishes. ② A scrubber is one of the most effective tools for washing dishes. ③ There was a problem, though. ④ The scrubbers sometimes badly damaged dishes. ⑤ Cochrane approached the process of dishwashing differently. She used water itself — water pressure — instead of scrubbers. She thought that high water pressure would do the job of scrubbers and damage the dishes less. Her machine, which pumped hot, soapy water onto dishes, became successful in restaurants and, later, in homes. (A) <u>This example</u> again shows that creativity is the result of thinking differently.

03 글에서 전체 흐름과 관계 <u>없는</u> 문장은?

①   ②   ③   ④   ⑤

Tip

기존의 식기 세척기는 [❶   ]를 사용했고 그것이 그릇을 [❷   ] 문제점이 있었다.

📋 ❶ 수세미 ❷ 손상시키는

04 밑줄 친 (A) <u>This example</u>이 가리키는 것을 본문에서 찾아 쓰시오.

➡ _____

Tip

[❶   ]의 발명 사례는 창의성이 [❷   ] 사고 하기의 결과라는 점을 보여 준다.

📋 ❶ 식기 세척기 ❷ 다르게

Words

inventor 발명가   dishwasher 식기 세척기   scrubber 수세미
damage 손상시키다   approach 접근하다   soapy 비누의   creativity 창의성

누구나 합격 전략

1 주

01 다음 글의 빈칸에 들어갈 말로 가장 적절한 것은?

_____ provides a change to the environment for journalists. Newspaper stories, television reports, and even early online reporting (prior to communication technology such as tablets and smartphones) required one central place to which a reporter would submit his or her news story for printing, broadcast, or posting. Now, though, a reporter can shoot video, record audio, and type directly on their smartphones or tablets and post a news story instantly. Journalists do not need to report to a central location where they all contact sources, type, or edit video. A story can be instantaneously written, shot, and made available to the entire world.

① Mobility
② Sensitivity
③ Creativity
④ Accuracy
⑤ Responsibility

02 다음 글에서 전체 흐름과 관계 <u>없는</u> 문장은?

Today's music business has allowed musicians to take matters into their own hands. ① Gone are the days of musicians waiting for a gatekeeper (someone who holds power and prevents you from being let in) at a label or TV show to say they are worthy of the spotlight. ② In today's music business, you don't need to ask for permission to build a fanbase. ③ There are rising concerns over the marketing of child musicians using TV auditions. ④ Every day, musicians are getting their music out to thousands of listeners without any outside help. ⑤ They simply deliver it to the fans directly, without asking for permission or outside help.

잘 쓰여진 글은 하나의 소재와 주제를 향해 가고 있지. 무관한 문장은 보통 완전히 엉뚱한 문장이 제시되는 것이 아니라 소재는 같지만 주제와 다른 방향의 내용으로 제시되는 경향이 있음을 염두에 두도록.

03 글의 흐름으로 보아, 주어진 문장이 들어가기에 가장 적절한 곳은?

The other main clue you might use to tell what a friend is feeling would be to look at his or her facial expression.

Have you ever thought about how you can tell what somebody else is feeling? (①) Sometimes, friends might tell you that they are feeling happy or sad but, even if they do not tell you, you would be able to guess about what kind of mood they are in. (②) You might get a clue from the tone of voice that they use. (③) We have lots of muscles in our faces which enable us to move our face into lots of different positions. (④) This happens spontaneously when we feel a particular emotion. (⑤)

04 주어진 글 다음에 이어질 글의 순서로 가장 적절한 것은?

We always have a lot of bacteria around us, as they live almost everywhere, even in some of the foods we eat. But do not worry!

(A) But unfortunately, a few of these wonderful creatures can sometimes make us sick. This is when we need to see a doctor, who may prescribe medicines to control the infection.

(B) Most bacteria are good for us. Some live in our digestive systems and help us digest our food, and some live in the environment and produce oxygen so that we can breathe and live on Earth.

(C) But what exactly are these medicines and how do they fight with bacteria? These medicines are called "antibiotics," which means "against the life of bacteria."

① (A) – (C) – (B) ② (B) – (A) – (C)
③ (B) – (C) – (A) ④ (C) – (A) – (B)
⑤ (C) – (B) – (A)

A 다음 글을 읽고, 알맞은 단어 퍼즐을 골라 연결하여 빈칸을 완성하시오.

> Many evolutionary biologists argue that humans _____. We needed to trade, and we needed to establish trust in order to trade. Language is very handy when you are trying to conduct business with someone. Two early humans could not only agree to trade three wooden bowls for six bunches of bananas but establish rules as well. That business deal would have been nearly impossible using only gestures and confusing noises, and carrying it out according to terms agreed upon creates a bond of trust. Language allows us to be specific, and this is where conversation plays a key role.

used body language

to communicate

instinctively knew

who to depend on

often changed rules

for their own needs

lived independently

for economic reasons

developed language

for their own survival

➡ _____

© Monkey Business Images / shutterstock

Tip

❶[ ]상의 신뢰를 위해 유용한 전달 도구로서 ❷[ ]를 발달시켰다는 내용의 글이다.

답 ❶ 거래 ❷ 언어

B 다음 글을 읽고, 물음에 답하시오.

① Hair had a special spiritual significance in Africa. ② Since it _____, hair itself was a means to communicate with divine spirits and it was treated in ways that were thought to bring good luck or protect against evil. ③ People had the opportunity to socialize while styling each other's hair. ④ Communication from the gods and spirits was thought to pass through the hair to get to the soul. ⑤ In Cameroon, for example, medicine men attached hair to containers that held their healing potions in order to protect the potions and enhance their effectiveness.

* potion: (마법의) 물약

(1) 윗글의 내용과 일치하도록 설명을 완성하시오.

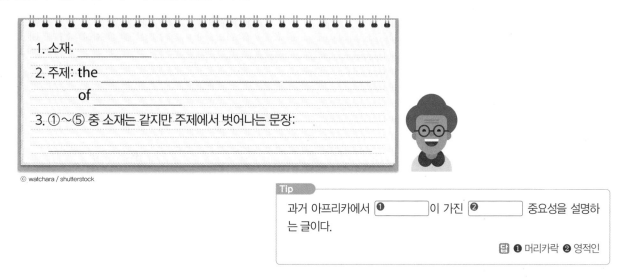

1. 소재: _____
2. 주제: the _____ _____
   of _____
3. ①~⑤ 중 소재는 같지만 주제에서 벗어나는 문장: _____

© watchara / shutterstock

Tip

과거 아프리카에서 ❶ [   ]이 가진 ❷ [   ] 중요성을 설명하는 글이다.

답 ❶ 머리카락 ❷ 영적인

(2) 다음 중 필요한 표현만을 골라 윗글의 빈칸에 알맞은 말을 8단어로 쓰시오. (단, 중복 사용 가능)

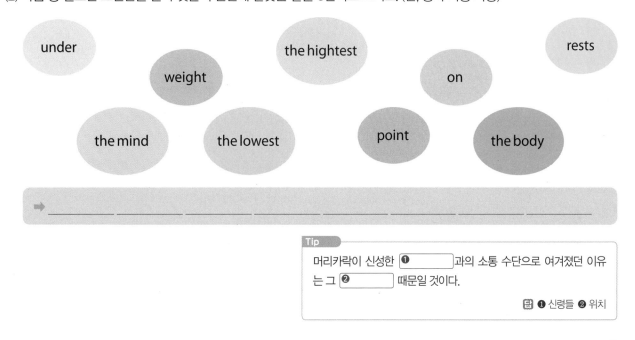

under / weight / the hightest / rests / the mind / the lowest / on / point / the body

➡ _____

Tip

머리카락이 신성한 ❶ [   ]과의 소통 수단으로 여겨졌던 이유는 그 ❷ [   ] 때문일 것이다.

답 ❶ 신령들 ❷ 위치

C 다음 글을 읽고, 물음에 답하시오.

> Although humans have been drinking coffee for centuries, ⓐ <u>it</u> is not clear just where coffee originated or who first discovered ⓑ <u>it</u>. 〔 〕 However, ⓒ <u>it</u> is said ⓓ <u>that</u> a goatherd discovered coffee in the Ethiopian highlands. 〔 〕 Kaldi, the goatherd, noticed ⓔ <u>that</u> his goats did not sleep at night after eating berries from what would later be known as a coffee tree. 〔 〕 Word of the awakening effects and the pleasant taste of this new beverage soon spread beyond the monastery. 〔 〕

(1) 윗글의 〔 〕 중 주어진 문장이 들어갈 곳을 찾아 ∨ 표시 하시오.

> When Kaldi reported his observation to the local monastery, the abbot became the first person to brew a pot of coffee and note its flavor and alerting effect.
>
> *abbot: 수도원장

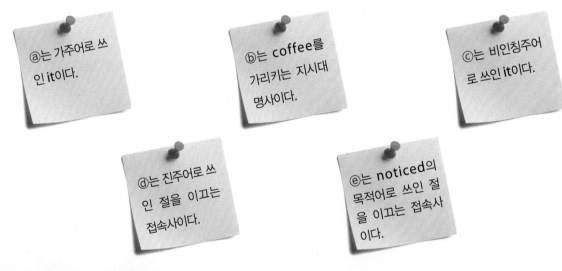

Tip
커피는 ❶ ▢ 에서 한 ❷ ▢ 가 처음 발견했다.

답 ❶ 에티오피아 ❷ 염소지기

(2) 밑줄 친 ⓐ~ⓔ에 관한 설명으로 틀린 것을 고르시오.

ⓐ는 가주어로 쓰인 it이다.

ⓑ는 coffee를 가리키는 지시대명사이다.

ⓒ는 비인칭주어로 쓰인 it이다.

ⓓ는 진주어로 쓰인 절을 이끄는 접속사이다.

ⓔ는 noticed의 목적어로 쓰인 절을 이끄는 접속사이다.

Tip
❶ ▢ 은 앞의 명사를 대신하는 지시대명사, to부정사나 that절의 진주어를 대신하는 가주어 혹은 시간·거리·명암 등을 나타내는 ❷ ▢ 등으로 쓰일 수 있다.

답 ❶ it[It] ❷ 비인칭주어

D 다음 글을 읽고, 물음에 답하시오.

> In a study, a researcher pretending to be a volunteer surveyed a California neighborhood, asking residents if they would allow a large sign reading "Drive Carefully" to be displayed on their front lawns.

(1) 윗글에 이어질 내용을 말한 사람 순서대로 배열하시오.

수지

> The reason that they agreed was this: two weeks earlier, these residents had been asked by another volunteer to make a small _____(A)_____ to display a tiny sign that read "Be a Safe Driver" in their windows.

명희

> To help them understand what ⓐ it would look like, the volunteer showed his participants a picture of the large sign blocking the view of a beautiful house. Naturally, most people refused, but in one particular group, an incredible 76 percent actually approved.

재훈

> Since ⓑ it was such a small and simple request, nearly all of them agreed. The astonishing result was that the initial small _____(B)_____ deeply influenced their willingness to accept the much larger request two weeks later.

☐ ➡ ☐ ➡ ☐

Tip

명희의 말 중 밑줄 친 ⓐ it이 가리키는 것: 주어진 글 중 ❶ _____

재훈의 말 중 밑줄 친 ⓑ it이 가리키는 것: 수지의 말 중 ❷ _____

❶ a large sign reading "Drive Carefully"

❷ a tiny sign that read "Be a Safe Driver"

(2) (1)의 빈칸 (A), (B)와 다음 빈칸에 공통으로 알맞은 말을 주어진 철자로 시작하여 쓰시오.

C_____ means a promise to do something or to behave in a particular way.

Tip

영영 풀이에서 핵심어인 ❶ _____ 는 약속을 ❷ _____ 한다.

❶ a promise ❷ 의미

누구를 찾는 글이지? 귀퉁이가 찢어져서 알 수가 없네.

헬스 트레이너를 찾는 글임에 틀림없어. 쌀가마니도 척척 들어 올려야 한다잖아.

해 주실
사람을 찾습니다!!

Help Wanted!!

아니, 헬스 트레이너랑 동물을 사랑하는 거랑 무슨 상관이 있어?

음... 그렇네.

해 주실
사람을 찾습니다!!

Help Wanted!!

❶ 키는 175cm 이상이신 분이 좋겠어요.

❷ 키만 크면 안 되고 건장한 체격이어야 해요.

❸ 쌀가마니도 척 척 들어 올릴 수 있어야겠죠.

❹ 몸무게가 50kg이랍니다.

❺ 하루 2시간 이상 공원에서 진행하면 됩니다.

❻ 동물을 사랑하는 사람만 원해요.

연락처: 000-0000-0000

실용문 내용 파악하기

음... 이제 알겠어.
하루 2시간 이상 공원에서
큰 개를 산책시킬 수 있는 사람을
찾는 구인 광고야.

가리키는 대상 찾기

❶~❻ 중에서 다른 대상에
대해 말하는 것이 있어.
키가 175cm가 넘고 건장한 체격의
사람이라면 당연히 50kg은 넘을 거야.
그러니까 ❹는 다른 대상을 묘사한 거야.
바로바로바로바로…. 50kg인 개를
가리키는 거라구.

내용 일치·불일치 파악하기

그렇다면, 찾고 있는 사람에
해당되지 않는 건 뭘까?
① 키 175cm 이상
② 개를 사랑하는 사람
③ 하루 3시간 이상 일할 수 있는 사람

개념 돌파 전략 ①

개념 짚어 보기

유형 ❶ | 내용 일치·불일치 파악하기

> **지시문** ~에 관한 다음 글의 내용과 일치하지 <u>않는</u>[일치하는] 것은?

- 글의 [❶ ___]을 제대로 이해했는지 평가하는 유형이다.
- [❷ ___] 문장을 빠르고 정확하게 이해하는 능력이 중요하며, 선택지는 글의 내용 순서대로 제시된다는 점에 유의한다.
- 정답 여부는 제시된 글에 근거해야 하며, 유추나 상식에 의존하면 안 된다.
- 1문항 출제되고 배점은 2점이다.

Quiz 1

내용 일치·불일치 파악 문제는 주제보다는 [___]에 주력해야 한다.
① 문맥
② 세부 사항
③ 문장 구조

🔒 ❶ 세부 사항 ❷ 모든

🔒 ②

유형 Tip

- **일치·불일치와 관련된 부정어의 의미를 정확히 해석한다.**
  - few / little+셀 수 있는 / 없는 명사: (수 / 양이) 거의 없는 (cf. a few / a little + 셀 수 있는 / 없는 명사: (수 / 양이) 약간 있는)
  - barely, hardly, scarcely, seldom: 거의 ~하지 않는
  - 부분 부정: not all / every ~: 모두 ~인 것은 아닌   not always ~: 항상 ~인 것은 아닌   not necessarily ~: 반드시 ~인 것은 아닌

유형 ❷ | 도표 내용 파악하기

> **지시문** 다음 도표의 내용과 일치하지 <u>않는</u> 것은?

- 실생활과 관련된 정보를 [❶ ___]하여 여러 형태의 표로 나타낸 도표의 세부 사항을 제대로 파악할 수 있는지 평가하는 유형이다.
- 글을 읽을 때 [❷ ___]를 나타내는 표현에 주목하며 도표와의 일치 여부를 확인하는 것이 중요하다.
- 1문항 출제되고 배점은 2점이다.

Quiz 2

'실생활과 관련된 정보를 분석하여 표로 나타낸 것'을 뜻하는 말은?
① 도표
② 대본
③ 광고

🔒 ❶ 분석 ❷ 수치

🔒 ①

유형 Tip

- **수치와 관련된 표현에 집중한다.**
  - 증가: increase, soar, surge, go up 등   – 감소: fall, drop, decrease, decline, diminish, go down 등
  - 증감의 정도: continuously, steadily, sharply, rapidly, slowly, gradually, dramatically 등
  - 증감의 차이: increase[decrease]+by ~ 등   – 비율: a third(1/3), three fourths(3/4), three out of ten(30%) 등
  - 배수 비교: twice[~ times] as ~ as, twice[~ times]+비교급+than ~ 등
  - 비교급/최상급: 비교급 +than / the most ~ / the least ~ 등

George Boole taught himself mathematics, natural philosophy and various languages. He began to produce original mathematical research and made important contributions to areas of mathematics. For those contributions, in 1844, he was awarded a gold medal for mathematics by the Royal Society.

Guide 영국의 [　　　　　] George Boole에 관한 글이다.

답 수학자

1-1
George Boole의 전공 분야를 찾아 한 단어로 쓰시오.

1-2
George Boole에 관한 윗글의 내용과 일치하지 <u>않는</u> 것을 고르시오.

ⓐ 수학, 자연 철학, 여러 언어를 독학했다.

ⓑ Royal Society에서 화학으로 금메달을 받았다.

Words

natural philosophy 자연 철학
original 독창적인
contribution 기여, 이바지
award 상을 수여하다

© Getty Images Korea

Destination	Number of Trips (millions)		Expenditures ($ billions)	
	2015	2017	2015	2017
North America	186.5	204.1	$215.7	$241.7
Europe	249.9	291.8	$193.4	$210.8
Asia-Pacific	193.9	257.6	$111.2	$136.7
Latin America-The Caribbean	46.8	59.1	$30.4	$34.8
The Middle East-North Africa	8.5	11.0	$8.3	$10.7
Africa	5.4	6.5	$4.2	$4.8
Total	691.0	830.0	$563.2	$639.4

The table above shows the number of trips and expenditures for wellness tourism, travel for health and well-being, in 2015 and 2017. Of the six listed regions, Europe was the most visited place for wellness tourism in both 2015 and 2017, followed by Asia-Pacific. <u>Expenditures in The Middle East-North Africa and Africa were each less than 10 billion dollars in both 2015 and 2017.</u>

Guide 2015년과 2017년의 ❶[　　　　]과 ❷[　　　　]을 위한 여행인 건강 관광의 여행 수와 경비를 나타낸 표이다.

답 ❶ 건강 ❷ 웰빙

2-1
도표의 소재를 우리말로 쓰시오.

2-2
밑줄 친 문장에서 틀린 부분을 찾아 바르게 고치시오.

_____ ➡ _____

Words

destination 목적지
expenditure 경비, 지출
wellness 건강
tourism 여행
region 지역
follow 뒤따르다

© Getty Images Bank

● 개념 짚어 보기

유형 ❸ | 실용문 내용 파악하기

> **지시문** ~에 관한 다음 안내문의 내용과 일치하지 <u>않는[일치하는]</u> 것은?

- **❶** [ ]의 필요에 의해 쓰인 글인 실용문(안내문, 광고, 초청장 등)의 내용을 선택지와 비교하여 진위 여부를 판단하는 유형이다.
- 실용문 내용 파악 문제는 **❷** [ ] 파악 문제의 변형으로, 선택지 역시 실용문의 내용 순서대로 제시된다.
- 2문항 출제되고 배점은 2점이다.

Quiz 3

'일상생활의 필요에 의해 쓰인 글'을 뜻하는 말은?

① 설명문
② 논설문
③ 실용문

답 ❶ 일상생활 ❷ 내용 일치·불일치

답 ③

유형 Tip

- 글의 종류가 지문이 아니라 실용문이므로 간결한 표현이 많이 쓰인다는 점에 유의한다.
  – No pets allowed. (애완동물 금지) / Sorry all tables fully booked.(죄송하지만 모든 좌석이 완전 예약되었습니다.) /
  All prices reduced this week. (모든 가격을 이번 주에는 내렸습니다.) / No personal contact will be made.(개별 연락은 없습니다.) 등

안내문이나 광고 같은 실용문인 경우 년도, 월·일, 시간, 요금, 사람의 수 등과 같은 수자를 파악한 뒤 계산해야 하는 문제도 출제된다는 점에 주의한다!

유형 ❹ | 밑줄 친 부분이 가리키는 대상 찾기

> **지시문** 밑줄 친 (a)~(e) 중에서 가리키는 대상이 나머지 넷과 <u>다른</u> 것은? /
> 밑줄 친 부분이 가리키는 대상이 나머지 넷과 <u>다른</u> 것은?

- 원래의 명사를 대신하는 밑줄 친 **❶** [ ]가 가리키는 대상 또는 지칭 어구(지시어)가 다른 하나를 찾는 유형이다.
- 지시어 앞뒤의 **❷** [ ]을 정확히 파악하여 가리키는 대상을 확인하는 것이 관건이다.
- 1문항 출제되고 배점은 2점이다.

Quiz 4

'원래의 명사를 대신하는 말'을 뜻하는 말은?

① 정관사
② 수식어
③ 대명사

답 ❶ 대명사 ❷ 문맥

답 ③

유형 Tip

- 주로 여러 명의 등장인물이 나오는 이야기 형태의 글이 제시되는데, 대부분 주인공을 지칭하고 나머지 하나는 지엽적인 대상을 지칭하는 경우가 많다.
- 대명사가 아닌 다른 명사로 바꿔 표현된 경우에는 형용사나 혹은 앞뒤의 관련어구에서 지칭 대상을 추론하는 단서를 찾아야 한다.

Sustainable Mobility Week 2019

This annual event for clean and sustainable transport runs from Nov 25 to Dec 1. You can participate in the activities below.

Walking Challenge:
Try to walk over 20,000 steps during the weekend of the event to promote a clean environment.

Selecting Sustainable Mobility:
Use public transport or a bicycle instead of your own car.

- Participants who complete both activities are qualified to apply for the Sustainable Mobility Week Awards.
- Participants must register online.
  www.sustainablemobilityweek.org

Guide ❶ [　　　] 한 ❷ [　　　] 행사를 소개하는 안내문이다.

답 ❶ 지속 가능 ❷ 교통수단

3-1
안내문의 소재를 우리말로 쓰시오.

3-2
안내문의 내용과 일치하지 <u>않는</u> 것을 고르시오.

ⓐ 주말 동안 2만 보 넘게 걷는 것에 도전할 수 있다.

ⓑ 대중교통이나 자전거를 이용하는 활동이 있다.

ⓒ 한 가지 활동을 완료한 참가자는 수상 자격이 있다.

Words

sustainable 환경을 파괴하지 않고 지속될 수 있는[이용할 수 있는]
mobility 이동성
transport 수송[운송] 수단
promote 홍보하다
qualified 자격이 있는
apply for ~에 지원하다
register 등록하다

The farmer presented three lambs to the hunter's three sons. To protect his sons' newly acquired playmates, the hunter built a strong doghouse for (a) <u>his</u> dogs. The dogs never bothered the farmer's lambs again. Out of gratitude for the farmer's generosity toward (b) <u>his</u> children, the hunter often invited the farmer for feasts. In turn, the farmer offered (c) <u>him</u> lamb meat and cheese (d) <u>he</u> had made. The farmer quickly developed a strong friendship with (e) <u>him</u>.

Guide ❶ [　　　] 가 이웃 ❷ [　　　] 의 세 아들들에게 자신이 기르는 양 3마리를 선물한 이야기이다.

답 ❶ 농부 ❷ 사냥꾼

4-1
주요 등장인물을 찾아 밑줄 치시오.

4-2
밑줄 친 (a)~(e) 중에서 가리키는 대상이 나머지 넷과 <u>다른</u> 것을 고르시오.

Words

playmate 놀이 친구
gratitude 고마움, 감사
generosity 너그러움
feast 잔치, 연회
in return 답례로

© Getty Images Bank

 **개념 돌파 전략 ②**

1

Lithops에 관한 다음 글의 내용과 일치하지 <u>않는</u> 것은?

Lithops are plants that are often called 'living stones' on account of their unique rock-like appearance. They are native to the deserts of South Africa but commonly sold in garden centers and nurseries. Lithops grow well in compacted, sandy soil with little water and extreme hot temperatures. Lithops are small plants, rarely getting more than an inch above the soil surface and usually with only two leaves.

① 살아 있는 돌로 불리는 식물이다.
② 원산지는 남아프리카 사막 지역이다.
③ 토양의 표면 위로 대개 1인치 이상 자란다.

2

다음 도표의 내용과 일치하지 <u>않는</u> 것은?

Health Spending as a Share of GDP for Selected OECD Countries (2018)

(%)
16.9 — US
12.2 — Switzerland
11.2 — France
10.4 — Belgium
9.8 — UK
8.8 — OECD average
7.8 — Greece
4.2 — Turkey

The above graph shows health spending as a share of GDP for selected OECD countries in 2018. ① On average, OECD countries were estimated to have spent 8.8 percent of their GDP on health care. ② Among the given countries above, the US had the highest share, with 16.9 percent, followed by Switzerland at 12.2 percent. ③ There was a 3 percentage point difference in the share of GDP spent on health care between the UK and Greece.

3

"Go Green" Writing Contest에 관한 다음 안내문의 내용과 일치하지 <u>않는</u> 것은?

"Go Green" Writing Contest

☐ **Main Topic:** Save the Environment

☐ Writing Categories

• Slogan　• Poem　• Essay

☐ **Requirements:**

• Participants: High school students

• Participate in one of the above categories

（only one entry per participant）

☐ **Deadline:** July 5th, 2021

• Email your work to apply@gogreen.com.

☐ The winners will be announced only on the website on July 15th, 2021. No personal contact will be made.

☐ For more information, visit www.gogreen.com.

---

① 참가자는 한 부문에만 참가해야 한다.

② 마감 기한은 7월 5일이다.

③ 수상자는 개별적으로 연락받는다.

Words

environment 환경
requirement 요구 사항
participant 참가자
entry 출품작, (개별) 항목
announce 발표하다

• 대회 주제는 '❶⬜⬜⬜⬜'이다.
• 글짓기 대회의 수상자는 2021년 7월 15일에 ❷⬜⬜⬜에서만 공지된다.

🔑 ❶ 환경 보호　❷ 웹사이트

© Getty Images Bank

4

밑줄 친 (a)~(e) 중에서 가리키는 대상이 나머지 넷과 <u>다른</u> 것은?

It was a speech my father had written in 1920, in Tennessee. Then only 17 (a) <u>himself</u> and graduating from high school, he had called for equality for African Americans. (b) <u>I</u> marvelled, proud of him, and wondered how, in 1920, so young, so white, and in the deep South, where the law still separated black from white, (c) <u>he</u> had had the courage to deliver it. I asked (d) <u>him</u> about it. He said, "I didn't ask for permission. (e) <u>I</u> just asked myself, 'What is the most important challenge facing my generation?'"

---

① (a)　　② (b)　　③ (c)　　④ (d)　　⑤ (e)

Words

equality 평등, 균등
marvel 놀라다, 경탄하다
separate 분리하다, 나누다
deliver (연설을) 하다
permission 허락, 허가
face 직면하다, 마주보다
generation 세대

• 등장인물은 I와 ❶⬜⬜⬜이다.
• 스스로에게 우리 세대가 직면한 가장 중요한 도전 과제에 대한 질문을 던진 사람은 ❷⬜⬜⬜이다.

🔑 ❶ my father　❷ 필자의 아버지[my father]

전략 ❶ | 내용 일치·불일치 파악하기

- ❶[   ]를 먼저 읽은 다음 그 내용을 염두에 두고 글을 읽는다.

- 선택지에서 글의 내용을 약간 다르게 표현하는 경우도 있으므로, 선택지와 글의 내용을 주의 깊게 ❷[   ]한다.

- 설명문인 경우가 많으므로 ❸[   ]에 근거하여 판단하지 말고 주어진 글의 내용에만 충실한다.

- 정답뿐만 아니라, 오답 선택지의 내용도 글에서 꼭 다시 확인한다.

답 ❶ 선택지 ❷ 비교·대조 ❸ 상식

---

 1. Paul Laurence Dunbar에 관한 다음 글의 내용과 일치하지 <u>않는</u> 것은?

> Paul Laurence Dunbar, an African-American poet, was born on June 27, 1872. By the age of fourteen, Dunbar had poems published in the *Dayton Herald*. While in high school he edited his high school newspaper. Despite being a fine student, Dunbar was financially unable to attend college and took a job as an elevator operator. In 1893, Dunbar published his first book, *Oak and Ivy*, at his own expense. In 1895, he published the second book, *Majors and Minors*, which brought him national and international recognition. The poems written in standard English were called "majors," and those in dialect were termed "minors." Although the "major" poems in standard English outnumber those written in dialect, it was the dialect poems that brought Dunbar the most attention.

① 14세쯤에 *Dayton Herald*에 시를 발표했다.

② 고등학교 재학 시 학교 신문을 편집했다.

③ 재정상의 이유로 대학에 진학하지 못했다.

④ 두 번째 출판한 책으로 국내외에서 인정받게 되었다.

⑤ 표준 영어로 쓴 시들로 가장 큰 주목을 받았다.

Words

publish 발표하다
financially 재정적으로
operator (기계) 기사, 조작자
expense 비용
major 장조
minor 단조
recognition 인정, 인식
dialect 방언, 사투리
term ~라고 부르다
outnumber ~보다 많다
attention 주목, 관심

Guide

흑인 ❶[   ]으로 ❷[   ]를 써서 명성을 얻었던 Paul Laurence Dunbar에 관한 글이다.

답 ❶ 방언[사투리] ❷ 시

© Billion Photos / shutterstock

1. 다음 글을 읽고, 물음에 답하시오.

Words

attend ~에 다니다
sociology 사회학
career 직장 생활, 경력
master's degree 석사 학위
congresswoman 여자 국회[하원] 의원
speak out 목소리를 내다
civil right 시민권
involvement 개입, 참여
expansion 확대

Shirley Chisholm was born in Brooklyn, New York in 1924. Chisholm _____(A)_____ part of her childhood in Barbados with her grandmother. Shirley attended Brooklyn College and _____(B)_____ in sociology. After _____(C)_____ from Brooklyn College in 1946, she began her career as a teacher and went on to earn a master's degree in elementary education from Columbia University. In 1968, Shirley Chisholm became the United States' first African-American congresswoman. She spoke out for civil rights, women's rights, and poor people. Shirley Chisholm was against the American involvement in the Vietnam War and the expansion of weapon developments.

1-1

Shirley Chisholm에 관한 윗글의 내용과 일치하지 <u>않는</u> 것은?

① 어린 시절에 할머니와 함께 지낸 적이 있다.

② Brooklyn 대학에서 사회학을 전공했다.

③ 대학 졸업 후 교사로 일하기 시작했다.

④ 미국 최초의 아프리카계 미국인 여성 하원 의원이었다.

⑤ 미국의 베트남 전쟁 개입을 지지했다.

© Jon Chica / shutterstock

1-2

윗글의 빈칸 (A)~(C)에 알맞은 말을 〈보기〉에서 골라 알맞은 형태로 쓰시오.

┌──── 보기 ────

　major　graduate　enter　spend　waste　study

(A) _____　(B) _____　(C) _____

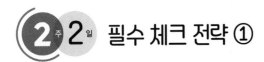
전략 ② | 도표 내용 파악하기

- 도표의 ❶ [　　　]과 가로축, 세로축을 확인하여 무엇을 나타내는 표인지 추측한다.
- 숫자, 단위, 증감, 비교 표현 등에 유의하여 글을 읽으면서 ❷ [　　　]의 정보와 일치 여부를 확인한다.
- 평소, 도표와 관련된 여러 가지 ❸ [　　　] 표현, 즉 단위, 배수, 분수 등에 관한 표현 및 비교나 부정 표현 등을 익혀 둔다.

답 ❶ 제목 ❷ 도표 ❸ 수치

 2. 다음 도표의 내용과 일치하지 <u>않는</u> 것은?

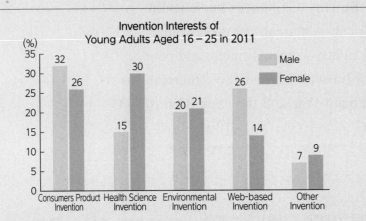

Invention Interests of Young Adults Aged 16 – 25 in 2011

The graph above shows the results of a survey on invention interests in young adults aged 16 to 25 in 2011. ① Among the five invention categories, the highest percentage of male respondents showed interest in inventing consumer products. ② For health science invention, the percentage of female respondents was twice as high as that of male respondents. ③ The percentage point gap between males and females was the smallest in environmental invention. ④ For web-based invention, the percentage of female respondents was less than half that of male respondents. ⑤ In the category of other invention, the percentage of respondents from each gender group was less than 10 percent.

Words

invention 발명
interest 흥미, 관심
young adult 청소년, 젊은이
consumer product 소비재
result 결과
survey 조사
category 범주, 항목
respondent 응답자
gap 차이
gender 성별, 성

Guide

16~25세의 청소년들의 ❶ [　　　] 흥미 분야에 관한 ❷ [　　　] 결과를 나타낸 도표이다.

답 ❶ 발명 ❷ 조사

도표와 관련된 주요 비교급 및 최상급 표현을 익혀 두자.
- more than (~ 이상의) / less than (~ 이하의)
- as+원급+as (…만큼 ~한)
- 배수사+as+원급+as (…보다 몇 배 더 ~한)
- the+최상급+of / in+범위 (…에서 가장 ~한)

2. 다음 글을 읽고, 물음에 답하시오.

Words
consumption (상품 등의) 소비
vs. 대(對) (= versus)
via ~을 통해서
mostly 주로
consume 소비하다
as for ~에 있어서는

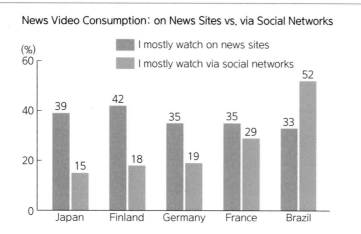

News Video Consumption: on News Sites vs. via Social Networks

The above graph shows how people in five countries consume news videos: on news sites versus via social networks. ① Consuming news videos on news sites is more popular than via social networks. ② As for people who mostly watch news videos on news sites, Finland shows the highest percentage among the five countries. ③ The percentage of people who mostly watch news videos on news sites in France is higher than ____(A)____ in Germany. ④ As for people who mostly watch news videos via social networks, Japan shows the lowest percentage among the five countries. ⑤ Brazil shows the highest percentage of people who mostly watch news videos via social networks of the five countries.

2-1

위 도표의 내용과 일치하지 <u>않는</u> 것은?

①   ②   ③   ④   ⑤

2-2

위 도표의 빈칸 (A)와 다음 빈칸에 공통으로 알맞은 말을 한 단어로 쓰시오.

• It was yesterday _____ she lost her necklace.
• It is not true _____ he won the lottery.

© Getty Images Korea

➡ _____

2주 2일 필수 체크 전략 ②

Words

take photographs 사진 찍다
support 부양하다
dining room 식당
on a part-time basis 시간제로
studio (촬영) 스튜디오
exhibition 전시회
recognition 인정

[1~2] 다음 글을 읽고, 물음에 답하시오.

James Van Der Zee was born on June 29, 1886, in Lenox, Massachusetts. The second of six children, James grew up in a family of creative people. At the age of fourteen he received his first camera and took hundreds of photographs of his family and town. By 1906, he had moved to New York, married, and was taking jobs to support his growing family. In 1907, he moved to Phoetus, Virginia, where he worked in the dining room of the Hotel Chamberlin. During this time he also worked as a photographer on a part-time basis. He opened his own studio in 1916. World War I had begun and (A) 많은 젊은 군인들이 그들의 사진을 찍기 위해 스튜디오로 왔다. In 1969, the exhibition, *Harlem On My Mind*, brought him international recognition. He died in 1983.

1 James Van Der Zee에 관한 윗글의 내용과 일치하지 <u>않는</u> 것은?

① 여섯 명의 아이들 중 둘째였다.

② 열네 살에 그의 첫 번째 카메라를 받았다.

③ Chamberlin 호텔의 식당에서 일을 했다.

④ 자신의 스튜디오를 1916년에 열었다.

⑤ 1969년에 전시회로 인해 국제적인 비난을 받았다.

Tip

Harlem On My Mind(내 마음 속의 할렘)라는 ❶ [ ] 로 인정받은 ❷ [ ] James Van Der Zee에 관한 글이다.

답 ❶ 전시회 ❷ 사진사

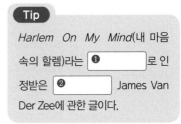

© chameleonsEye / shutterstock

서술형

2 윗글의 밑줄 친 (A)의 우리말 의미에 맞도록 주어진 표현을 바르게 배열하시오.

> many / to / the studio / young soldiers / came / their pictures / to / have / taken

➡ _____

Tip

「have+목적어+목적격보어」 구문에서 ❶ [ ] 와 목적격보어가 수동 관계이면 ❷ [ ] 를 쓴다.

답 ❶ 목적어 ❷ 과거분사

[3~4] 다음 글을 읽고, 물음에 답하시오.

Words

average 평균의
compare 비교하다
decrease 하락하다, 줄다
drop 떨어지다
reach ~에 도달하다[이르다]
peak 최고점, 절정
opposite (정)반대의
gap 차이, 간격

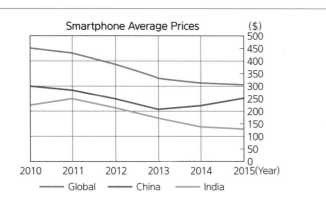

The above graph shows the smartphone average prices in China and India between 2010 and 2015, compared with the global smartphone average price during the same period. ① The global smartphone average price decreased from 2010 to 2015. ② The smartphone average price in China dropped between 2010 and 2013. ③ The smartphone average price in India reached its peak in 2011. ④ From 2013, China and India took opposite paths, with China's smartphone average price going down and India's going up. ⑤ The gap between the global smartphone average price and the smartphone average price in China were the smallest in 2015.

3 위 도표의 내용과 일치하지 <u>않는</u> 것은?

①   ②   ③   ④   ⑤

Tip

2013년부터 ❶ [　　　　]의 스마트폰 평균 가격은 상승했고 ❷ [　　　　]의 가격은 하락했다.

답 ❶ 중국 ❷ 인도

(서술형)

4 위 도표의 문장 ⑤에서 어법상 어색한 부분을 찾아 바르게 고치시오.

_____ ➡ _____

Tip

between ~ in China는 핵심 주어 [　　　　]을 수식하는 수식어구이다.

답 The gap

전략 ❸ | 실용문 내용 파악하기

- 실용문의 [❶] 을 통해 소재를 확인하여 무엇에 관한 글인지 추측한다.
- [❷] 를 먼저 읽은 뒤 글을 읽으면서 선택지와 관련된 부분을 바로 찾아본다.
- 수치, 할인 여부, 이용 가능 여부 등 글의 내용과 다르게 진술될 수 있는 부분에 유의하여 [❸] 여부를 확인한다.

🔑 ❶ 제목 ❷ 선택지 ❸ 일치

3. Premier Reading Challenge에 관한 다음 안내문의 내용과 일치하지 <u>않는</u> 것은?

> ### Premier Reading Challenge
>
> This is not a competition, but rather a challenge to inspire students with the love of reading.
>
> - **Participants**
>   - Students from 6th grade to 9th grade
> - **Dates**
>   - From June 1st to December 31st
> - **Challenge**
>   - Each student in 6th and 7th grade must read 15 books.
>   - Each student in 8th and 9th grade must read 20 books.
> - **Prize**
>   - A bookmark for every participant
>   - A Certificate of Achievement for students who complete the challenge
> - **Registration**
>   - Online only — www.edu.prc.com
>
> ※ For more information, see the school librarian or visit the website above.

Words

challenge 도전, 문제
competition (경쟁) 시합
inspire 불어넣다
participant 참가자
bookmark 책갈피
certificate 증명서
achievement 성취
registration 등록

Guide

[❶] 행사를 소개하는 안내문으로 참가자, 도전 내용, 포상 내용 등을 [❷] 하고 있다.

🔑 ❶ 책 읽기 ❷ 안내

① 6학년부터 9학년까지의 학생들을 대상으로 한다.
② 6월부터 5개월간 진행되는 행사이다.
③ 7학년의 도전과제는 15권의 책을 읽는 것이다.
④ 모든 참가자는 책갈피를 받는다.
⑤ 온라인으로만 등록할 수 있다.

> 실용문 내용 파악 유형은 내용 일치·불일치 파악 유형과 아주 비슷하다고 했지? 이 유형 역시 아주 친절하게 선택지가 글의 순서대로 나오니 ○, × 표시를 하면서 글을 차근차근 읽어보자구.

3. 다음 글을 읽고, 물음에 답하시오.

Words

tournament 토너먼트, 선수권 대회
auditorium 강당
entry 참가, 등록
deadline 마감
category 부문
ceremony 의식

Waverly High School
Friendly Chess Tournament
Saturday, March 23, 10 a.m.

- Where: Waverly High School auditorium
- Entry Deadline: March 22, 4 p.m.
- Age Categories: 7–12, 13–15, 16–18
- Prizes: Gold, Silver, and Bronze for each category
  - Prize-giving Ceremony: 3 p.m.
  - Every participant will receive a(n) _____
    for entry!

If you are interested, enter online
at http://www.waverly.org.

For more information, visit our website.

3-1

Waverly High School Friendly Chess Tournament에 관한 위 안내문의 내용과 일치하지 <u>않는</u> 것은?

① Waverly 고등학교 강당에서 열린다.

② 참가 신청 마감은 3월 23일 오전 10시이다.

③ 각 부문별로 금상, 은상, 동상을 수여한다.

④ 시상식은 오후 3시에 있다.

⑤ 참가자 전원에게 참가 증명서를 준다.

© spixel / shutterstock

3-2

위 안내문의 빈칸에 알맞은 말을, 주어진 영영 풀이를 참고하여 한 단어로 쓰시오.

> an official paper stating that you have completed a
> course of study or passed an examination

➡

전략 ④ | 밑줄 친 부분이 가리키는 대상 찾기

- 글 속에 등장하는 인물과 밑줄 친 대명사 혹은 지칭 어구를 살펴본다. 보통 **❶** [　　　]과 또 다른 한 명을 지칭하는 어구에 밑줄이 있다.

- 글을 읽으면서, 앞뒤 **❷** [　　　]을 고려하여 밑줄 친 지칭 어구가 가리키는 정확한 대상을 파악한다.

- 대명사 및 지칭 어구와 연관된 인칭, 수, **❸** [　　　] 등에 유의하여 지칭 대상을 찾는다.

- 글의 내용과 종합적인 상황을 고려하여, 가리키는 대상이 다른 하나를 확인한다.

답 ❶ 주인공 ❷ 문맥 ❸ 성별

 4. 밑줄 친 (a)~(e) 중에서 가리키는 대상이 나머지 넷과 <u>다른</u> 것은?

> When a thief entered a rich merchant's home, he lay in bed and watched the thief in action. The thief had brought a new white sheet with (a) <u>him</u> to carry away the stolen goods. While (b) <u>he</u> was busy gathering expensive-looking items, the merchant quickly got out of the bed. Then he replaced the new white sheet with a similar looking white sheet, which was much weaker and much cheaper than the thief's one. (c) <u>He</u> then lay down and pretended to be asleep. When the thief had finished collecting as many valuables as he could, the merchant ran out into the garden and yelled — "Thief! Thief!" To (d) <u>his</u> surprise, the thin white sheet, filled with stolen goods, was torn apart. Leaving the goods behind in the house, he ran away in a hurry saying under his breath: "He has stolen from a thief! He has not only managed to save his valuables but has also taken away (e) <u>my</u> new sheet."

① (a)　　　② (b)　　　③ (c)　　　④ (d)　　　⑤ (e)

Words

merchant 상인
sheet 천
goods 물건, 물품
replace 교체하다
pretend ~인 척하다
valuables 귀중품
as ~ as one can[could] 가능한 한 ~한
tear apart 찢어 놓다
manage to 이럭저럭 ~하다

Guide

부유한 상인의 집에 **❶** [　　　]이 흰색 천을 가지고 들어왔지만 상인의 기지로 오히려 도둑이 자신의 천을 도둑맞고 도망가게 된 상황을 **❷** [　　　]하는 글이다.

답 ❶ 도둑 ❷ 묘사

지칭 추론 유형 체크 리스트
1. 대명사 및 지칭 어구의 인칭 / 수 / 성별 확인
2. 앞 문장의 주어 확인
3. 등장인물 구분하여 표시(○, □, △ 등)
4. 동일 등장인물 두 번 이상 등장 시 다른 인물 나오면 정답!

4. 다음 글을 읽고, 물음에 답하시오.

Words

tap 가볍게 두드리기
give away 나누어 주다
supply 보급품
volunteer 자원봉사하다
international 국제적인
charity 자선 단체
other than ~ 외에

Feeling a tap on (a) <u>his</u> shoulder while (A) [given / giving] away food and supplies to people, eighteen-year-old Toby Long turned around to find an Ethiopian boy standing behind (b) <u>him</u>. The young boy looked first at his own worn shirt, then at Toby's clothes. Next, (c) <u>he</u> asked (B) [that / if] he could have Toby's shirt. Toby had traveled to Africa to volunteer for two-and-a-half weeks with an international charity. Toby didn't know what to say to the little boy other than, "(d) <u>I</u> need it, too." When Toby returned to camp that evening (e) <u>he</u> couldn't stop (C) [to think / thinking] about the little boy with the big sad eyes.

4-1

윗글의 밑줄 친 (a)~(e) 중에서 가리키는 대상이 나머지 넷과 <u>다른</u> 것은?

① (a) ② (b) ③ (c) ④ (d) ⑤ (e)

© wavebreakmedia / shutterstock

4-2

윗글의 (A)~(C)의 네모 안에서 어법상 알맞은 것을 고르시오.

(A) _____ (B) _____ (C) _____

[1~2] 다음 글을 읽고, 물음에 답하시오.

Words
explore 탐험하다
kingdom 왕국
admission 입장(료)
free 무료의
rental 대여
first aid 응급 처치
currently 현재
booking 예약

Welcome to Grand Park Zoo
Grand Park Zoo offers
to explore the amazing animal kingdom!

Hours
- Opens at 9 a.m., 365 days a year
- Closes at 6 p.m.

Location
- Madison Valley
- It takes 20 minutes by car from City Hall.

Admission
- Adults, $12 and ages 3-15, $4
- Ages 2 and under, free

At the Zoo
- No pets are allowed.
- You'll find wheelchair rentals and a first aid office.

◆ We are currently accepting bookings for guided tours.
◆ For more information or to make a booking, please visit our office or call (912) 132-0371.

1 Grand Park Zoo에 관한 위 안내문의 내용과 일치하지 <u>않는</u> 것은?

① 오전 9시에 개장한다.
② 시청에서 차로 20분 걸린다.
③ 2세 이하는 입장이 무료이다.
④ 애완동물을 데려갈 수 있다.
⑤ 가이드 투어 예약을 받고 있다.

Tip

Grand Park **❶** 에서는
어떤 **❷** 도 허용되지 않는다.

답 ❶ 동물원 ❷ 애완동물

(서술형)

2 다음 글을 읽고 위 안내문의 내용과 일치하지 <u>않는</u> 것을 두 개 찾아 바르게 고치시오.

We visited Grand Park Zoo in Madison Valley last Thanksgiving Day. We are a family of two adults, a 5-year-old son and a 2-year-old daughter, so we paid $32 for admission. We enjoyed ourselves for 10 hours there.

Tip

입장료가 성인은 12달러, 3세~15
세는 **❶** , 2세 이하는
❷ 이다.

답 ❶ 4달러 ❷ 무료

_____ ➡ _____ / _____ ➡ _____

[3~4] 다음 글을 읽고, 물음에 답하시오.

Words

wipe off 닦다
car wash 세차장
beggar 거지
parking lot 주차장
profound 심오한
successful 성공한
hit 놀라게 하다

Kevin was in front of the mall wiping off his car. He had just come from the car wash and was waiting for his wife. An old man whom society would consider a beggar was coming toward him from across the parking lot. From the looks of (a) <u>him</u>, he seemed to have no home and no money. "I hope (b) <u>he</u> doesn't ask me for any money," he thought. The man didn't. (c) <u>He</u> came and sat on the bench in front of the bus stop but (A) <u>그는 버스를 타기에도 충분한 돈을 갖고 있을 것처럼 보이지 않았다.</u> Kevin asked, "Do you need any help?" (d) <u>He</u> answered in three simple but profound words that Kevin shall never forget: "Don't we all?" Kevin was feeling successful and important until those three words hit (e) <u>him</u>. Don't we all?

3 윗글의 밑줄 친 (a)~(e) 중에서 가리키는 대상이 나머지 넷과 <u>다른</u> 것은?

① (a) ② (b) ③ (c) ④ (d) ⑤ (e)

Tip

등장인물은 ❶ [____]과 거지처럼 보이는 한 ❷ [____]이다.

답 ❶ Kevin ❷ 노인

(서술형)

4 윗글의 밑줄 친 (A)의 우리말 의미에 맞도록 주어진 표현을 바르게 배열하시오.

> he / could / have / didn't / look / like / he / even / enough / money / to / ride / the bus

Tip

'~하기에 충분한 …': 「❶ [____] +명사+to+ ❷ [____]」

답 ❶ enough ❷ 동사원형

➡ _____

교과서 대표 전략 ①

2주 4일

대표 예제 ❶
내용 일치·불일치

연의 꼬리에 관한 다음 글의 내용과 일치하는 것은?

A tail is sometimes added to a kite. It can help make a kite fly more stably by adding not just some weight but also drag to its lower end. The tail should have the right length, though. Adding a short tail, for example, a 10 cm tail, will make the kite spin and roll around a lot. Adding a longer tail, such as a 100 cm tail, can help the kite fly well, allow it to go high without rolling very much. Our ancestors knew all this and made the tail the right length.

① 연에는 반드시 꼬리가 필요하다.
② 연의 꼬리는 안정감을 증가시킨다.
③ 연의 꼬리는 무게감과는 관계가 없다.
④ 연의 꼬리는 50센티미터가 적당하다.
⑤ 연싸움에서 꼬리의 길이가 중요하다.

© Photo Melon / shutterstock

대표 예제 ❷
도표

다음 도표의 내용과 일치하지 <u>않는</u> 것은?

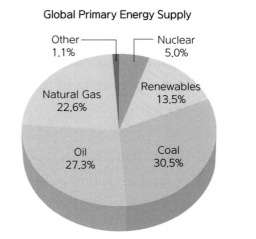

Global Primary Energy Supply

- Other 1.1%
- Nuclear 5.0%
- Renewables 13.5%
- Natural Gas 22.6%
- Coal 30.5%
- Oil 27.3%

Source: International Energy Agency (2015)

This graph shows what energy sources the world depends on. ① According to the graph, the largest amount of energy is coal. ② Oil comes second. It was followed by natural gas at 22.6 %. ③ Surprisingly, the combined amount of these two sources is more than half of the total. ④ The fact that renewables make up 13.5% of the energy supply is remarkable. ⑤ Nuclear is the second smallest energy supply on the graph.

대표 예제 ❸   도표

다음 글을 읽고, 물음에 답하시오.

Preferred Genres of Books of
Hanguk High School Students

Mystery
Romance
Fantasy
History
Science
Adventure
Travel

Genres

This graph shows what genres of books Hanguk high school students prefer. ① It was mystery that most students liked to read and it accounted for 34 % of the total. ② It was followed by romance and fantasy: Interestingly, (A) 연애 소설을 선택한 학생들의 비율은 공상 소설을 선택한 학생들의 그것(비율)만큼 높았다. ③ History was more popular than the other three genres of books. ④ Adventure was the least popular genre of book except science. ⑤ Science and travel were preferred by the same percentage of students.

(1) 도표의 내용과 일치하지 <u>않는</u> 것은?

① ② ③ ④ ⑤

개념 Guide

가장 인기 없는 장르는 ❶⬚⬚⬚, ❷⬚⬚⬚, ❸⬚⬚⬚ 이었다.

답 ❶ 과학 ❷ 모험 소설 ❸ 여행

(2) 밑줄 친 (A)의 우리말 의미에 맞도록 〈보기〉의 단어를 활용하여 빈칸에 알맞은 말을 쓰시오. (단, 필요시 단어를 추가하거나 변형할 것)

┌─ 보기 ──────────────────┐
│ romance / fantasy / as / that / choose │
└────────────────────────┘

➡ the percentage of _____ _____
_____ was _____ _____
_____ _____ _____ _____ who
_____ _____

개념 Guide

'~만큼 …한'은 「❶⬚⬚⬚+원급+as」의 동등 비교 구문으로 나타내고, 비교 구문에서 앞의 단수 명사를 대신할 때는 대명사 ❷⬚⬚⬚을 쓸 수 있다.

답 ❶ as ❷ that

대표 예제 **4** 실용문

Let's Make a Paper Bead Bracelet에 관한 다음 안내문의 내용과 일치하지 <u>않는</u> 것은?

Let's Make a Paper Bead Bracelet

1. On the paper, mark every 1 cm along one side.
2. On the opposite side, mark the first 0.5 cm. Then continue to mark every 1 cm starting from there.
3. Draw lines by connecting the marks on both sides.
4. Cut along the lines to get long triangles.
5. Tape the base of one triangle to a straw.
6. Put a glue on the inner side of the triangle and wrap it tightly around the straw.
7. Cut the straw on both ends.
8. Thread the beads together on a piece of stretchy string. Tie both ends of the string together.

① 종이 양쪽 가장자리에 1cm 간격으로 점을 찍는다.
② 양쪽의 점들을 이어 선을 그린다.
③ 한 삼각형의 밑면을 빨대에 붙인다.
④ 삼각형의 안쪽 면에 풀을 바른다.
⑤ 빨대 양쪽 끝은 잘라 내야 한다.

개념 Guide

❶ 　　　 를 만들 때 양쪽 가장자리에 점을 찍는 첫 위치가 ❷ 　　　 에 유의한다.

🔁 ❶ 종이 구슬 팔찌 ❷ 다름

대표 예제 **5** 지칭

밑줄 친 this가 가리키는 것을 우리말로 간단히 쓰시오.

Johnson and Kroenke hope that "Playing for Change" can make the world a better place to live in through music. They help set up music schools that offer free lessons. They do <u>this</u> because they know that learning to make music takes resources, teachers, and instruments, which are not always easy to find in the developing world. Even more importantly, they help break down barriers between people by inspiring and connecting the world through music.

➡ _____

© Getty Images Bank

개념 Guide

Johnson과 Kroenke는 ❶ 　　　 교습을 제공하는 ❷ 　　　 설립을 돕고 있다.

🔁 ❶ 무료 ❷ 음악 학교

대표 예제 6

다음 글을 읽고, 물음에 답하시오.

When I go out of the Hab, however, things are not so optimistic. I cannot find the satellite dish. It could be kilometers away. The MAV is gone. The crew took it up to *Hermes* in orbit. The MDV is left, and there is damage on the main body. And I have two rovers. Both of (a) them are almost completely buried in sand, but (b) they seem okay. I will be able to dig (c) them out with a day or so of work. If I do so today, I will be driving at least one of (d) them at this time tomorrow. The solar cells were covered in sand, but once I swept (e) them off, they returned to full efficiency. Whatever I do, I will have plenty of electric power. What I have to do is sweep them off every few days.

* Hab: 거주용 막사 ** MAV: 화성 상승선
*** MDV: 화성 하강선

© Jurik Peter / shutterstock

(1) 밑줄 친 (a)~(e) 중에서 가리키는 대상이 나머지 넷과 다른 것은?

① (a) ② (b) ③ (c) ④ (d) ⑤ (e)

개념 Guide

them[they]이 가리키는 것은 [❶   ] 혹은 [❷   ]이다.

 ❶ two rovers ❷ the solar cells

(2) 글의 내용과 일치하지 <u>않는</u> 것은?

① 거주용 막사 밖의 상황이 좋지만은 않다.
② 위성 안테나 접시는 날아가고 없다.
③ 동료들은 MAV를 타고 'Hermes'로 갔다.
④ 두 대의 탐사선 중 한 대는 작동하지 않는다.
⑤ 태양광 전지들의 모래를 쓸어 주니 제대로 작동했다.

개념 Guide

두 대의 탐사선은 [❶   ]에 묻혀 있었으며 상태는 [❷   ] 보였다.

 ❶ 모래 ❷ 좋아

01 기지시 줄다리기 축제에 관한 다음 글의 내용과 일치하는 것은?

Last April, I took part in the Gijisi *Juldarigi* Festival, held in Dangjin, Chungcheongnam-do. The size of the rope was about 200 meters long and one meter thick, weighing over 40 tons. Thousands of people gathered and pulled the "centipede" rope to win. Actually, which team wins is not that important. By tradition, participants are divided into two teams by township: one team from *susang*, the northern area, and the other from *suha*, the southern area. They say that the country will be peaceful if the former team wins, and that it will have a good harvest if the latter wins.

① 지난 겨울 충청남도 당진에서 열렸다.

② 줄다리기 밧줄의 길이는 두께의 20배였다.

③ 줄다리기 밧줄의 무게는 40톤이 넘지 않았다.

④ 북쪽 지역과 남쪽 지역으로 팀이 나누어진다.

⑤ '수상' 팀이 이기면 풍년이 들 것이라고 한다.

Tip

줄다리기 축제의 참가자들은 북쪽 지역인 '❶ _____', 남쪽 지역인 '❷ _____' 두 팀으로 나뉜다.

답 ❶ 수상 ❷ 수하

Words

take part in ~에 참가하다   weigh 무게가 ~이다   centipede 지네
participant 참가자   township 마을   harvest 수확, 추수

02 Science Presentation Competition에 관한 다음 안내문의 내용과 일치하지 <u>않는</u> 것은?

Science Presentation Competition

If you are interested in science, please take part in our Science Presentation Competition! Make a group of 3–4 students and participate as a team. Contestants will have to make a 10-minute presentation on their research topic and the judges will evaluate each group. The winning team will be awarded gift certificates.

- **Application Due Date**: Friday, April 7
- **Competition Date**: Thursday, April 13
- **Place**: The school science laboratory
- **How to Apply**: Please fill out the application form and submit it to your science teacher.

If you have any questions, please feel free to contact us at scicom@mr.hs.kr.

① 3~4명의 모둠으로 참가할 수 있다.

② 10분 동안 발표해야 한다.

③ 우승 팀에게는 상품권이 수여된다.

④ 학교 과학실에서 열린다.

⑤ 신청서는 담임선생님께 제출해야 한다.

Tip

참가 신청은 ❶ _____를 작성해서 ❷ _____에게 제출해야 한다.

답 ❶ 신청서 ❷ 과학 선생님

Words

competition 경연 대회   participate 참가하다   judge 심사위원
evaluate 평가하다   award (상을) 수여하다   gift certificate 상품권
due date 마감일   fill out 작성하다   application form 신청서
submit 제출하다   feel free to 자유롭게 ~하다

[03~04] 다음 글을 읽고, 물음에 답하시오.

The *Joseonwangjosillok* is the world's longest historical record of a single dynasty. (a) It covers 472 years under 25 kings, from the founder, Taejo, to Cheoljong. (b) It is made up of 888 books. When you pile up all the books, the height reaches 32 meters. That is almost the same as the height of a 12-story building. If you read 100 pages per day, (c) it will take four years and three months to read all of the *Sillok*. (d) It does not just cover the general affairs of kings and their families. (e) It also deals with politics, economics, culture, geography, and diplomatic relations with neighboring countries. For example, the Geographical Appendix (*Jiriji*) to *Sejongsillok* contains information about "Usando," the former name of Dokdo.

03 밑줄 친 (a)~(e) 중에서 가리키는 대상이 나머지 넷과 다른 것은?

① (a)　② (b)　③ (c)　④ (d)　⑤ (e)

Tip

대명사 It[it]은 **❶** [　　　] 또는 진주어를 대신하는 **❷** [　　　] 로 쓰일 수 있다.

답 ❶ 지시대명사 ❷ 가주어

04 글의 내용과 일치하도록 괄호 안의 단어를 알맞은 형태로 쓰시오.

When _____(stack) in a pile, the *Sillok* reaches the height of a 12-story building.

Tip

부사절에서 주절과 같은 **❶** [　　　] 와 **❷** [　　　] 는 생략할 수 있다.

답 ❶ 주어 ❷ be동사

Words

dynasty 왕조　cover 다루다　from A to B A에서 B까지
be made up of ~로 이루어져 있다　pile up 쌓다　general 일상적인
affair 일, 사건　deal with ~을 다루다　diplomatic 외교의
geographical 지리의　appendix 부속물

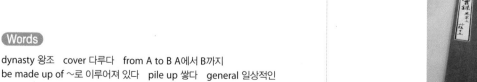

01 Mary Cassatt에 관한 다음 글의 내용과 일치하지 <u>않</u>는 것은?

Mary Cassatt was born in Pennsylvania, the fourth of five children born in her well-to-do family. Mary Cassatt and her family traveled throughout Europe in her childhood. Her family did not approve when she decided to become an artist, but her desire was so strong that she studied painting. She admired the work of Edgar Degas and was able to meet him in Paris, which was a great inspiration. Though she never had children of her own, she loved children and painted portraits of the children of her friends and family. Cassatt lost her sight at the age of seventy.

① 유년 시절에 유럽 전역을 여행했다.

② 화가가 되는 것을 가족이 찬성하지 않았다.

③ Edgar Degas를 파리에서 만났다.

④ 자기 자녀의 초상화를 그렸다.

⑤ 70세에 시력을 잃었다.

02 다음 도표의 내용과 일치하지 <u>않</u>는 것은?

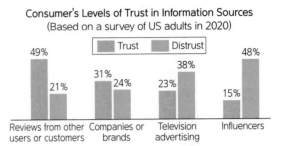

Consumer's Levels of Trust in Information Sources
(Based on a survey of US adults in 2020)

Note: Remaining respondents answered "neither trust nor distrust."

The graph above shows the consumers' levels of trust in four different types of information sources, based on a survey of US adults in 2020. ① About half of US adults say they trust the information they receive from reviews from other users or customers. ② This is more than double those who say they hold distrust for reviews from other users or customers. ③ The smallest gap between the levels of trust and distrust among the four different types of information sources is shown in the companies or brands' graph. ④ Fewer than one-fifth of adults say they trust information from television advertising. ⑤ Only 15% of adults say they trust the information provided by influencers, while more than three times as many adults say they distrust the same source of information.

03 Spring Farm Camp에 관한 다음 안내문의 내용과 일치하지 <u>않는</u> 것은?

Spring Farm Camp

Our one-day spring farm camp gives your kids true, hands-on farm experience.

When: Monday, April 19 – Friday, May 14
Time: 9 a.m. – 4 p.m.
Ages: 6 – 10
Participation Fee: $70 per person
(lunch and snacks included)
Activities:

- making cheese from goat's milk
- picking strawberries
- making strawberry jam to take home

We are open rain or shine.
For more information, go to www.b_orchard.com.

---

① 6세 ~ 10세 어린이가 참가할 수 있다.

② 참가비에 점심과 간식이 포함되어 있다.

③ 염소젖으로 치즈를 만드는 활동을 한다.

④ 딸기잼을 만들어 집으로 가져갈 수 있다.

⑤ 비가 오면 운영하지 않는다.

04 밑줄 친 (a)~(e) 중에서 가리키는 대상이 나머지 넷과 <u>다른</u> 것은?

Two students met their teacher at the start of a track through a forest. He gave them instructions to follow the path to its end, in preparation for a test later in the week. The path split into two: one was clear and smooth, the other had fallen logs and other obstacles in the way. One student chose to avoid the obstacles, taking the easier path to the end. (a) <u>He</u> felt clever as he ran without stopping. The second student chose to tackle the obstacles, battling through every challenge in (b) <u>his</u> path. The student who chose the easy path finished first and felt proud of (c) <u>himself</u>. "I'm glad I chose to avoid the rocks and logs. They were only there to slow (d) <u>me</u> down," (e) <u>he</u> thought to himself.

---

① (a)　② (b)　③ (c)　④ (d)　⑤ (e)

주요 등장인물을 찾는 것이 우선이겠지? 여기서는 Two students와 their teacher, 세 사람 중 (a)~(e)가 가리키는 사람을 찾아야 하는데, 앞 문장의 주어를 다음 문장에서 대명사로 받는 경우가 많으니 앞 문장의 주어가 누구인지를 먼저 확인해야 해.

A 다음 글을 읽고, 물음에 답하시오.

Elsie Inglis, the second daughter of John Inglis, was born in India on 16th August, 1864. She had enlightened parents who considered the education of a daughter as important as that of a son. With the _____ of her father, she began to train as a doctor. She founded a hospital for women in Edinburgh in which the staff consisted only of women. She was also actively engaged in politics and worked for women's voting rights. Inglis became ill in Russia and was forced to return to Britain, where she died in 1917.

(1) Elsie Inglis에 관한 윗글을 읽고 일치하면 T에, 일치하지 않으면 F에 ∨ 표시 하시오.

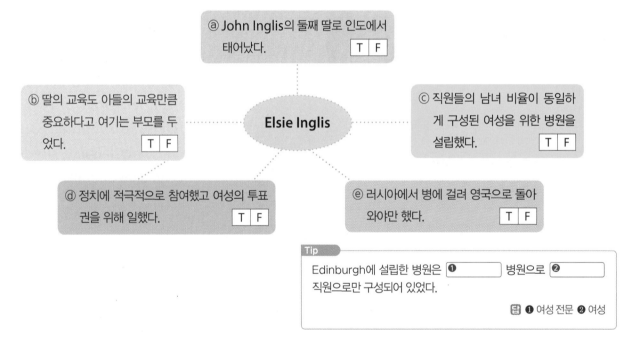

ⓐ John Inglis의 둘째 딸로 인도에서 태어났다. T F

ⓑ 딸의 교육도 아들의 교육만큼 중요하다고 여기는 부모를 두었다. T F

Elsie Inglis

ⓒ 직원들의 남녀 비율이 동일하게 구성된 여성을 위한 병원을 설립했다. T F

ⓓ 정치에 적극적으로 참여했고 여성의 투표권을 위해 일했다. T F

ⓔ 러시아에서 병에 걸려 영국으로 돌아와야만 했다. T F

> **Tip**
> Edinburgh에 설립한 병원은 [❶] 병원으로 [❷]
> 직원으로만 구성되어 있었다.
> 답 ❶ 여성 전문 ❷ 여성

(2) 윗글의 빈칸에 알맞은 말을 다음을 참고하여 한 단어로 쓰시오.

This word is used to express approval, encouragement, and perhaps help for a person, idea, plan etc. What is this?

➡ _____

> **Tip**
> approval: [❶] / encouragement: [❷] /
> help: [❸]
> 답 ❶ 승인 ❷ 격려 ❸ 도움

B 다음 글을 읽고, 물음에 답하시오.

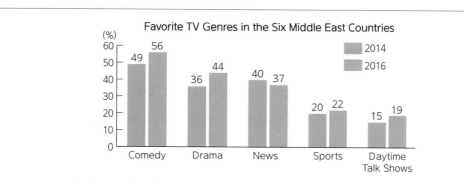

The above graph shows the favorite TV genres that the people in Egypt, Lebanon, Qatar, Saudi Arabia, Tunisia, and UAE chose in 2014 and 2016 when they were permitted to select up to three choices. ⓐ In both years, the percentage of people selecting comedy as their favorite was the highest of all the genres. ⓑ In 2014, news was preferred by a larger percentage of people than drama, but the situation reversed in 2016. ⓒ The percentage point gap between 2014 and 2016 was largest in sports and was smallest in daytime talk shows. (A) <u>2016년에 낮 시간대 토크쇼를 선택한 사람들의 비율은 같은 해에 코미디를 선택한 사람들의 그것의 절반보다 더 적었다.</u>

(1) ⓐ~ⓒ 중 위 도표의 내용과 일치하지 <u>않는</u> 문장을 찾아 바르게 고치시오.

☐ → ☐

> Tip
> • 가장 큰 차이: ❶ [   ] 8 % p
> • 가장 작은 차이: ❷ [   ] 2 % p
>
> 🗒 ❶ 드라마 ❷ 스포츠

(2) 윗글의 밑줄 친 (A)의 우리말 의미에 맞도록 주어진 단어들을 모두 사용하여 빈칸을 완성하시오.

was	than	that
half	less	of
the people	comedy	choosing

The percentage of people selecting daytime talk shows in 2016

_____

in the same year.

> Tip
> '~보다 더 적은'은 ❶ [   ] than으로 나타내고, 앞에 나온 단수 명사 the percentage는 ❷ [   ]으로 쓸 수 있다.
>
> 🗒 ❶ less ❷ that

C 다음 안내문을 읽고, **틀리게** 설명한 사람을 고르시오.

Bright Future Walkathon

Sunny Side Foundation is hosting the annual Bright Future Walkathon in support of people in need.

Date & Place
- Date: Saturday, September 25th (Start Time: 9:00 a.m.)
- Place: Green Brook Park

Registration
- Fee: $10
- All registration fees will be donated to local charities.
- Register online at www.ssfwalkathon.com.

Course (Choose one)
- Course A: 3 km (all ages welcome)
- Course B: 5 km (for ages 15 and older)

Details
- Each participant who completes the course will receive a T-shirt.
- No refund will be made for cancellations.

오전 9시에 시작해.

재림

모든 등록비는 기부될 거야.

신혜

B 코스는 15세 이상 참가자가 선택할 수 있어.

동완

코스를 완주한 참가자는 티셔츠를 받아.

재훈

취소 시 환불이 가능해.

미주

Tip

Details 항목에 제시된 [＿＿＿] 규정을 살펴본다.

답 취소

D 다음 글을 읽고, 물음에 답하시오.

(A) When my wife, Rebecca, was a junior at Madison High School in Idaho, a sign-up sheet for the Madison Talent Contest passed around in class. (a) She, along with many other students, signed up. Linda, who sat next to (b) her, passed the sheet without signing it. "Sign up, Linda," insisted Rebecca. "Oh, no. (c) I couldn't do that." "Come on. It will be fun." "No, really. I'm not the type." "Sure (d) you are. (e) I think you'd be great!" said Rebecca.

(1) 윗글의 밑줄 친 (A)를 어법상 바르게 설명한 것을 고르시오.

ⓐ 부사절의 주어는 my wife, Rebecca로 복수이므로 동사는 were로 바꿔서 When my wife, Rebecca, were a junior at Madison High School in Idaho, ~로 고쳐야 한다.

ⓑ 주절의 주어는 a sign-up sheet for the Madison Talent Contest이므로 동사는 동작을 받는 형태인 수동태가 되어 ~ a sign-up sheet for the Madison Talent Contest was passed around in class로 고쳐야 한다.

Tip
부사절의 주어 my wife와 Rebecca는 동격이므로 동사의 ❶ [   ]에 유의하고, 주절의 주어는 a sign-up sheet ~ Contest로 동작의 대상이므로 동사의 ❷ [   ]에 유의한다.

답 ❶ 수 ❷ 태

© mejnak / shutterstock

(2) 윗글의 밑줄 친 (a)~(e)가 가리키는 대상을 본문에서 찾아 쓰시오.

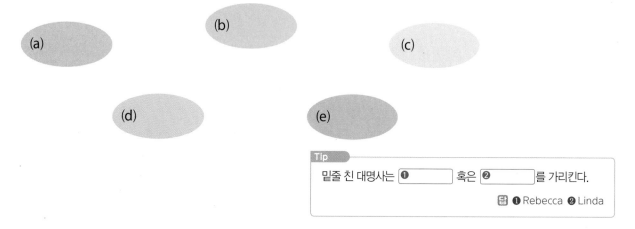

(b)

(a)

(c)

(d)

(e)

Tip
밑줄 친 대명사는 ❶ [   ] 혹은 ❷ [   ]를 가리킨다.

답 ❶ Rebecca ❷ Linda

마무리 전략

전략 1	'빈칸'은 글의 '핵심 내용'을 단어나 어구로 압축한 부분에 제시된다.
전략 2	'무관한 문장'은 글의 전체 '흐름'이나 '주제'에서 벗어난 문장이다.
전략 3	'문장 삽입'은 글의 내용에 '비약'이 일어나는 부분을 찾아야 한다.
전략 4	'글의 순서'는 단락 간 '연결 고리'에 유의하여 배열해야 한다.

글의 논리적 흐름 및 세부 내용을 파악하는 것이 중요한 유형을 복습해 보자.

빈칸 추론 유형은 주로 글의 핵심 내용이 빈칸으로 제시된다는 거 알아?

그래서 이 유형은 주제 추론 유형의 변형이라고 할 수 있지.

하지만 이런 흐름에서 벗어난 문장이 제시될 수도 있으므로 전체적인 흐름을 잘 파악해야 해.

보통 하나의 글은 하나의 소재나 주제에 대해 일관되게 설명하고 있어.

또한 글의 내용이 중간에 갑작스럽게 전환되는 비약이 일어나는 경우도 있어. 이런 경우 흐름이 자연스럽도록 이 부분에 적당한 문장을 추가해야 해.

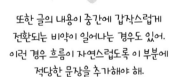

그리고 순서가 섞인 단락을 배열할 때는 단락 간의 연결 고리가 되는 것들, 즉 접속사나 지시어 등을 잘 살펴보면 돼.

이러한 유형들 모두 답으로 선택한 것을 본문에 대입하여 전체적인 흐름을 다시 한 번 확인하도록!

GOOD JOB!

전략 5	'내용 일치·불일치'는 글의 '세부 사항'을 정확히 파악해야 한다.
전략 6	'도표'는 실생활과 관련된 '정보'를 '분석'하여 다양한 형태의 표로 나타낸 것이다.
전략 7	'실용문'은 '일상생활의 필요'에 의해 쓰인 글이다.
전략 8	'지칭 추론'은 원래의 명사를 대신하는 말인 '대명사'가 가리키는 것을 파악해야 한다.

내용 일치·불일치 파악 유형은 전체 흐름도 중요하지만 세부 사항에 집중해야 해.

도표 파악 유형은 글에 제시된 수치와 도표를 정확히 비교해야 하구.

도표를 설명할 때 다소 어려운 비교나 증감 등의 표현이 쓰이니 평소에 익혀 둬야겠지?

이러한 유형들은 선택지가 글의 순서대로 제시되니 선택지를 먼저 읽어 보는 것이 도움이 돼.

도표나 실용문 파악 유형은 모두 내용 일치·불일치 파악 유형의 변형이야.

안내문이나 광고문 같은 실용문 파악 유형은 글의 내용과 다르게 제시되는 표현이나 숫자에 주의해야 해.

지칭 추론 유형은 앞부분에서 대명사나 지칭 어구가 가리키는 대상을 찾아야 하지.

모든 유형의 문제는 글의 전체적 흐름과 세부 사항을 정확히 파악하고, 집중해야 할 부분을 알면 쉽게 해결할 수 있으니 자신감을 갖자구.

GOOD JOB!

신유형·신경향·서술형 전략

[1~2] 다음 글을 읽고, 물음에 답하시오.

Changing our food habits is one of the hardest things we can do. It's because our desired preferences are hidden in ourselves. (①) And yet adjusting what you eat is completely possible. We do it all the time. (②) If not, the food companies that launch new products each year would be wasting their money. (③) After the fall of the Berlin Wall, housewives from East and West Germany tried each other's food products for the first time in decades. (④) It didn't take long for those from the East to realize that they preferred Western yogurt to their own. (⑤) From both sides of the wall, these German housewives showed a surprising _____(A)_____ in their food preferences.

통념

❶ _____을 바꾸는 것은 어려운 일들 중 하나라고 해.

주장

하지만 먹는 것을 ❷ _____하는 것은 가능해.

사례

베를린 장벽이 무너진 후, 독일 주부들은 음식 선호도에 있어 놀라운 ❸ _____을 보여 주었어.
• 동독 주부: 서독의 요구르트를 좋아했어.
• 서독 주부: 동독의 꿀과 바닐라 웨이퍼 비스킷을 좋아했고.

📋 ❶ 식습관 ❷ 조정 ❸ 유연성

© artpritsadee / shutterstock

1 글의 흐름으로 보아, 주어진 문장이 들어가기에 가장 적절한 곳은?

> Equally, those from the West discovered that they liked the honey and vanilla wafer biscuits of the East.

①　　②　　③　　④　　⑤

2 윗글의 빈칸 (A)에 알맞은 말을 주어진 영영 풀이를 참고하여 한 단어로 쓰시오.

> the ability to change or be changed easily to suit a different situation

➡ _____

[3~4] 다음 글을 읽고, 물음에 답하시오.

Collaboration is the basis for most of the foundational arts and sciences.

(A) For example, his sketches of human anatomy were a collaboration with Marcantonio della Torre, an anatomist from the University of Pavia. Their collaboration is important because it marries the artist with the scientist.

(B) It is often believed that Shakespeare, like most playwrights of his period, did not always write alone, and many of his plays are considered collaborative or were rewritten after their original composition. Leonardo Da Vinci made his sketches individually, but he collaborated with other people to add the finer details.

(C) Similarly, Marie Curie's husband stopped his original research and joined Marie in hers. They went on to collaboratively discover radium, which overturned old ideas in physics and chemistry.

* anatomy: 해부학적 구조

도입: 주제문

❶ 　　　은 기초 예술과 과학의 기반이라고 주제를 말하고 있어.

사례에 대한 부연 설명

❷ 　　　가 인체의 해부학적 구조를 해부학자와 함께 스케치했다는 내용이야.

사례 1

셰익스피어와 레오나르도 다빈치가 다른 사람들과 공동 작업한 방식을 언급하고 있어.

사례 2

또 다른 예로 ❸ 　　　 부부가 공동 작업으로 라듐을 발견했다고 설명하고 있네.

딥 ❶ 공동 작업 ❷ 레오나르도 다빈치 ❸ 마리 퀴리

© Everett Historical / shutterstock

3 주어진 글 다음에 이어질 글의 순서로 가장 적절한 것은?

① (A) – (C) – (B)　　② (B) – (A) – (C)　　③ (B) – (C) – (A)

④ (C) – (A) – (B)　　⑤ (C) – (B) – (A)

4 윗글의 내용과 일치하도록 빈칸 (a)~(d)에 알맞은 말을 쓰시오.

Most foundational artists and scientists 　(a)　 . For example, Shakespeare wrote his plays with the help of other writers. And Leonardo da Vinci collaborated to add more detailed 　(b)　 . Mari Curie and her husband discovered radium through 　(c)　 , it was a great 　(d)　 in physics and chemistry.

(a) _____　(b) _____　(c) _____　(d) _____

[5~6] 다음 글을 읽고, 물음에 답하시오.

The leopard shark got its name because of its dark brown markings similar to (A) [that / those] found in leopards. Their size is rather average at only 5 to 6 feet in length. These sharks live in the warm waters of the Eastern Pacific region. They may also be found in sandy bays. Their favorite foods include shrimps and crabs. But they will also eat fish eggs. The leopard shark catches its prey by generating a suction force as it expands its buccal cavity. It will then secure food using its teeth. One of the most interesting features of the leopard sharks (B) [is / are] their three-pointed teeth. Like some sharks, female leopard sharks (C) [lie / lay] eggs and hatch them inside their bodies. They keep their babies for twelve months until live birth occurs. A single birth can produce 33 pups. They are among the sharks which are not considered as a threat to humans.

*buccal cavity: 입속, 구강

leopard shark의 외형

❶ [　　] 무늬에 5–6피트 크기

서식지

동태평양 따뜻한 바다, 모래가 있는 만

먹이

새우, 게, 물고기 알을 주로 먹으며 입안을 팽창시키면서 먹이를 잡아 ❷ [　　]을 이용하여 잡아둠

번식

암컷이 알을 낳아 ❸ [　　]에서 부화시켜 12개월 동안 품은 뒤 출산함

답 ❶ 흑갈색 ❷ 이빨 ❸ 몸 안

5 leopard shark에 관한 윗글의 내용과 일치하지 <u>않는</u> 것은?

① 표범과 유사한 흑갈색 무늬가 있다.
② 좋아하는 먹이에는 새우와 게가 있다.
③ 이빨에 세 개의 뾰족한 끝이 있다.
④ 알을 낳은 뒤 모래에서 부화시킨다.
⑤ 인간에게 위협적이지 않다고 여겨진다.

6 윗글의 (A)~(C)의 네모 안에서 어법상 알맞은 것을 고르시오.

(A) _____ (B) _____ (C) _____

© Getty Images Bank

[7~8] 다음 글을 읽고, 물음에 답하시오.

L-19 Smart Watch
User Guide

KEY FUNCTIONS

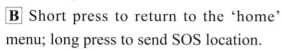

A Short press to confirm; long press to enter the sports mode.

B Short press to return to the 'home' menu; long press to send SOS location.

C Short press to turn on or off the background light; long press to turn on or off your watch.

D Press to go up. (In time, date or other settings, press the key to increase the value.)

E Press to go down. (In time, date or other settings, press the key to decrease the value.)

CAUTION

Make sure the battery level of your watch has at least two bars, in order to avoid an upgrading error.

* confirm: 설정값을 확정하다

안내문 내용 제시

L-19 스마트워치 ❶

주요 기능 소개

A : 설정값 확정

B : ❷ 복원

C : 배경 화면 ❸ 및 시계 on/off 조절

D : 설정값 올리기

E : 설정값 내리기

주의 사항 언급

업그레이드 오류 방지 방법: 최소 두 칸의 배터리 잔량 표시 유지

🗂 ❶ 사용 설명서 ❷ '홈' 메뉴 ❸ 불빛

---

7 L-19 Smart Watch 사용에 관한 위 안내문의 내용과 일치하는 것은?

① A 를 짧게 누르면 스포츠 모드로 들어간다.

② B 를 길게 누르면 '홈' 메뉴로 돌아간다.

③ C 를 길게 누르면 배경 화면의 불빛이 켜지거나 꺼진다.

④ D 를 누르면 설정값이 내려간다.

⑤ 업그레이드 오류를 피하려면 배터리 잔량 표시가 최소 두 칸은 되어야 한다.

8 Read and answer the questions.

(1) Q: What's the guide for?

A: It is to ＿＿＿＿＿＿＿ L-19 Smart Watch users of ＿＿＿＿＿＿＿ it.

(2) Q: What should we do to send SOS location?

A: We should ＿＿＿＿＿＿＿.

(3) Q: What should we do to turn on the watch?

A: We should ＿＿＿＿＿＿＿.

01 다음 글의 빈칸에 들어갈 말로 가장 적절한 것은?

Scientists believe that the frogs' ancestors were water-dwelling, fishlike animals. The first frogs and their relatives gained the ability to come out on land and enjoy the opportunities for food and shelter there. But they _____. A frog's lungs do not work very well, and it gets part of its oxygen by breathing through its skin. But for this kind of "breathing" to work properly, the frog's skin must stay moist. And so the frog must remain near the water where it can take a dip every now and then to keep from drying out. For frogs, metamorphosis thus provides the bridge between the water-dwelling young forms and the land-dwelling adults.

*metamorphosis: 탈바꿈

① still kept many ties to the water
② had almost all the necessary organs
③ had to develop an appetite for new foods
④ often competed with land-dwelling species
⑤ suffered from rapid changes in temperature

02 다음 글에서 전체 흐름과 관계 <u>없는</u> 문장은?

Many of us live our lives without examining why we habitually do what we do and think what we think. Why do we spend so much of each day working? Why do we save up our money? ① If pressed to answer such questions, we may respond by saying "because that's what people like us do." ② We behave like this because the culture we belong to compels us to. ③ As we try to find answers to the questions of cultural diversity, we realize that cultures are not about being right or wrong. ④ The culture that we inhabit shapes how we think, feel, and act in the most pervasive ways. ⑤ It is not in spite of our culture that we are who we are, but precisely because of it.

*pervasive: 널리 스며 있는

03 글의 흐름으로 보아, 주어진 문장이 들어가기에 가장 적절한 곳은?

Before a trip, research how the native inhabitants dress, work, and eat.

The continued survival of the human race can be explained by our ability to adapt to our environment. (①) While we may have lost some of our ancient ancestors' survival skills, we have learned new skills as they have become necessary. (②) Today, the gap between the skills we once had and the skills we now have grows ever wider. (③) Therefore, when you head off into the wilderness, it is important to prepare for the environment. (④) How they have adapted to their way of life will help you to understand the environment. (⑤) This is crucial because most survival situations arise as a result of a series of events that could have been avoided.

* inhabitant: 주민

04 주어진 글 다음에 이어질 글의 순서로 가장 적절한 것은?

Almost all major sporting activities are played with a ball.

(A) A ball might have the correct size and weight but if it is made as a hollow ball of steel it will be too stiff and if it is made from light foam rubber with a heavy center it will be too soft.

(B) The rules of the game always include rules about the type of ball that is allowed, starting with the size and weight of the ball. The ball must also have a certain stiffness.

(C) Similarly, along with stiffness, a ball needs to bounce properly. A solid rubber ball would be too bouncy for most sports, and a solid ball made of clay would not bounce at all.

* stiffness: 단단함

① (A) – (C) – (B)　　② (B) – (A) – (C)

③ (B) – (C) – (A)　　④ (C) – (A) – (B)

⑤ (C) – (B) – (A)

글의 순서를 정할 때는 단락과 단락을 이어 주는 연결어, 지시어, 대명사, 정관사 등의 연결 고리를 찾아 전체적인 맥락을 이어 줘야 해.
여기서는 (B) the size and weight → (A) the correct size and weight + stiffness → (C) along with stiffness + bounce의 흐름으로 이어지고 있음을 확인하도록.

[05~07] 다음 글을 읽고, 물음에 답하시오.

We are more likely to eat in a restaurant if we know that it is usually ⓐ busy. Even when nobody tells us a restaurant is good, our herd behavior determines our decision-making. (①) Let's suppose you walk toward two ⓑ empty restaurants. (②) You do not know which one to enter. (③) Which one are you more likely to enter, the empty one or the other one? (④) Most people would go into the restaurant ⓒ with people in it. (⑤) Let's suppose you and a friend go into that restaurant. Now, it has ⓓ eight people in it. Others see that one restaurant is empty and the other has eight people in it. So, they decide to do ⓔ differently as the other eight.

*herd: 무리, 떼

05 윗글의 흐름으로 보아, 주어진 문장이 들어가기에 가장 적절한 곳은?

> However, you suddenly see a group of six people enter one of them.

①   ②   ③   ④   ⑤

06 윗글의 밑줄 친 ⓐ~ⓔ 중 문맥상 어색한 것을 찾아 바르게 고치시오.

_____ ➡ _____

07 윗글의 요지를 다음과 같이 나타낼 때 빈칸 (a), (b)에 알맞은 말을 본문에서 찾아 쓰시오.

> _____(a)_____ influences our _____(b)_____ process.

(a) _____   (b) _____

[08~10] 다음 글을 읽고, 물음에 답하시오.

It is important to distinguish between being legally allowed to do something, and actually ⓐ <u>being</u> able to go and do it. A law could be passed allowing everyone, if they so wish, ⓑ <u>to run</u> a mile in two minutes. That would not, however, _____ (A) _____, because, although ⓒ <u>allowed</u> to do so, they are physically incapable of it. Having a minimum of restrictions and a maximum of possibilities ⓓ <u>is</u> fine. But in the real world most people will never have the opportunity either to become all that they are allowed to become, or ⓔ <u>need</u> to be restrained from doing everything that is possible for them to do. Their effective freedom (B) <u>사실 그들이 선택하는 것을 할 수 있는 수단과 능력을 갖추는 것에 달려 있다.</u>

08 윗글의 밑줄 친 ⓐ~ⓔ 중 어법상 어색한 것을 찾아 바르게 고치시오.

_____ ➡ _____

09 윗글의 빈칸 (A)에 알맞은 말을 주어진 〈보기〉에서 골라 4단어로 쓰시오.

┌─ 보기 ─────────────────────────────────┐
increase / decrease / their / our /
effective / *maximum* / freedom / restrictions / limits
└──────────────────────────────────────┘

➡ _____ _____ _____ _____

10 윗글의 밑줄 친 (B)의 우리말 의미에 맞도록 주어진 〈조건〉에 맞게 영어로 쓰시오.

┌─ 조건 ─────────────────────────────────┐
1. 관계대명사를 사용할 것
2. 다음의 단어를 활용할 것: depend / have / do / choose
3. 필요시 단어를 추가하거나 변형할 것
└──────────────────────────────────────┘

➡ _____ _____ actually _____ the means and ability _____ _____

_____ _____ _____

01 Elizabeth Catlett에 관한 다음 글의 내용과 일치하지 <u>않는</u> 것은?

Elizabeth Catlett was born in Washington, D.C. in 1915. As a granddaughter of slaves, Catlett heard the stories of slaves from her grandmother. After being disallowed entrance from the Carnegie Institute of Technology because she was black, Catlett studied design and drawing at Howard University. She became one of the first three students to earn a master's degree in fine arts at the University of Iowa. Throughout her life, she created art representing the voices of people suffering from social injustice. She was recognized with many prizes and honors both in the United States and in Mexico. She spent over fifty years in Mexico, and she took Mexican citizenship in 1962. Catlett died in 2012 at her home in Mexico.

① 할머니로부터 노예 이야기를 들었다.

② Carnegie Institute of Technology로부터 입학을 거절당했다.

③ University of Iowa에서 석사 학위를 취득했다.

④ 미국과 멕시코에서 많은 상을 받았다.

⑤ 멕시코 시민권을 결국 받지 못했다.

02 다음 도표의 내용과 일치하지 <u>않는</u> 것은?

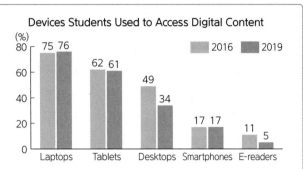

Devices Students Used to Access Digital Content

The above graph shows the percentage of students from kindergarten to 12th grade who used devices to access digital educational content in 2016 and in 2019. ① Laptops were the most used device for students to access digital content in both years. ② Both in 2016 and in 2019, more than 6 out of 10 students used tablets. ③ More than half the students used desktops to access digital content in 2016, and more than a third used desktops in 2019. ④ The percentage of smartphones in 2016 was the same as that in 2019. ⑤ E-readers ranked the lowest in both years, with 11 percent in 2016 and 5 percent in 2019.

내용 일치·불일치 문제는 글의 순서대로 선택지가 제시되므로 차분히 읽으면서 하나씩 일치 여부를 확인하도록 해.

03 Photography Walks Program에 관한 다음 안내문의 내용과 일치하지 <u>않는</u> 것은?

Photography Walks Program

Have you ever wanted to learn how to take photographs using your smartphone or tablet? Then come and join us on our exciting Photography Walks Program. All ages and skill levels are welcome!

◆ Date: From September 21 to September 23
◆ Time: 2 p.m. – 5 p.m.
◆ Place: Evergreen State Park
◆ Ticket Price: $30 per person (including a photo album)
◆ Notice:
  • Wear comfortable clothes and walking shoes.
  • Water and snacks are provided for free.

Registration should be made at least 2 days before the program begins. Please visit our website for more information.

---

① 연령에 관계없이 참여할 수 있다.

② 9월에 3일 동안 진행된다.

③ 포토 앨범은 티켓 가격에 포함되지 않는다.

④ 물과 간식이 무료로 제공된다.

⑤ 등록은 프로그램 시작 2일 전까지 해야 한다.

---

04 밑줄 친 (a)~(e) 중에서 가리키는 대상이 나머지 넷과 다른 것은?

Once every year, a young king would go hunting in the nearby forests. (a) <u>He</u> would make all the necessary preparations, and then set out for his hunting trip. Like all other years, the king got ready for (b) <u>his</u> hunting trip. He killed the deer with just one shot of his arrow, and the king was filled with pride. (c) <u>The proud hunter</u> ordered a hunting drum to be made out of the skin of the deer. A year passed by. The king went to the same forest as the previous year. (d) <u>He</u> used his deerskin drum to round up animals. All the animals ran for safety, except one doe. Suddenly, she started fearlessly licking the deerskin drum. The king was surprised by this sight. An old servant had an answer to this behavior. "The deerskin used to make this drum belonged to her mate, the deer who we hunted last year. This doe is mourning the death of her mate," (e) <u>the man</u> said.

---

① (a)　② (b)　③ (c)　④ (d)　⑤ (e)

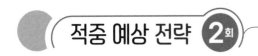

[05~07] 다음 글을 읽고, 물음에 답하시오.

All mammals (A) [need / needs] to leave their parents and set up on their own at some point. But human adults generally provide a comfortable existence — enough food arrives on the table, money is given at regular intervals, the bills (B) [pay / get paid] and the electricity for the TV doesn't usually run out. (a) As teenagers build up a fairly major disrespect for and conflict with their parents or carers, they want to leave. In fact, (b) 여러분을 보살펴 주는 어른들과의 정을 떼는 것 is probably a necessary part of growing up. Later, when you live independently, away from them, you can start to love them again (C) [because / because of] you won't need to be fighting to get away from them. And you can come back sometimes for a home-cooked meal.

05 윗글의 (A)~(C)의 네모 안에서 어법상 알맞은 것을 고르시오.

(A) _____

(B) _____

(C) _____

© Monkey Business Images / shutterstock

06 윗글의 밑줄 친 (a)와 같은 의미가 되도록 빈칸에 알맞은 말을 쓰시오.

= If teenagers _____ _____ _____ a fairly major disrespect for and conflict with their parents or carers, _____ _____ _____ _____ _____ .

07 윗글의 밑줄 친 (b)의 우리말 의미에 맞도록 주어진 〈조건〉에 맞게 영어로 쓰시오.

● 조건 ●
1. 관계대명사를 사용할 것
2. 다음의 단어 중 필요한 것만을 골라 활용할 것: fall / love / take after / look at / in / out of
3. 필요시 단어를 추가하거나 변형할 것
4. 총 11단어가 되도록 쓸 것

➡ _____

[08~10] 다음 글을 읽고, 물음에 답하시오.

Melanie had wanted to be a ballet dancer but the teacher in a local dance institute said, "The girl is just average. Don't let her waste her time aspiring to be a dancer." With her confidence and ego hurt, Melanie never danced again. (a) <u>She</u> completed her studies and she became a schoolteacher. One day, the ballet instructor at her school was running late, and Melanie (A) <u>학생들이 학교 주변을 배회하지 않도록 지켜봐 달라는 요청을 받았다.</u> Once inside the ballet room, she couldn't control herself. Unaware of the people around her, (b) <u>she</u> was lost in her own little world of dancing. Just then, the ballet instructor entered the classroom and was surprised to see (c) <u>her</u> incredible skill. "What a performance!" the instructor said. "Sorry, Ma'am!" she said. "(d) <u>You</u> are a true ballerina!" The instructor invited Melanie to accompany (e) <u>her</u> to a ballet training center, and Melanie has never stopped dancing since. Today, she is a world-renowned ballet dancer.

08 윗글의 밑줄 친 (a)~(e) 중에서 가리키는 대상이 나머지 넷과 다른 것을 고른 뒤, 가리키는 대상을 구체적으로 쓰시오.

➡ _____ _____

© Ayakovlev / shutterstock

09 윗글의 밑줄 친 (A)의 우리말 의미에 맞도록 주어진 표현을 바르게 배열하시오.

to / was / asked / the class / so / that / they / wouldn't /
roam / around / the school / keep an eye on

➡ _____

10 윗글의 내용을 다음과 같은 한 문장의 속담으로 나타낼 때, 빈칸 ⓐ, ⓑ에 알맞은 말을 주어진 철자로 시작하여 쓰시오.

ⓐ B_____ late than ⓑ n_____ .

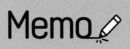
Memo

영어 단어 암기용 교재 〈고등〉, 〈수능〉

빠르게 외우고 오~래 기억한다!

3초 보카

3초 보고 30년 기억하는 영어 어휘 비책! 고등: 예비고 | 수능: 고1~2

book.chunjae.co.kr

교재 내용 문의 ························ 교재 홈페이지 ▶ 고등 ▶ 교재상담
교재 내용 외 문의 ···················· 교재 홈페이지 ▶ 고객센터 ▶ 1:1문의
발간 후 발견되는 오류 ············· 교재 홈페이지 ▶ 고등 ▶ 학습지원 ▶ 학습자료실

실력향상 필수학습!
고득점을 예약하자!

시험적중

내신전략

고등 영어 독해

BOOK 3
정답과 해설

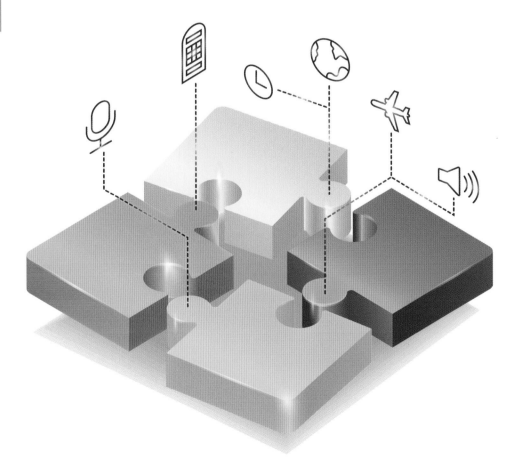

천재교육

정답과 해설
포인트 ❸가지

▶ 혼자서도 이해할 수 있는 친절한 유형 파악 문제 풀이

▶ 필수 구문 및 어법 포함 문장 분석

▶ 해석 및 주요 어휘 수록

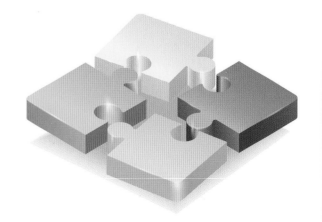

Book 1

정답과 해설

정답과 해설

1주 – 중심 내용 파악하기 ❶

1주 1일 개념 돌파 전략 ①

pp. 8~11

1-1 make sure that you read your document carefully one last time	**3-1** lies
1-2 ⓑ	**3-2** ⓐ
2-1 self-doubt	**4-1** All the things we buy that then just sit there gathering dust are waste
2-2 ⓐ	**4-2** ⓑ

1-1

이메일에는 오류가 있을 수 있으므로 전송하기 전에 다시 한 번 읽어 보라는 내용의 글로, 마지막 문장에 필자의 주장이 잘 나타나 있다.

1-2

이메일을 전송하기 전에 마지막으로 한 번 문서를 검토해 볼 것을 주장하는 글이므로, 필자의 주장으로 ⓑ가 적절하다.

구문 풀이

> **L1**
> ┌선행사 포함 관계대명사
> [**What** you've written] / can have / misspellings, errors of fact,
> 당신이 작성한 내용에   있을 수 있다   틀린 철자   사실의 오류
> 주어   동사   목적어 1   목적어 2
> rude comments, obvious lies, / but it doesn't matter.
> 무례한 지적   명백한 거짓말   하지만 그것은 중요하지 않다
> 목적어 3   목적어 4   자동사

지문 해석

당신이 작성한 내용에 틀린 철자, 사실의 오류, 무례한 지적, 명백한 거짓말이 있을 수 있지만, 그것은 중요하지 않다. 당신이 그것을 보내지 않았다면, 아직 그것을 고칠 시간이 있다. 당신은 어떤 실수라도 수정할 수 있고 누구도 그 차이를 알지 못할 것이다. '보내기'는 컴퓨터에서 가장 매력적인 명령어이다. 당신이 '보내기' 키를 누르기 전에, 반드시 마지막으로 한 번 문서를 주의 깊게 읽도록 하라.

2-1

스트레스를 유발하고 자신에 대한 객관적 판단을 방해하는 자기 의심(self-doubt)의 단점에 대해 설명하는 글이다.

2-2

자기 의심은 스트레스를 야기하고 경험을 부정적으로 보게 하며 자신의 단점을 반영하는데, 상황이나 경험에 대한 객관적 판단이 자기 의심의 가능성을 낮춰 준다는 내용의 글이다. 따라서 글의 요지로 ⓐ가 적절하다.

구문 풀이

> **L3** Doubt **causes** you **to** see / positive, neutral, and even
> 의심은 여러분이 보게 한다   긍정적 경험, 중립적 경험, 그리고
> cause+A+to부정사: A가 ~하게 하다   see의 목적어
> genuinely negative experiences / more negatively / and
> 진짜로 부정적인 경험조차도   더 부정적으로
>   see의 목적격보어 1
> as a reflection of your own shortcomings.
> 그리고 여러분 자신의 단점을 반영한 것으로
> 목적격보어 2

지문 해석

여러분의 스트레스를 야기하는 것은 결코 수행에 대한 압박이 아니다. 오히려, 여러분을 괴롭히는 것은 바로 자기 의심이다. 의심은 긍정적 경험, 중립적 경험, 그리고 진짜로 부정적인 경험조차도 더 부정적으로 보게 하고, (그 경험들을) 여러분 자신의 단점을 반영한 것으로 보게 한다. 상황과 여러분의 강점을 더 객관적으로 바라볼 때, 여러분은 괴로움의 원천인 의심을 품을 가능성이 더 낮다.

3-1

거짓말을 할 때 상대방의 반응이 느린 이유를 설명하는 글이다.

3-2

대화를 할 때 거짓말을 하게 되면 저장된 사실과 꾸며낸 이야기에 대한 뇌의 처리 속도에 차이가 있어 반응하는 데 시간이 더 걸린다는 내용의 글이므로, 글의 주제로 적절한 것은 ⓐ '거짓말의 표시로서의 지연된 반응'이다.

해석 ⓐ 거짓말의 표시로서의 지연된 반응
ⓑ 사회적 상황 속에서 선의의 거짓말의 필요성

구문 풀이

> **L7** Don't forget / [that the other person may be reading
> 잊지 마라   상대방 역시 여러분의 몸짓 언어를 읽고 있을지도 모른다는 것
> 부정 명령문   forget의 목적어 1(명사절)
>   ┌ 명사절 접속사 that 생략
> your body language as well], / and [if you seem to be
> 그리고 만약 여러분이 그 사람의 이야기를
>   목적어 2(명사절)
> disbelieving their story, / they will have to pause / **to process**
> 믿지 않고 있는 것처럼 보이면   그 사람은 잠시 멈춰야 한다는 것을
>   부사적 용법(목적)
> that information, too].
> 또한 그 정보를 처리하기 위해

지문 해석

한 사람이 거짓말을 하면, 그들의 반응은 더 느리게 나올 것인데, 왜냐하면 뇌는 저장된 사실을 기억해 내는 데 비해 새로 꾸며낸 이야기의 세부 사항을 처리하는 데 더 많은 시간이 필요하기 때문이다. 여러분은 말을 하면서 이야기를 꾸며내고 있는 누군가와 이야기를 하고 있을 때, 시간이 지연되는 것을 알아차릴 것이다. 상대방 역시 여러분의 몸짓 언어를 읽고 있을지도 모른다는 것, 그리고 만약 여러분이 그 사람의 이야기를 믿지 않고 있는 것처럼 보이면, 그 사람은 또한

© Den Rozhnovsky / shutterstock

그 정보를 처리하기 위해 잠시 멈춰야 한다는 것을 잊지 마라.

4-1

사 놓고 사용하지 않는 물건을 구입하는 데 많은 돈을 쓰는 것은 낭비라는 내용의 글로, 두 번째 문장에 글의 주제가 잘 나타나 있다.

4-2

매년 사 놓고 사용하지 않는 물건을 구입하는 데 많은 돈을 쓰는데 그것은 돈과 시간의 낭비라는 내용의 글이므로, 글의 제목으로 ⓑ '사는 것은 그것을 사용하지 않으면 낭비이다'가 적절하다.

해석 ⓐ 지나친 쇼핑: 외로움의 신호
ⓑ 사는 것은 그것을 사용하지 않으면 낭비이다

구문 풀이

> **L1** Think, / for a moment, / about *something* [you bought]
> 생각해 보라 잠시 동안   여러분이 사 둔 물건에 대해
> 명령문   삽입구 목적격 관계대명사절 1(that 생략) ┘
> ┌목적격 관계대명사절 2
> [that you never **ended up** using].
> 결국은 한 번도 사용하지 않은
> 관계대명사의 이중한정   end up+ing: 결국 ~하다

지문 해석

여러분이 사 두고 결국은 한 번도 사용하지 않은 물건에 대해 잠시 동안 생각해 보라. 우리가 구입 후에 단지 그 자리에서 먼지만 모을 뿐인 모든 물건은 낭비인데, 돈 낭비, 시간 낭비, 그리고 순전히 쓸모없는 물건이라는 의미에서 낭비이다. 작가 Clive Hamilton이 말하는 것처럼, '우리가 사는 물건에서 우리가 사용하는 것을 뺀 것은 낭비이다.'

①주 ①일 개념 돌파 전략 ②

pp. 12~13

1 ③	3 ②
2 ③	4 ①

1

사람들은 불편함 때문에 성공으로 이끌 일을 피하는데, 이러한 본능을 이겨내고 안락함을 벗어나 새로운 일을 시도하라는 내용의 글이다. 마지막 문장에서 변화는 불편한 것이지만 성공을 위한 핵심이라고 강조하고 있으므로, 필자의 주장으로 가장 적절한 것은 ③이다.

구문 풀이

> **L1** Sometimes, / you feel *the need* / [**to avoid** *something* /
> 때때로   당신은 필요가 있다고 느낀다 어떤 것을 피할
>   형용사적 용법
> {that will lead to success} / **out of** discomfort].
> 성공으로 이끌어 줄   불편하기 때문에
> 주격 관계대명사   (원인·동기) ~에서

지문 해석

때때로, 당신은 불편하기 때문에 성공으로 이끌어 줄 어떤 것을 피할 필요가 있다고 느낀다. 당신은 피곤하기 때문에 추가적인 일을 피하고 있는지도 모른다. 불편한 상태를 피하고 싶어서 당신은 적극적으로 성공을 차단하고 있다. 당신에게 편안함을 주는 곳을 벗어나서 새로운 일을 시도하라. 변화는 항상 불편하지만, 성공을 위한 마법의 공식을 찾기 위해 일을 색다르게 하려면 그것이 핵심이다.

> 잇단 주제문을 찾으면 바운 푸 거야. 주제문에 핀자의 주장이 녹아 있으니까.

2

학생이 과제 수행을 더 잘하도록 동기 부여를 하기 위해서는 그들에게 낮은 등급이나 점수를 주는 것보다는 자신들의 과제가 부족하다는 것을 깨닫게 하고 추가적인 노력을 하도록 요구하는 것이 더 좋다는 내용의 글이므로, 글의 요지로 가장 적절한 것은 ③이다.

구문 풀이

L1 **Rather than** attempting to punish students / with a low
학생을 벌주는 시도를 하는 것보다
~라기 보다

┌ 명사절 접속사 that 생략
grade or mark / in the hope / it will **encourage** them **to** give
낮은 등급이나 점수로   바람에서   학생이 앞으로 더 많은 노력을
encourage+A+to부정사: A가 ~하도록 격려하다

greater effort in the future, / teachers can better motivate
기울이게 하고 싶은   교사는 학생에게 동기 부여를 더 잘할 수 있다

┌ by+동명사 1
students / **by** considering their work **as** incomplete / and then
그들의 과제가 미완성이라고 생각하고
consider A as B: A를 B라고 생각하다

requiring additional effort.
추가적인 노력을 요구함으로써
동명사 2

L5 [*Students* {**who** receive an *I* grade}] / are required to do
'I' 등급을 받은 학생은   추가적인 과제를 하도록
주어   주격 관계대명사   동사

┌ students'
additional work / **in order to** bring their performance / **up to**
요구받는다   자신들의 과제 수행을 끌어올리기 위해서   ~까지
in order+to부정사: ~하기 위해(목적)

an acceptable level.
받아들일 수 있는 수준까지

지문 해석

교사는 학생이 앞으로 더 많은 노력을 기울이게 하고 싶은 바람에서 낮은 등급이나 점수로 학생을 벌주는 시도를 하는 것보다, 그들의 과제가 미완성이라고 생각하고 추가적인 노력을 요구함으로써 학생에게 동기 부여를 더 잘할 수 있다. 어떤 교사들은 학

생의 등급을 'A, B, C' 또는 'I(미완성)'로 기록한다. 'I' 등급을 받은 학생은 자신들의 과제 수행을 받아들일 수 있는 수준까지 끌어올리기 위해서 추가적인 과제를 하도록 요구받는다.

3

호기심이 생기면 우리는 힘든 문제를 재미난 도전으로 생각하게 되고, 스트레스나 짜증에 덜 방어적이고 덜 공격적인 반응을 보인다는 내용의 글이므로, 글의 주제로 가장 적절한 것은 ② '긍정적인 재구성이라는 숨겨진 힘으로서의 호기심'이다.

해석 ① 힘든 상황에서 방어적인 반응의 중요성
② 긍정적인 재구성이라는 숨겨진 힘으로서의 호기심
③ 인간의 호기심을 줄이는 요인

구문 풀이

L2 In general, / curiosity **motivates** us / to view stressful
일반적으로   호기심은 우리에게 동기 부여를 해 준다
목적어 목적격보어 1

situations as challenges **rather than** threats, / to talk about
스트레스 가득한 상황을 위협이라기보다는 도전으로 여기도록   좀 더 터놓고
A rather than B: B라기보다는 A   목적격보어 2

difficulties more openly, / and to try new approaches to
어려움에 대해 말하도록   그리고 문제 해결에 대한 새로운 접근법을 시도하도록
목적격보어 3

solving problems.

지문 해석

호기심은 우리로 하여금 어떤 힘든 문제를 떠맡아야 할 재미난 도전이라고 여기도록 할 가능성을 더 크게 만든다. 일반적으로, 호기심은 우리가 스트레스 가득한 상황을 위협보다는 도전으로 여기도록 하고, 좀 더 터놓고 어려움에 대해 말하게 하며, 문제 해결에 대한 새로운 접근법을 시도하도록 동기 부여를 해 준다. 실제로, 호기심은 스트레스에 덜 방어적인 반응을 하고, 짜증에 반응할 때 덜 공격적인 것과 관련이 있다.

4

사람들은 엘리베이터의 중요성에 대해 거의 고려하지 않지만 효율적인 수직 운송 수단이 점점 더 높은 고층 건물을 지을 수 있는 능력을 확장시킬 수 있다는 내용의 글이므로, 글의 제목으로 가장 적절한 것은 ① '엘리베이터는 건물을 하늘에 더 가깝게 한다'이다.

해석 ① 엘리베이터는 건물을 하늘에 더 가깝게 한다
② 더 높이 올라갈수록, 전망이 더 좋다
③ 엘리베이터를 저렴하고 빠르게 건설하는 방법

L1 [When people think about the development of
사람들은 도시 발전에 대해 생각할 때
시간 부사절

cities], / rarely do they consider / the critical role of vertical
종처럼 고려하지 않는다   수직 운송 수단의 매우 중요한 역할을
도치 구문(부정어(구)+조동사+주어+동사)

transportation.

L5 [Antony Wood, a Professor of Architecture at the Illinois
Antony Wood는   Illinois 공과 대학의 건축학과 교수인
주어   └ 동격

Institute of Technology], / explains / [that advances in elevators
                        설명한다   엘리베이터의 발전은
                        동사   explains의 목적어(명사절)

/ over the past 20 years / are probably *the greatest advances* /
지난 20년간의   아마도 가장 큰 발전일 것이라고

┌→ 목적격 관계대명사 that 생략
[we have seen in tall buildings].
우리가 높은 건물에서 봐 왔던

지문 해석

사람들은 도시 발전에 대해 생각할 때, 좀처럼 수직 운송 수단의 매우 중요한 역할을 고려하지 않는다. 실제로, 매일 70억 회 이상의 엘리베이터 이동이 전 세계의 고층 건물에서 일어난다. 효율적인 수직 운송 수단은 점점 더 높은 고층 건물을 지을 수 있는 우리의 능력을 확장시킬 수 있다. Illinois 공과 대학의 건축학과 교수인 Antony Wood는 지난 20년간의 엘리베이터의 발전은 아마도 우리가 높은 건물에서 봐 왔던 가장 큰 발전일 것이라고 설명한다.

1주 2일 필수 체크 전략 ①

pp. 14~17

필수 예제	**1** ③	확인 문제	**1-1** ①	확인 문제	**1-2** ⓓ worst → best
필수 예제	**2** ⑤	확인 문제	**2-1** ①	확인 문제	**2-2** someone who is lonely might benefit from helping others

필수 예제 1

글을 쓸 때 독자들에게 생각할 것을 알려주지 말아야 하고, 글의 관점에 대해 물음표를 달려고 노력해야 하는데, 그러면 독자들은 글의 요점과 주장에 대해 스스로 생각하고 글에 몰두하게 된다는 내용의 글이다. 따라서 필자의 주장으로 가장 적절한 것은 ③이다.

구문 풀이

L6 As a result, / they will **feel more involved**, / [**finding**
결과적으로   그들은 더 몰두한 것처럼 느낄 것이다
          = readers 감각동사+형용사 보어   분사구문(동시 동작)

           목적격 관계대명사 that[which] 생략 ┐
themselves **just as** committed / to *the arguments* {you've
열성적인 자신을 발견하면서   당신이 펼친 주장과
       just as A as B: B만큼 꼭 A한   목적어 1

made} / and *the insights* {you've exposed} / **as** you are].
그리고 당신이 드러낸 통찰력에   당신만큼이나
목적어 2   └ 목적격 관계대명사 that[which] 생략

L9 You will have written *an essay* / [**that not only** avoids
당신은 글을 쓰게 될 것이다   독자의 수동성을 피하는
                              주격 관계대명사

passivity in the reader, / **but** is interesting and **gets** people
것뿐만 아니라   재미있고 사람들을 생각하게 하는
not only A but (also) B: A뿐만 아니라 B도   get+목적어+목적격보어(to부정사)

to think].

지문 해석

글쓰기를 시작할 때, 당신이 관점을 가져야 하는 한편, 독자들에게 무엇을 생각할지 알려주는 것을 피해야 한다는 것을 자신에게 상기시키는 것은 가치가 있다. 그것(관점) 전체에 물음표를 달려고 노력하라. 이러한 방식으로 당신은 당신이 펼치는 요점과 주장에 대해 독자들이 스스로 생각하게 만든다. 결과적으로, 그들(독자들)은 당신만큼이나 당신이 펼친 주장과 당신이 드러낸 통찰력에 열성적인 자신을 발견하면서 더 몰두한 것처럼 느낄 것이다. 당신은 독자의 수동성을 피하는 것뿐만 아니라, 재미있고 사람들을 생각하게 하는 글을 쓰게 될 것이다.

확인 문제 1-1

집중을 방해하는 것들 때문에 공부에 전념하기 힘든 문제점을 제기한 후, 공부에 집중하되 주기적인 휴식을 취하면 공부를 가장 잘할 가능성이 있다는 내용의 글이므로, 필자의 주장으로 가장 적절한 것은 ①이다.

확인 문제 1-2

ⓓ를 포함한 문장은 30분 정도마다 자신에게 주기적인 휴식을 허락한다면 가장 잘 공부할 수 있을 것이라는 의미가 적절하므로 ⓓ worst(가장 나쁘게)를 best(가장 잘)로 고쳐야 한다.

구문 풀이

L5
[While it may be true / {that you can multi-task / and
사실일 수도 있지만   여러분이 다중 작업을 할 수 있다   그리고
양보 부사절   진주어   that절의 동사 1
└→ 가주어

can focus on all these things at once], // try to be honest /
동시에 이 모든 일에 집중할 수 있다는 것이   솔직해져 보라
동사 2   try+to부정사: ~하려고 노력하다

with yourself.
자신에게

L8
It is most likely / [that you will be able to work best /
~할 가능성이 아주 높다   가장 잘 공부할 수 있을 것이다
가주어   진주어

{if you concentrate on your studies / but allow yourself regular
여러분이 공부에 집중한다면   하지만 자신에게 주기적인 휴식을
조건 부사절   동사 1   동사 2

breaks / — every 30 minutes or so — / to catch up on those
허락한다면   30분 정도마다   다른 오락거리들을 만회하기 위해
~정도, 쯤   부사적 용법(목적)
└→ ~을 만회하다

other pastimes}].

지문 해석

집중을 방해하는 것들이 너무 많을 때 공부에 전념하는 것은 어려울 수 있다. 대부분의 젊은 사람들은 숙제를 조금 하는 것과 꽤 많은 인스턴트 메시지 보내기, 전화로 수다 떨기, 사회 관계망 사이트(SNS)의 프로필 업데이트하기, 그리고 이메일 확인하기를 병행하는 것을 좋아한다. 여러분이 다중 작업을 할 수 있고 동시에 이 모든 일에 집중할 수 있다는 것이 사실일 수도 있지만, 자신에게 솔직해져 보라. 여러분이 공부에 집중하지만, 30분 정도마다 (공부 때문에 못한) 다른 오락거리들을 만회하기 위해 자신에게 주기적인 휴식을 허락한다면 가장 나쁘게(→ 가장 잘) 공부할 수 있을 가능성이 아주 높다.

필수 예제 2

자신이 믿는 것을 위해 싸우는 것을 그만두고 신뢰할 수 있는 집단의 사람들이 가장 좋다고 생각하는 것을 받아들일 필요가 있다는 내용의 글이므로, 글의 요지로 가장 적절한 것은 ⑤이다.

구문 풀이

L1
It's important / [that you think independently /
중요하다   여러분이 독자적으로 생각하고
가주어   진주어

and fight for {what you believe in}], // but there comes a time
그리고 자신이 믿는 것을 위해 싸우는 것이   하지만 더 현명한 때가 온다
전치사 for의 목적어(명사절)

(┌→ to)
[when it's wiser / {to stop fighting for your view / and move
관계부사 가주어   자신의 견해를 위해 싸우는 것을 멈추고   그리고 받아들이는
진주어 1(to부정사)   진주어 2(to부정사)

on to accepting / <what a trustworthy group of people think /
것으로 나아가는 것이   신뢰할 수 있는 집단 사람들이 가장 좋다고 생각하는 것이
accepting의 목적어(명사절)   what절의 주어

is best>}].
동사

지문 해석

여러분이 독자적으로 생각하고 자신이 믿는 것을 위해 싸우는 것이 중요하지만, 자신의 견해를 위해 싸우는 것을 멈추고 신뢰할 수 있는 집단의 사람들이 가장 좋다고 생각하는 것을 받아들이는 것으로 나아가는 것이 더 현명한 때가 온다. 이것은 매우 어려울 수 있다. 하지만 여러분이 마음을 열고 신뢰할 수 있는 집단의 사람들의 결론이 여러분이 생각하는 어떤 것보다 더 좋다는 믿음을 가지는 것이 더 영리하다. 여러분이 그들의 견해를 이해할 수 없다면, 여러분은 아마도 단지 그들의 사고방식을 보지 못하는 것이다. 모든 증거와 신뢰할 수 있는 사람들이 여러분에 반대할 때 여러분이 최선이라고 생각하는 것을 계속한다면, 여러분은 위험할 정도로 자신감에 차 있는 것이다.

확인 문제 2-1

외로운 사람이 친구를 사귀는 확실한 방법은 공동의 목적을 가진 단체에 가입하는 것이며, 자원봉사 활동과 같이 다른 사람에게 도움을 주는 일을 하는 사람들이 더 행복함을 느낀다는 내용의 글이므로, 글의 요지로 가장 적절한 것은 ①이다.

확인 문제 2-2

'외로운 사람'을 관계대명사절을 이용하여 someone who is lonely로 표현한 다음, 동사 might benefit이 오면 된다. benefit이 '혜택을 받다'의 동사로 쓰인 것에 유의한다.

First, / [someone {who is lonely}] / might benefit / from
첫 번째로 외로운 사람은   혜택을 받을지도 모른다
         주어   주격 관계대명사   동사

helping others
다른 사람을 도와줌으로써
전치사 from의 목적어(동명사)

L8 Also, / they might benefit / from **being involved in**
또한   그들은 혜택을 받을지도 모른다
                              전치사 from의 목적어(동명사 수동태)

a voluntary program / [**where** they receive support and help /
자원봉사 프로그램에 참여함으로써 지지와 도움을 받는
                                관계부사

to build their own social network].
자신들의 사회적 관계망을 형성하기 위해
부사적 용법(목적)

외로운 환자들이 친구를 사귈 수 있는 한 가지 확실한 방법이 있는데, 그것은 공동의 목적을 가진 단체에 가입하는 것이다. 이것은 외로운 사람들에게 어려운 일일지는 모르지만, 도움이 될 수 있다는 것을 보여 준다. 자원봉사 활동과 같이 다른 사람에게 도움을 주는 일에 종사하는 사람들이 더 행복한 경향이 있다는 것을 여러 연구에서 밝히고 있다. 자원봉사 활동은 두 가지 방식으로 외로움을 줄이는 데 도움이 된다. 첫 번째로, 외로운 사람은 다른 사람을 도와줌으로써 혜택을 받을지도 모른다. 또한, 그들은 자신들의 사회적 관계망을 형성하기 위해 지지와 도움을 받는 자원봉사 프로그램에 참여함으로써 혜택을 받을지도 모른다.

© Rawpixel.com / shutterstock

①주 2일 필수 체크 전략 ②

pp. 18~19

1 ③ **2** (A) but (B) So **3** ③ **4** ⓔ enough well → well enough

1 행복의 조건을 살 수는 있어도 행복은 살 수 없다는 의견을 스스로를 훈련해야 즐길 수 있는 테니스와 서예라는 두 경우를 예로 들어 설명하는 글이므로, 필자의 주장으로 가장 적절한 것은 ③이다.

2 (A) 먹, 화선지, 붓을 살 수 있지만, 서예의 기술을 기르지 않는다면 제대로 서예를 할 수 없다는 의미이므로 역접의 연결어 but이 가장 적절하다.
　(B) 서예의 기술을 기르지 않는다면 서예를 할 수 없으므로 서예는 연습을 요구하고 스스로를 훈련시켜야 한다는 의미이므로 인과의 연결어 So가 가장 적절하다.

L4 **To experience** the joy of tennis, / you **have** to learn, /
테니스의 즐거움을 경험하기 위해   당신은 방법을 배우고
부사적 용법(목적)   have의 목적어 1

to train yourself / **to play**.
스스로를 훈련시켜야 한다 치기 위하여
목적어 2   부사적 용법(목적)

L9 You are happy / as a calligrapher / [**only when** you have
당신은 행복하다   서예가로서   서예를 할 능력을 가졌을 때만
                                시간·조건 부사절

the capacity {**to do** calligraphy}].
형용사적 용법

당신은 행복을 위한 조건들을 살 수 있지만, 행복을 살 수는 없다. 그것은 테니스를 치는 것과 같다. 당신은 상점에서 테니스를 치는 즐거움을 살 수 없다. 당신은 공과 라켓을 살 수 있지만, (테니스를) 치는 것의 즐거움은 살 수 없다. 테니스의 즐거움을 경험하기 위해, 당신은 (테니스를) 치기 위하여 방법을 배우고 스스로를 훈련해야 한다. 서예(붓글씨)를 쓸 때도 마찬가지이다. 당신은 먹, 화선지, 그리고 붓을 살 수 있지만, 만약 서예의 기술을 기르지 않는다면 당신은 제대로 서예를 할 수 없다. 그래서 서예는 연습을 요구하고, 당신은 스스로를 훈련시켜야 한다. 당신은 서예를 할 능력을 가졌을 때만 서예가로서 행복하다. 행복 또한 그것과 같다. 당신은 행복을 가꿔 나가야 한다. 왜냐하면 상점에서 그것을 살 수 없기 때문이다.

3 칭찬은 아이들의 자존감에 매우 중요하지만 지나치게 빈번하게 하는 것은 칭찬의 효과를 사라지게 하고, 아이가 칭찬에 너무 의존하거나 칭찬받을 만한 행동만 하게 하는 위험성이 있다는 내용의 글이므로, 글의 요지로 가장 적절한 것은 ③이다.

4 ⓔ를 포함한 문장에서 '~할 정도로 충분히 …한[하게]'은

「형용사/부사＋enough＋to부정사」로 나타내므로, ⓔ enough well은 well enough로 고쳐야 한다.

L5 [The ever-present danger / in handing out such
　　　항상 존재하는 위험은　　　　　그러한 훈장을 너무 가볍게 주는 것에
　　　주어

honors too lightly] / is / [that children **may** <u>come</u> to depend on
　　　이다　　　아이들이 그것에 의존하게 되어
　　　동사　　　보어(명사절)　　　조동사＋동사원형 1

　　　　　　　　　　　　　　　　　　┌ *삽입절
them / and do only *those things* / {**that** (they know) will result
그리고 일만을 하게 될 수도 있다　　상을 받게 될 것이라고 생각하는
　　동사원형 2　　　　　　　　　주격 관계대명사　　　동사

in prizes}].

확실히 칭찬은 아이의 자존감에 매우 중요하지만, 지나치게 사소한 일에 대해 너무 자주 칭찬하면, 정말로 칭찬이 필요할 때 그 칭찬의 효과가 사라진다. 상은 '보상', 즉 긍정적인 행동에 대한 '반응', '어떤 일을 잘한 것'에 대한 훈장이어야 한다! 그러한 훈장을 너무 가볍게 주는 것에 항상 존재하는 위험은 아이들이 그것에 의존하게 되어 상을 받게 될 것이라고 생각하는 일만을 하게 될 수도 있다는 것이다. 자신들이 공훈 배지를 받을 정도로 잘할 수 있다고 확신하지 않거나 보상이 보장되지 않으면, 아이들은 어떤 활동은 피할지도 모른다.

© VIACHESLAV KRYLOV / shutterstock

1주 3일 필수 체크 전략 ①

pp. 20~23

필수 예제 **3** ①	확인 문제 **3-1** ③	확인 문제 **3-2** with the tiny travelers getting smaller and smaller
필수 예제 **4** ④	확인 문제 **4-1** ②	확인 문제 **4-2** (A) questions　(B) understand

필수 예제 3

많은 젊은이들이 채식을 선택하는 이유는 단지 건강에 대한 염려 때문만이 아니라 동물의 권리나 환경 유지에 대한 생각 때문이라는 내용의 글이므로, 글의 주제로 가장 적절한 것은 ① '젊은이들이 채식을 택하는 이유'이다.

해석 ① 젊은이들이 채식을 택하는 이유
② 십 대들이 건강에 좋은 식습관을 기르는 방법
③ 암의 위험을 낮추는 것을 돕는 채소
④ 균형 잡힌 식단을 유지하는 것의 중요성
⑤ 식물 기반 식단의 단점

L6 **When faced** with *the statistics* / [**that** show /
　　통계자료를 볼 때　　　　　　　　　보여주는
　　└ , they(=many teens) were 생략　주격 관계대명사

┌ that절의 주어　　　　　　　　　　┌ 과거분사구
{the majority of *animals* <**raised** as food>} / live in confinement],
음식으로 길러지는 대다수의 동물들이　　　　　갇혀서 산다는 것을
show의 목적어(명사절 접속사 that 생략)　　　　　동사

/ many teens give up meat / **to protest** those conditions.
　많은 십 대들은 고기를 포기한다　그러한 상황에 저항하기 위해
　　　　　　　　　　　　　　　　부사적 용법(목적)

점점 더 많은 젊은이들이 고기, 가금류, 생선에 반대함에 따라 채식은 주류가 되고 있다. 그러나 건강에 대한 염려가 젊은이들이 그들의 식단을 바꾸려고 하는 유일한 이유는 아니다. 어떤 젊은이들은 동물의 권리에 대한 관심 때문에 선택한다. 음식으로 길러지는 대다수의 동물들이 갇혀서 산다는 것을 보여 주는 통계 자료를 볼 때, 많은 십 대들은 그러한 상황에 저항하기 위해 고기를 포기한다. 다른 젊은이들은 환경을 유지하기 위해 채식주의가 된다. 고기 생산은 거대한 양의 물, 땅, 곡식과 에너지를 사용하고, 가축 배설물과 그에 따른 오염과 같은 문제들을 만들어 낸다.

확인 문제 3-1

대부분의 모래가 산에서부터 온 암석 조각으로 구성되는데, 작은 암석 조각들이 빙하, 바람, 강물의 도움을 받아 해안까지 오고 거기서 해변의 모래가 된다는 내용의 글이므로, 글의 주제로 가장 적절한 것은 ③ '해변에 있는 대부분의 모래가 형성되는 방법'이다.

해석 ① 물의 이동을 유발하는 것
② 모래의 크기를 결정하는 요인
③ 해변에 있는 대부분의 모래가 형성되는 방법
④ 다양한 산업에서 모래의 많은 용도
⑤ 모래가 해변에서 사라지고 있는 이유

확인 문제 3-2

'～가 …하면서'는 「with＋목적어＋현재분사」 구문, '점점 더 ～한'은 「비교급＋and＋비교급」 구문으로 나타낸다.

Glaciers, wind, and flowing water / help move the rocky bits
빙하, 바람, 그리고 흐르는 물은   이 암석 조각들을 운반하는것을 돕는데
                                3형식 동사+목적어(동사원형)
┌ the rocky bits
along, / with the tiny travelers getting smaller and smaller /
작은 여행자들은 점점 더 작아진다
with+목적어+현재분사: ~가 …하면서   비교급+and+비교급: 점점 더 ~한

as they go.
이동하면서

L1 [While some sand is formed in oceans / from things like
일부 모래는 바다에서 형성되는 반면   조개껍데기나
대조의 부사절(~인 반면)   (전) ~와 같은

shells and rocks], / most sand is made up of / tiny bits of rock /
암초와 같은 것들로부터   대부분의 모래는 구성된다   암석의 작은 조각들로
                        ~로 구성되다
┌ 주격 관계대명사
[that came all the way / from the mountains]!
먼 길을   산에서부터
먼길을 오다

일부 모래는 조개껍데기나 암초와 같은 것들로부터 바다에서 형
성되는 반면, 대부분의 모래는 산에서부터 먼 길을 온 암석의 작
은 조각들로 구성된다! 그러나 그 여정은 수천 년이 걸릴 수 있
다. 빙하, 바람, 그리고 흐르는 물은 이 암석 조각들을 운반하는
것을 돕는데, 작은 여행자들(암석 조각들)은 이동하면서 점점 더
작아진다. 만약 운이 좋다
면, 강물이 그것들을 해안
까지 내내 실어다 줄지도
모른다. 거기에서, 그것들
은 해변의 모래로 남은 시
간을 보낼 수 있다.

필수 예제 4

우리는 작은 의견 충돌, 기술적, 재정적 문제, 가정과 직장에서의
문제들을 접했을 때 해결책을 찾으며 뇌를 사용하게 되고, 이러
한 시련과 갈등이 어려움이 없는 안락 지대에 머무는 것보다 창
의성에 도움을 준다는 내용의 글이므로, 글의 제목으로 가장 적
절한 것은 ④ '창의성은 안전을 기하는 데서 오지 않는다' 이다.

해석 ① 기술: 미래를 보는 렌즈
② 다양성: 사회 통합의 열쇠
③ 타인과의 갈등을 피하는 간단한 방법
④ 창의성은 안전을 기하는 데서 오지 않는다
⑤ 극복할 수 없는 어려움은 없다

L7 *Problems* [**that** need solutions] / **force** us **to** use our
해결책이 필요한 문제들은   우리의 뇌를 사용하도록 강요한다
            주격 관계대명사   force+A+to 부정사: A가 ~하도록 강요하다

brains / **in order to** develop creative answers.
창의적인 해답들을 개발하기 위해
in order+to부정사: ~하기 위해(목적)

L9 [Navigating *landscapes* / {**that** are varied}, {**that** offer
지형을 운전하는 것은   변화무쌍한
주어(동명사구)   주격 관계대명사 1   주격 관계대명사 2

trials and occasional conflicts}], / is **more** helpful to creativity /
시련과 때때로 갈등을 주는   더 창의성에 도움을 준다
                                동사(단수) more ~ than: 비교 구문

than hanging out in *landscapes* / [**that** pose no challenge /
지형에서 서성대는 것보다   아무런 어려움을 제기하지 않는
주어 Navigating ~과 비교   주격 관계대명사

to our senses and our minds].
우리 감각과 마음에

다양성, 어려움, 그리고 갈등은 우리가 상상력을 유지하도록 돕
는다. 대부분의 사람들은 갈등은 나쁜 것이고 '안락 지대'에 머무
는 것이 좋은 것이라고 단정한다. 그것은 정확히는 사실이 아니
다. 가족과 친구들과의 작은 의견 충돌, 기술적 또는 재정적 문
제, 직장과 가정에서의 어려움은 우리의 능력에 대해 진지하게
고민하게 도와준다. 해결책이 필요한 문제들은 창의적인 해답들
을 개발하기 위해 우리의 뇌를 사용하도록 강요한다. 시련과 때
때로 갈등을 주는, 변화무쌍한 지형을 운전하는 것은 우리 감각
과 마음에 아무런 어려움을 제기하지 않는 지형에서 서성대는
것보다 훨씬 더 창의성에 도움을 준다. 우리의 2백만 년의 역사
는 어려움과 갈등으로 가득 차 있다.

확인 문제 4-1

교사가 글에 근거한 양질의 질문을 하여 학생들이 글을 다시 읽
게 함으로써 이해를 높이고 심화시키는 것이 어려운 글을 이해
하는 데 있어 중요하다는 내용의 글이므로, 글의 제목으로 가장
적절한 것은 ② '더 나은 이해를 위한 질문하기'이다.

해석 ① 지나치게 많은 숙제는 해롭다
② 더 나은 이해를 위한 질문하기
③ 지나치게 많은 시험은 학생을 지치게 한다
④ 과학이 아직 답할 수 없는 질문
⑤ 늘 하나의 정답만 있는 것은 아니다

확인 문제 4-2

글에 근거한 질문들이 학생들에게 다시 읽어야 하는 목적을 제

공해 주어 까다로운 글을 이해하는 데 있어 중요한 역할을 한다는 내용이므로, 주제문의 빈칸 (A)에는 questions가, (B)에는 understand가 들어가는 것이 가장 적절하다.

[해석] 글에 근거한 질문들이 까다로운 글을 <u>이해하는</u> 데 도움이 된다.

구문 풀이

> **L1** [Simply **providing** students **with** complex texts] / is not
> 단지 학생에게 까다로운 글을 제공하는 것으로는
> 주어(동명사구) provide A with B: A에게 B를 제공하다   동사(단수)
>   부사적 용법(형용사 수식)
> *enough* for learning **to happen**.
> 학습이 일어나기에 충분하지 않다
>   to부정사의 의미상 주어

© Syda Productions / shutterstock

> **L6** Teachers take an active role / **in** developing and
>   교사는 적극적인 역할을 한다
>   동명사 1
> deepening students' comprehension / [**by** asking *questions* /
> 학생의 이해를 높이고 심화시키는 데 있어   질문을 던져서
> 동명사 2   by+ing: ~함으로써
>   ┌•주격 관계대명사 ┌•students
> {**that cause** them **to** read the text again}, / resulting in
> 그들이 글을 다시 읽게 하는   결국
>   cause+A+to부정사: A가 ~하게 하다   동명사 2
> multiple readings of the same text].   result in: 결국 ~하게 되다
> 같은 글을 여러 번 읽게 함으로써

지문 해석

단지 학생에게 까다로운 글을 제공하는 것으로는 학습이 일어나기에 충분하지 않다. 좋은 질문은 교사가 학생의 글에 대한 이해를 확인할 수 있는 한 가지 방법이다. 질문은 또한 학생들의 이해를 심화시키기 위해 그들의 증거 탐색과 글로 되돌아가야 할 필요를 촉진할 수 있다. 교사는 학생이 글을 다시 읽게 하는 질문을 던져서 결국 같은 글을 여러 번 읽게 함으로써 학생의 이해를 높이고 심화시키는 데 있어 적극적인 역할을 한다. 다시 말해서, 글에 근거한 이러한 질문들은 학생에게 다시 읽어야 하는 목적을 제공해 주는데, 이것은 까다로운 글을 이해하는 데 있어 중요하다.

1주 3일 필수 체크 전략 ②

pp. 24~25

1 ⑤   **2** (A) (w)ide(r) (B) (t)hin(ner)   **3** ⑤
4 were almost three times higher than those made during the 'flowers weeks'

1 나무의 나이테를 보면 수령 및 나무가 살아온 기간 동안의 과거 기후 정보를 알 수 있다는 내용의 글이므로, 글의 주제로 가장 적절한 것은 ⑤ '과거 기후를 암시하는 나이테'이다.

[해석] ① 방향을 찾기 위한 오래된 나무의 쓰임
② 날씨를 예측하는 전통적인 방법
③ 나무의 나이를 측정하는 것의 어려움
④ 지역 나무를 보호하는 것의 중요성
⑤ 과거 기후를 암시하는 나이테

2 만약 나무가 힘든 기후 조건을 겪게 되면 그 기간에 나무는 거의 성장하지 못할 수 있다(If the tree has experienced ~ during that time.)는 내용을 바탕으로

하면, 기후 조건이 좋으면 나이테의 폭이 더 넓어질 것이고, 기후 조건이 나쁘면 폭이 더 좁아질 것이라고 추론할 수 있다.

[해석] 나무의 나이테는 보통 따뜻하고 습한 해에는 폭이 <u>(더) 넓어지고</u>, 춥고 건조한 해에는 폭이 <u>(더) 좁아진다</u>.

구문 풀이

> **L2** These rings can **tell** us / [how old the tree is], / and [what
> 이 나이테는 우리에게 말해 줄 수 있다 그 나무가 몇 살인지   그리고
>   간접목적어 직접목적어 1   직접목적어 2
>   (간접의문문: 의문사(구)+주어+동사)
> the weather was like / **during** each year of the tree's life].
> 날씨가 어떠했는지를   그 나무가 살아온 매해 동안에
>   during+특정 기간, 사건(cf. for+구체적 숫자, 기간 / while+주어+동사)

L6 [If the tree has experienced stressful conditions, /
만약 나무가 힘든 기후 조건을 겪게 되면
조건 부사절

such as a drought], / the tree might **hardly** grow **at all** /
가뭄과 같은   나무는 거의 성장하지 못할 수 있다
수식어구   부정어+at all: 거의 ~아닌

during that time.
그 기간에

지문 해석

만약 여러분이 나무 그루터기를 본 적이 있다면, 아마도 그루터기의 윗부분에 일련의 나이테가 있는 것을 알아차렸을 것이다. 이 나이테는 그 나무가 몇 살인지, 그리고 그 나무가 살아온 매해 동안에 날씨가 어떠했는지를 우리에게 말해 줄 수 있다. 나무는 비와 온도와 같은 지역의 기후 조건에 민감하기 때문에, 과학자에게 과거 그 지역의 기후에 대한 정보를 제공해 준다. 만약 나무가 가뭄과 같은 힘든 기후 조건을 겪게 되면, 그 기간에 나무는 거의 성장하지 못할 수 있다. 특히 수령이 아주 오래된 나무는 관측이 기록되기 훨씬 이전에 기후가 어떠했는지에 대한 단서를 제공해 줄 수 있다.

3 눈 이미지와 꽃 이미지가 기부금에 어떤 영향을 주는지 알아보는 실험을 통해, 누군가가 지켜보는 것이 더 많은 기부를 유도하여 사회적으로 이익이 되는 행동을 이끌어 낼 수 있음을 설명하는 글이므로, 글의 제목으로 가장 적절한 것은 ⑤ '눈: 사회를 더 좋게 만들어 주는 비밀 조력자'이다.

해석 ① 정직함이 최상의 방책인가?
② 꽃은 눈보다 더 효과가 있다
③ 기부는 자기 존중을 높일 수 있다
④ 더 많이 주시될수록, 더 적게 협조한다
⑤ 눈: 사회를 더 좋게 만들어 주는 비밀 조력자

4 '거의 3배 높았다'의 비교급 표현이므로 동사 were 다음에 배수사를 이용한 비교급 표현인 almost three times higher than ~이 이어지도록 배열한다. 명사 contribution (기부금)의 반복을 피하기 위해 대명사 those가 사용되었다.

Over the ten weeks of the study, / contributions during the
연구를 하는 10주 동안   '눈 주간'의 기부금이

'eyes weeks' / were almost **three times higher than** /
              거의 세 배 더 높았다
                      배수사 비교(배수사(숫자)+times+비교급+than)

those [**made** during the 'flowers weeks.']
'꽃 주간'의 그것(기부금)보다
= contributions   과거분사구

구문 풀이

L1 Near *an honesty box*, / [**in which** people placed coffee
정직 상자 가까이에   사람들이 커피값을 기부하는
전치사+관계대명사(= where)

fund contributions], / researchers at Newcastle University in
                        영국 Newcastle 대학의 연구원들은
                        주어
                                            (→ images)
the UK / alternately displayed images of eyes and of flowers.
        눈 이미지와 꽃 이미지를 번갈아 가며 전시했다
                        동사

L7 It was suggested / [**that** 'the evolved psychology of
이 실험은 말했다   '진화된 협력 심리가
가주어   진주어 1

cooperation / is highly sensitive / to subtle cues of **being**
            매우 민감하다'라는 것   누군가가 지켜보고 있다는 미묘한 신호에
                                    전) ~에   동명사 수동태

watched,'] / and [**that** the findings may have implications / for
그리고 그 연구 결과가 암시한다고
              진주어 2

how to provide effective nudges / toward socially beneficial
효율적으로 넌지시 권하는 방법을   사회적으로 이익이 되는 성과를 내게끔
how+to부정사: ~하는 방법

outcomes].

지문 해석

사람들이 커피값을 기부하는 정직 상자(무인 판매함) 가까이에, 영국 Newcastle 대학의 연구원들은 눈 이미지와 꽃 이미지를 번갈아 가며 전시했다. 꽃 이미지가 전시되었던 주보다 눈 이미지가 전시되었던 모든 주에 더 많은 기부가 이루어졌다. 연구를 하는 10주 동안, '눈 주간'의 기부금이 '꽃 주간'의 그것(기부금)보다 거의 세 배 더 높았다. 이 실험은 '진화된 협력 심리가 누군가가 지켜보고 있다는 미묘한 신호에 매우 민감하다'라는 것과, 그 연구 결과가 사회적으로 이익이 되는 성과를 내게끔 효율적으로 넌지시 권하는 방법을 암시한다고 말했다.

© Getty Images Bank

 4일 교과서 대표 전략 ① pp. 26~29

대표 예제 1 (A) ecosystem (B) preserve   대표 예제 2 ③   대표 예제 3 (1) ② (2) (A) effectively (B) journal

대표 예제 4 ③   대표 예제 5 (A) (B)enefits (B) (J)oining

대표 예제 6 (1) ⑤ (2) (A) lively dance (B) gets her ready to start the day

대표 예제 1

생태계의 균형을 유지하는 핵심종을 보호해야 한다는 내용의 글이다.

해석 핵심종은 생태계의 균형을 유지하는 데 중요하므로, 우리는 그것들을 보호해야 한다.

어휘 protect 보호하다 keystone species 핵심종 disturb 교란시키다, 어지럽히다 ecosystem 생태계 identify 확인하다, 찾다

구문 풀이

L10 This is **as** important / **as** not hunting.
이것은 중요합니다   사냥을 하지 않는 것만큼이나
as+원급+as: ~만큼 ...한(동등 비교) not+동명사

L11 We must identify / the animals and plants / [**that** are
우리는 확인해야 합니다   동물과 식물을
주격 관계대명사

keystone species] / **so that** we **can** better preserve them /
핵심종인   핵심종을 더 잘 보호할 수 있도록
so that+주어+can ~: ~할 수 있도록(목적) = keystone species

in the future.
미래에

지문 해석

진행자: 핵심종을 보호하기 위해서 사람들이 할 수 있는 일이 있을까요?

Walters 박사: 네, 많은 것들이 있습니다만, 가장 중요한 것은 그것들을 사냥하거나 생태계를 심각하게 교란시키지 않는 것입니다. 예를 들어, 탄자니아의 많은 코끼리가 사람들의 사냥으로 인해 사라졌습니다. 우리는 또한 훨씬 더 많은 연구도 해야 합니다. 이것은 사냥을 하지 않는 것만큼이나 중요합니다. 미래에 핵심종을 더 잘 보호할 수 있도록 우리는 핵심종인 동물과 식물을 확인해야 합니다.

대표 예제 2

일상생활에서 기초 과학을 알면 안전을 지킬 수 있다는 내용의 글이므로, 글의 요지로 ③이 가장 적절하다.

어휘 power line 전깃줄 string 줄 electricity 전기 keep in mind 명심하다 puzzling 알쏭달쏭한

구문 풀이

L1 **If** your kite or balloon **got** caught on a power line /
만약 여러분의 연이나 풍선이 전깃줄에 걸리고
가정법 과거(if+주어+동사의 과거형[were] ~, 주어+조동사의 과거형+동사원형 ...)

and you **touched** the string, / what **would happen**?
그리고 여러분이 그 줄을 만진다면   무슨 일이 벌어질까?

목적어(명사절)

L7 So / **keep in mind** / [**that** you **must not** fly kites /
그러므로 명심하라   여러분은 연을 날리면 안 된다는 사실을
~을 명심하다   must not + 동사원형: ~해서는 안된다(금지)

near power lines].
전깃줄 주변에서

지문 해석

만약 여러분의 연이나 풍선이 전깃줄에 걸리고 여러분이 그 줄을 만진다면, 무슨 일이 벌어질까? 당연히, 전기가 그 줄을 타고 흘러 여러분의 몸을 통해 땅에 전달될 것이다. 이것은 심각한 감전을 의미할 것이다! 그러므로 여러분은 전깃줄 주변에서 연을 날리면 안 된다는 사실을 명심하라. 기초 과학은 전기 근처에서 여러분이 안전하도록 도와줄 것이다. 이제 여러분은 전기에 대한 알쏭달쏭한 질문에 답해 줄 수 있다.

대표 예제 3

(1) 영어 실력이 늘지 않아 고민하는 사람들에게 효과적인 학습법으로 먼저 어떻게 공부하고 있는지에 관해 생각한 뒤 학습 일지를 쓸 것을 권하는 내용의 글이므로, 필자의 주장으로 ② 가 가장 적절하다.

(2) 언어를 효과적으로 공부하기 위해 학습 일지를 쓸 것을 제안하고 있으므로, (A)에는 effectively(효과적으로)가, (B)에는 journal(일지)이 가장 적절하다.

어휘 make progress 진전하다 recommend 추천하다 exchange 교환 deal with ~을 처리하다 whether ~인지 아닌지 track 길

L10 Write about / what you learn, / what problems you
~에 관해 써 보십시오 여러분이 배우는 것 여러분이 어떤 문제를 겪는지
명령문   전치사 about의 목적어 1 의문형용사 목적어 2

have, / how you deal with them, / and how you feel.
여러분이 그것들을 어떻게 처리하는지 그리고 여러분이 어떻게 느끼는지
목적어 3   = problems   목적어 4

지문 해석

여러분은 영어가 많이 늘지 않고 있다고 느끼나요? 만약 그렇다면, 아마 여러분은 언어를 매우 효과적으로 공부하고 있지 않을 수도 있습니다. 사람들은 언어 교환을 하거나 쉬운 책들을 읽는 것을 추천할지도 모릅니다. 하지만, 저는 여러분이 먼저 어떻게 공부하고 있는지에 관해 생각해야 한다고 생각합니다. 저는 여러분에게 학습 일지를 쓰는 것을 추천하고 싶습니다. 여러분이 배우는 것, 여러분이 어떤 문제를 겪는지, 여러분이 그것들을 어떻게 처리하는지, 그리고 여러분이 어떻게 느끼는지에 관해 써 보십시오. 그것은 여러분이 제대로 길을 가고 있는지를 알아보는 데 도움을 줄 것입니다.

대표 예제 4

다양한 문화권에서 인생을 목적이 있는 여행으로 비유하는 예를 들며 은유가 보편적임을 설명하는 글이므로, 글의 주제로 ③ '은유의 보편성'이 가장 적절하다.

해석 ① 여행의 가치

② 긴 여행으로서의 인생

③ 은유의 보편성

④ 언어 학습 방법

⑤ 언어에 대한 은유의 중요성

어휘 despair 절망하다 metaphore 은유 universal 보편적인 compare 비유하다 journey 여행 regard 간주하다 purposeful 목적이 있는 departure 출발 path 길 destination 목적지 get off to ~로 출발하다 lyric 가사 wanderer 나그네 unique 고유한

구문 풀이

L5 [Since life is regarded as a purposeful journey], /
인생은 목적이 있는 여행으로 간주되기 때문에
이유 부사절 ~로 간주되다
　　　　　　　　┌ life
we think of it / as having departures, paths, and destinations.
우리는 그것을 생각한다   인생에는 출발, 길, 그리고 목적지가 있다고
think of A as B: A를 B라고 생각하다

지문 해석

영어 학습자들은 절망해서는 안 된다. 많은 은유는 거의 보편적이다. 예를 들어, 많은 문화권에서 인생은 흔히 여행에 비유된다. 인생은 목적이 있는 여행으로 간주되기 때문에, 우리는 인생에는 출발, 길, 그리고 목적지가 있다고 생각한다. 젊은이는 인생에서 '출발이 좋을' 수 있다. 나이가 드신 분들은 자신들을 '길의 끝자락에' 와 있다고 간주한다. 한 오래된 한국의 유행가 가사는 '인생은 나그네 길. 어디서 왔다가 어디로 가는가?'라고 시작된다. 이는 여행으로서의 인생이 영어에만 고유한 은유가 아니라는 점을 분명하게 보여 준다.

대표 예제 5

학교 동아리에 가입하면 학교 공부로부터 오는 스트레스를 덜어 주고, 새로운 친구들을 사귈 수 있으며, 선배들로부터 조언도 얻을 수 있다며 이점을 소개하고 있는 글이다.

해석 학교 동아리에 가입하는 것의 이점

어휘 schoolwork 학업 interest 관심사 pursue 추구하다 benefit 이점 relieve 덜어 주다 instantly 즉시 deal with ~을 대처하다

구문 풀이

L6 They also help you meet people / [who share the same
그것은 또한 사람들을 만나는 것을 도와주지 같은 관심사를 공유하는
help+목적어+목적격보어 1(동사원형)   주격 관계대명사
　　　　┌ 목적격보어 2(동사원형)   people ~ interests
interests] / and make it easier [to become friends with them].
그리고 그들과 더 쉽게 친구가 되도록
make+가목적어+목적격보어(형용사)+진목적어(to부정사)

지문 해석

고등학교는 단지 학교 공부에만 그치는 것이 아니므로, 너의 관심사를 찾고 동아리에 가입해서 그것들을 계속 추구하도록 해. 이것은 많은 이점을 제공해 줘. 예를 들면, 동아리 활동은 학교 공부로부터 오는 스트레스를 덜어 줄 수 있어. 그것은 또한 같은 관심사를 공유하는 사람들을 만나고 그들과 더 쉽게 친구가 되도록 도와주지. 게다가, 이 새로운 친구들 중 일부는 네가 수업과 선생님들을 어떻게 대처해야 하는지를 말해 줄 수 있는 선배들일 수도 있어. 너는 그들이 배우는 데 1년이 걸린 조언들을 즉시 배울 수 있을 거야.

대표 예제 6

(1) 화자가 시간과 장소, 기분과 상황에 따라 선호하는 음악을 소개하는 글이므로, ⑤ '화자의 음악 선호도'가 글의 주제로 가장 적절하다.

해석 ① 화자의 음악적 재능

② 치유 음악의 종류

③ 음악이 학습에 미치는 효과

④ 십 대 사이에 인기 있는 음악

⑤ 화자의 음악 선호도

(2) it wakes me up and gets me ready to start the day에 화자가 아침에 경쾌한 댄스 음악을 듣는 이유가 잘 나타나 있다.

해석 화자는 그녀를 깨워 주고 하루를 시작할 준비를 하게 해 주기 때문에 아침에 보통 경쾌한 댄스 음악을 듣는다.

어휘 preference 선호도   vary 달라지다   depending on ~에 따라   concentrate 집중하다   cheer up 격려하다 prefer A to B A를 B보다 선호하다

구문 풀이

> **L1** Today, / I'm going to **tell** you / [the kinds of *music* /
> 오늘   저는 여러분께 말씀드리려고 해요 제가 듣는 음악의 종류에 대해
>   간접목적어   직접목적어
> {I listen to}].
> └ 목적격 관계대명사 that[which] 생략

> **L6**   In the morning, / I prefer lively dance music /
>   아침에   저는 경쾌한 댄스 음악을 선호하는데
>
> ┌ 이유 부사절   ┌ 동사 2
> [**because** it wakes me up / and gets me ready to start the day].
> 그것은 저를 깨워 주기 때문이죠   그리고 제가 하루를 시작할 준비를 하게
>   동사 1(동사+대명사 목적어+부사)

지문 해석

여: 오늘, 저는 여러분께 제가 듣는 음악의 종류에 대해 말씀드리려고 해요. 여러분도 알다시피, 저는 팝 음악을 듣는 것을 정말 좋아한답니다. 하지만 시간과 장소에 따라 제가 선호하는 음악은 달라져요. 아침에, 저는 경쾌한 댄스 음악을 선호하는데, 그것은 저를 깨워 주고 제가 하루를 시작할 준비를 하게 해 주기 때문이죠. 공부를 할 때는, 클래식 음악, 특히 피아노 음악을 들어요. 저는 이 음악이 제가 집중을 더 잘할 수 있도록 도와준다고 생각해요. 음악은 또한 제 자신을 격려하는 좋은 방법이에요. 저는 화가 날 때, 시끄러운 록 음악을 들어요. 슬플 때는, 신나는 음악보다 슬픈 음악을 주로 선호해요. 저는 여러분이 스트레스를 받을 때 어떤 음악을 듣는지 궁금하네요.

© George Rudy / shutterstock

1주 4일 교과서 대표 전략 ②

pp. 30~31

01 ②   **02** ③   **03** ④   **04** ⓒ forbid → get

01 우리는 매일 비유적 표현인 은유를 사용하는데, 이해하기 어려운 은유도 있다는 내용의 글이므로, 글의 요지로 ② '몇몇 은유는 이해하기 어렵다.'가 가장 적절하다.

해석 ① 모든 은유는 원어민들에게는 쉽다.

② 몇몇 은유는 이해하기 어렵다.

③ 은유는 흔히 친숙한 단어로 이루어져 있다.

④ 풍부한 상식이 은유를 이해하기 위한 핵심이다.

⑤ 많은 은유가 비원어민들에게는 어려움을 준다.

구문 풀이

> **L1**   A metaphor is *a figure of speech* / [**in which** a
>   은유란 비유적 표현이다   전치사+관계대명사+완전한 문장
>
> comparison is made / between two different things].
> 비교가 이루어지는 수동태   두 가지 서로 다른 것들 사이에서

> **L7**   Plus, / you may **find** some of them *difficult* /
>   게다가   여러분은 어려운 일부 은유들을 발견할 수도 있다
>   목적어   목적격보어(형용사)
> to understand.
> 이해하기
> 부사적 용법(형용사 수식)

지문 해석

은유란 비교가 두 가지 서로 다른 것들 사이에서 이루어지는 비유적 표현이다. 실제로, 우리는 매일 은유를 사용한다. 영어 원어민이 일상 상황에서 사용하는 수천 개의 은유가 있다. 여러분은 원어민만큼 많이 알지 못할 수도 있다. 게다가, 여러분은 이해하기 어려운 일부 은유들을 발견할 수도 있다. 아래의 예들을 고려해 보라.

인생은 롤러코스터이다.

놀이터의 미끄럼틀은 뜨거운 난로였다.

그녀의 화난 말은 그에게 총알이었다.

아버지는 늘 "너는 내 눈의 사과야."라고 내게 말씀하신다.

02 인터넷을 통해 자신의 커버 버전 음악이 담긴 비디오가 알려져 유명해진 한 소녀를 소개하는 글이므로, ③ '뉴스를 퍼뜨리는 인터넷의 힘'이 글의 제목으로 가장 적절하다.

해석 ① 커버 버전 음악을 만드는 방법

② 한 인터넷 방송의 새로운 쇼

③ 뉴스를 퍼뜨리는 인터넷의 힘

④ 십 대 소녀들 사이에서 인기 있는 취미

⑤ 예술계에 미치는 십 대의 영향

구문 풀이

L5 [Min Nayeong, a Korean high school student], /
한국의 고등학생인 민나영 양이
　　주어 1　　└ 동격 ┘

posted her singing videos / on SNS, // and suddenly [her cover
자신이 노래하는 비디오를 게시했고　그녀의 SNS에　그리고 갑자기　그녀의
동사 1　　　　　　　　　　　　　　　　　　　　　　　　주어 2

version of "Let It Go"] / became popular.
<Let It Go> 커버 버전은　인기를 얻었습니다
　　└ 동격 ┘　　　　동사 2

　　　　　　　　　　┌ 명사절 접속사 that 생략
L13 She said / [it was an unbelievable experience] /
그녀는 말했습니다　　　그것이 놀라운 경험이었으며
　　　　　said의 목적어 1

and [that she'd work hard / to be a good singer].
그리고 열심히 노력할 것이라고　좋은 가수가 되기 위해
　　목적어 2　　　　　　　　　부사적 용법(목적)

지문 해석

인터넷은 우리의 삶을 매우 많이 바꿔 놓았습니다. 예를 들어, 인터넷은 평범한 여학생조차도 하룻밤 사이에 스타로 바꿔 놓을 수 있습니다. 한 십 대 소녀가 그녀의 커버 버전 음악으로 세계를 놀라게 했습니다. 한국의 고등학생인 민나영 양이 그녀의 SNS에 자신이 노래하는 비디오를 게시했고, 갑자기 그녀의 〈Let It Go〉 커버 버전은 인기를 얻었습니다. 일주일 내에, 그 영상은 백만이 넘는 조회 수를 기록하였고 그녀를 스타로 만들었습니다. 그녀는 심지어 TV 토크쇼에도 초대되었습니다. 그녀는 무대에서 〈Let It Go〉를 부른 후에 스튜디오에서 뜨거운 갈채를 받았습니다. 그녀는 그것이 놀라운 경험이었으며 좋은 가수가 되기 위해 열심히 노력할 것이라 말했습니다.

03 작곡가 Eric Whitacre가 팬이 게시한 비디오를 보고 영감을 받아 가상 합창단을 만들기로 결심했다는 내용의 글이므로, ④ '팬 비디오에 의해 영감을 받은 가상 합창단'이 글

의 주제로 가장 적절하다.

해석 ① 가상 합창단의 필요성

② 온라인 팬들이 만든 노래 비디오

③ 가상 합창단이 필요로 하는 기술

④ 팬 비디오에 의해 영감을 받은 가상 합창단

⑤ 가상 합창단이 가수들에게 미치는 영향

© Getty Images Bank

04 ⓒ를 포함한 문장
은 50명의 사람들이 각자 파트를 노래한 뒤 그 비디오를 게시하게 하면 그것들을 모아 하나의 음악으로 만들어 낼 수 있다는 의미가 적절하므로 ⓒ forbid(금지하다)는 get(~하게 하다)으로 고쳐야 한다.

구문 풀이

L8 [If I can get 50 people / to sing their parts /
만약 내가 50명의 사람들에게　자신의 파트를 노래하고
조건 부사절　　get+목적어+목적격보어(to부정사 1)

　　　　　　　　　　　　　　　　　┌ videos
and post their videos], / I can put them together / and
그리고 그 비디오를 게시하게 한다면　나는 그것들을 한데 모아서
(└ to) to부정사 2　　　　　조동사+동사원형 1

create something beautiful.
아름다운 어떤 것을 만들어 낼 수 있을 거야
동사원형 2　　-thing+형용사

L11 [Those {who love to sing}] / don't have to be in the
노래 부르는 것을 정말 좋아하는 사람들이　한 곳에 모일 필요는 없어
　주어　　주격 관계대명사　　　동사(= need not)

same place / to perform a choral work together.
　　　　　함께 합창을 하기 위해
　　　　　부사적 용법(목적)

지문 해석

가상 합창단은 Eric Whitacre의 아이디어였다. 2009년 어느 날, 그 현대 음악 작곡가는 친구로부터 한 젊은 팬에 관한 이야기를 들었다. 그 팬은 그가 작곡한 〈Sleep〉의 소프라노 부분을 부르는 자신의 모습을 비디오로 찍어서 그를 위해 온라인에 게시했다. 비디오 속에서, 그녀의 목소리는 달콤하고 순수했다. 그는 '만약 내가 50명의 사람들에게 자신의 파트를 노래하고 그 비디오를 게시하는 것을 금지한다면(→ 하게 한다면), 나는 그것들을 한데 모아서 아름다운 어떤 것을 만들어 낼 수 있을 거야. 노래 부르는 것을 정말 좋아하는 사람들이 함께 합창을 하기 위해 한 곳에 모일 필요는 없어.'라고 생각했다. Whitacre는 곧 그의 온라인 팬들에게 노래를 부르는 자신의 모습을 녹화하고 그 비디오를 전송해 달라고 요청했다.

01 ①	02 ②	03 ⑤	04 ①

01 일부 사람들이 사회관계망 사이트(SNS)에 가짜 뉴스를 공유하는 문제에 대해 뉴스 내용이 의심스러울 때는 교차 확인을 하라는 내용의 글이므로, 필자의 주장으로 가장 적절한 것은 ①이다.

어휘 admit 인정하다 fake 가짜의 accidentally 우연히 survey 설문 조사 ecosystem 생태계 overcrowded 너무 붐비는 complicated 복잡한 navigate 항해하다, 길을 찾다 challenging 힘든, 도전적인

구문 풀이

L6 The news ecosystem has become **so** overcrowded and
뉴스 생태계가 너무 붐비고 복잡해져서
so+형용사+that+주어+can ...: 너무 ~해서 ...할 수 있다
관계부사 ┌ the news ecosystem ┐
complicated / **that** I can understand / [**why** navigating it is
나는 이해할 수 있다   그곳을 항해하는 것이 왜 힘든지
understand의 목적어(간접의문문)
challenging].

L10 The simple act of fact-checking / **prevents**
사실 확인이라는 간단한 행위는
prevent A from B(-ing): A가 B하는 것을 막다
misinformation / **from** shaping our thoughts.
잘못된 정보가 우리의 생각을 형성하는 것을 막아 준다

지문 해석

2016년 Pew 연구 센터의 설문 조사에 따르면, 23퍼센트의 사람들이 우연히 또는 고의로 유명 사회관계망 사이트(SNS)에 가짜 뉴스를 공유했다고 인정한다. 뉴스 생태계가 너무 붐비고 복잡해져서 나는 그곳을 항해하는 것이 왜 힘든지 이해할 수 있다. 의심스러울 때는, 줄거리(뉴스 내용)를 직접 교차 확인할 필요가 있다. 사실 확인이라는 간단한 행위는 잘못된 정보가 우리의 생각을 형성하는 것을 막아 준다.

© ra2studio / shutterstock

02 자신이 꿈꾸는 삶을 살고 싶다면 긍정적인 태도로 하루를 시작하는 것이 중요하다는 내용의 글이므로, 글의 요지로 가장 적절한 것은 ②이다.

어휘 attain 이르다, 달하다 positive 긍정적인 mindset 태도, 사고방식 approach 접근하다, 다가가다 impact 영향을 주다 consequently 결과적으로 aspect 면, 측면, 양상

구문 풀이

L6 Moreover, / [**how** a person approaches the day] /
게다가   그가 어떻게 하루에 접근하는지는
주어(의문사절)
impacts everything else / in that person's life.
다른 모든 부분에 영향을 준다   그 사람의 삶의
동사(단수)

L9 Consequently, / [**if** people want to live / the life of their
결과적으로   만약 사람들이 살고 싶다면   자신이 꿈꾸는 삶을
조건 부사절
┌ realize의 목적어(명사절)
dreams], / they need to realize / [**that** how they start their day /
그들은 깨달아야 한다   어떻게 하루를 시작하는지가 영향을 준다
that절의 주어(의문사절)
┌ 동사(단수)
not only impacts that day, / **but** every aspect of their lives].
그날뿐만 아니라   삶의 모든 면에도
not only A but (also) B: A뿐만 아니라 B도

지문 해석

한 사람이 원하는 삶에 이르는 것은 간단하다. 하지만, 대부분의 사람들은 자신들이 하루를 제대로 시작하지 못하기 때문에 그들의 최선보다 덜한 삶에 만족한다. 만약 어떤 사람이 하루를 긍정적인 태도로 시작한다면, 그 사람은 긍정적인 하루를 보낼 가능성이 더 높다. 게다가, 그가 어떻게 하루에 접근하는지는 그 사람의 삶의 다른 모든 부분에 영향을 준다. 결과적으로, 만약 사람들이 자신이 꿈꾸는 삶을 살고 싶다면, 그들은 어떻게 하루를 시작하는지가 그날뿐만 아니라 삶의 모든 면에도 영향을 준다는 것을 깨달아야 한다.

03 사회적 관계는 서로 칭찬함으로써 덕을 본다는 점에서 상대방을 기분 좋게 하는 사회적 거짓말은 거짓말을 하는 사람과 거짓말을 듣는 사람 모두에게 득이 된다는 내용의 글이므로, 글의 주제로 가장 적절할 것은 ⑤ '사회적 거짓말이 대인 관계에 미치는 영향'이다.

① 진실과 거짓을 구별하는 방법

② 관계 형성에서 자존감의 역할

③ 다른 사람들의 행동을 바꾸는 데 있어 칭찬의 중요성

④ 자신의 이익과 공공의 이익 사이의 균형

⑤ 사회적 거짓말이 대인 관계에 미치는 영향

benefit 득을 보다　compliment 칭찬　respect 점, (측)면　deceptive 속이는, 기만하는　flattering 기분 좋게 만드는, 아부하는　comment 말, 언급　mutual 상호의　please 기쁘게 하다　damage 해치다, 피해를 입히다　confidence 자신(감)　self-esteem 자존감

L1　Social relationships benefit / from people giving
　　　　사회적 관계는 덕을 보는데
　　　　　　　　　　　　동명사의 의미상 주어 수여동사(동명사)

each other compliments / now and again / [because people
사람들이 서로에게 칭찬을 해 주는 것에서　　때때로　　그 이유는 사람들이
간접목적어　직접목적어　　　　　　　　　　　　　　이유 부사절

like to be liked / and like to receive compliments].
사랑받기를 좋아하고　그리고 칭찬받는 것을 좋아하기 때문이다
　　to부정사 수동태(to be+과거분사)

지문 해석

사회적 관계는 때때로 서로에게 칭찬을 해 주는 것에서 덕을 보는데, 그 이유는 사람들이 사랑받기를 좋아하고 칭찬받는 것을 좋아하기 때문이다. 그러한 점에서, 속이는 말이지만 기분을 좋게 하는 말과 같은 사회적 거짓말("너의 새로운 머리 모양이 마음에 들어.")은 상호 관계에 도움이 될 수 있다. 그것들은 거짓말을 한 사람들이 자신의 거짓말이 다른 사람들을 즐겁게 할 때 만족감을 느끼기 때문에 자신의 이익에 부합한다. 그것들은 항상 진실을 듣는 것("너는 몇 년 전보다 지금이 훨씬 더 나이 들어 보여.")이 누군가의 자신감과 자존감을 해칠 수 있기 때문에 타인의 이익에 부합한다.

---

04 지속적으로 들리던 소리가 갑자기 멈추면 그것이 오히려 우리의 주의를 끈다는 내용의 글이므로, 글의 제목으로 가장 적절한 것은 ① '소음이 멈출 때, 당신은 그것을 알아차리게 된다'이다.

① 소음이 멈출 때, 당신은 그것을 알아차리게 된다

② 소음: 우리가 받는 스트레스의 주된 원인

③ 우리의 예측은 왜 종종 틀리는가?

④ 우리가 쉽게 인식할 수 있는 다양한 소음

⑤ 인간의 감정: 당신이 생각하는 것보다 더 깊다

notice 알아차리다　auditory 청각의　cease 멈추다　predict 예측하다　attention 주의　violate 어기다, 어긋나다　elevated 고가(高架)의

L11　[After New York City stopped running elevated trains], /
　　　　뉴욕 시가 고가 철도 열차의 운행을 멈춘 후
　　　　시간 부사절

people called the police / at night / [claiming / {that something
사람들은 경찰에 전화했다　　　　방에　　　주장하면서
　　　　　　　　　　　　　　　　　　　분사구문(동시 동작)　claiming의 목적어

woke them up}].
무언가가 그들을 깨웠다고

L14　They tended to call / around *the time* / [the trains
　　　　그들은 전화를 하는 경향이 있었다　그 시간 즈음에　열차가
　　　　　　　　　　　　　　　　　　　　　　　　　　　관계부사 when 생략

used to run past their apartments].
그들의 아파트를 지나가곤 했던
used to+동사원형: ~하곤 했다

지문 해석

우리는 모두 멀리서 들리는 착암용 드릴 소리나 상점에서 나오는 음악과 같은 지속적인 배경 소음원이 막 멈춘 것을 갑자기 알아차리는 경험을 해 본 적이 있다. 그러나 우리는 그 소리가 진행 중인 동안에는 그것을 알아채지 못했다. 당신의 청각 영역은 순간순간 그것의 지속을 예측하고 있었고, 그 소음이 변하지 않는 한 당신은 그것에 주의를 기울이지 않았다. 멈춤으로 인하여, 그것은 당신의 예측을 어긋나게 하였고 당신의 주의를 끌었다. 뉴욕 시가 고가 철도 열차의 운행을 멈춘 후, 사람들은 무언가가 그들을 깨웠다고 주장하면서 밤에 경찰에 전화했다. 그들은 열차가 그들의 아파트를 지나가곤 했던 그 시간 즈음에 전화를 하는 경향이 있었다.

© ChristineGonsalves / shutterstock

정답과 해설

1^주 창의·융합·코딩 전략

pp. 34~37

A ⓔ
B (1) moisture, heat / a closet   (2) (A) (p)roper ways   (B) (s)toring (m)edications[(m)edicine]
C (A) change dynamically   (B) static
D (1) What Helps the Child Acquire a Mother Tongue?   (2) (A) what   (B) being   (C) that

---

A 캠퍼스의 필수 요소가 된 전동 스쿠터에 대한 안전 규정이 이미 존재하지만, 현재의 안전 규정만으로는 부족하다고 설명하면서 더 엄격한 규정의 필요성을 강조하는 내용의 글이다. 따라서 필자의 주장으로 가장 적절한 것은 ⓔ이다.

어휘 staple 필수 요소, 주요 산물 popularity 인기 convenience 편리, 편의 regulation 규정 restrict 제한하다 motorized 전동의, 모터가 달린 transportation 교통수단 ensure 보장하다 reinforce 강화하다 strict 엄격한

구문 풀이

L5 **To ensure** the safety of *students* / [**who** use electric
학생들의 안전을 보장하기 위하여   전동 스쿠터를 이용하는
부사적 용법(목적)   주격 관계대명사

주격 관계대명사 who 생략
scooters, / **as well as** *those* {around them}], / officials should
그들 주변의 사람들뿐만 아니라   관리자들은
A as well as B: B뿐만 아니라 A도

look into reinforcing stricter regulations.
관리자들은 더 엄격한 규정을 강화할 것을 검토해야 한다
검토하다

지문 해석

요즘은 전동 스쿠터가 빠르게 캠퍼스의 필수 요소가 되고 있다. 그것들(전동 스쿠터)의 빠른 인기 상승은 그것들이 가져다주는 편리함 덕분이지만, 문제가 없는 것은 아니다. 스쿠터 회사는 안전 규정을 제공하고 있지만, 탑승자들에 의해 그 규정들이 항상 지켜지는 것은 아니다. 대학들은 이미 전동 교통수단을 제한하기 위해 보행자 전용 구역과 같은 특정한 규정들을 두고 있다. 그러나, 그들은 특히 전동 스쿠터를 대상으로 더 많은 것을 할(더 많은 규정을 둘) 필요가 있다. 그들(전동 스쿠터를 이용하는 학생들) 주변의 사람들뿐만 아니라 전동 스쿠터를 이용하는 학생들의 안전을 보장하기 위하여 관리자들은 더 엄격한 규정을 강화할 것을 검토해야 한다.

© Getty Images Bank

B (1) **해석** 여: 의약품을 욕실에 보관하는 것은 괜찮니?
남: 그렇게 생각하지 않아. 그 공간의 습기와 열은 의약품에 안 좋아.
여: 그럼, 아이들의 손이 닿지 않게 의약품을 보관하기에 가장 좋은 장소는 어디니?
남: 벽장이 가장 좋은 장소라고 생각해.

(2) 의약품에 영향을 줄 수 있는 것으로부터 의약품을 안전하게 보관할 수 있는 방법을 소개하는 글이다.

해석 → 글의 주제는 의약품을 보관하는 적절한 방법이다.

어휘 medication 의약품, 약물 correctly 올바르게 medicine 약, 의약품 moisture 습기 breakdown 손상 unit 장치 air-tight 밀폐된 minimum 최소한도 best bet 최선책 storage 보관

구문 풀이

L5 A closet is probably your best bet / for storage of your
벽장이 아마도 당신의 최선책이 될 것이다   의약품 보관을 위한

medications, / **as long as** you keep them /
그것들을 보관한다면
~한다면, ~하는 한(조건)   = medications
out of the reach of children.
아이들의 손이 닿지 않는 곳에

지문 해석

의약품을 올바르게 보관하는 것은 매우 중요하다. 욕실의 의약품 캐비닛은 그 공간의 습기와 열이 약의 화학적 손상을 가속화하기 때문에 의약품을 보관하기에 좋은 장소가 아니다. 의약품을 냉장고에 보관하는 것 또한 그 장치 내부의 습기 때문에 좋은 생각이 아니다. 빛과 공기는 약들에 영향을 줄 수 있지만, 어두운 색의 병과 밀폐 뚜껑은 이러한 영향을 최소한으로 유지할 수 있다. 아이들의 손이 닿지 않는 곳에 보관한다면, 벽장이 아마도 의약품 보관을 위한 당신의 최선책이 될 것이다.

C 생물 종(種), 기후, 동식물 군집 등 모든 것은 늘 변화하기 때문에 정적인 상태를 전제로 하는 '자연의 균형'은 잘못된 통념이며 우리의 행성과 그 행성에 사는 서식자들이 살아가는

방식 또한 역동적이라는 내용의 글이다.

해석 〈보기〉 변화 / 균형 / 역동적으로 / 일시적으로 / 정적인 / 극적인
→ 자연은 역동적으로 계속 변한다. 그것은 정적이지 않다.

어휘 ecosystem 생태계 dynamic 역동적인 endure 지속되다 apparently 겉보기에는 lifespan 수명 species [생물] 종(種) community 군집 adopt 적응하다 alter 바꾸다 consequent 결과적인 myth 잘못된 통념, 미신 arrangement (사는) 모습, (생활) 방식 inhabitant 서식자

구문 풀이

L3 Species come and go, / climates change, / plant
생물 종(種)은 생겼다 사라지고   기후는 변하며

┌ 과거분사
and animal communities adapt to altered *circumstances*, //
동식물 군집은 달라진 환경에 적응해서
　　　　　　　　　　 ~에 적응하다

and when examined / in fine detail / such adaptation and
그래서 자세히 검토하면   미세하게   그런 적응과 결과적인 변화는
= when they are examined   주어

consequent change / can be seen to be taking place
　　　　　　　　　 항상 일어나고 있는 것으로 보일 수 있다
　　　　　　　　　 동사 / 지각동사 see 수동태(be seen+to부정사(~로 보이다))

constantly.

L5 Our planet is dynamic, / and so are *the arrangements* /
우리의 행성은 역동적이고   그리고 방식도 그러하다
　　　　　　　　　　　　 so+동사+주어: ~도 역시 그러하다

[**by which** its inhabitants live together].
서식자들이 함께 사는
전치사+관계대명사(= where)

지문 해석

생태계는 역동적이고 일부는 인간의 수명과 비교해 오랜 기간 동안 지속되고 겉보기에는 변하지 않을 수도 있지만, 그것은 변해야 하고 결국에는 정말 변한다. 생물 종(種)은 생겼다 사라지고, 기후는 변하며, 동식물 군집은 달라진 환경에 적응해서, 미세하게 자세히 검토하면 그런 적응과 결과적인 변화는 항상 일어나고 있는 것으로 보일 수 있다. '자연의 균형'은 잘못된 통념이다. 우리의 행성은 역동적이고, 서식자들이 함께 사는 방식도 그러하다.

D (1) 아동이 모국어를 습득하는 데 있어 어떠한 요인들이 작용하는지를 설명하는 글이므로, 글의 제목으로 What Helps the Child Acquire a Mother Tongue?(무엇이 아동이 모국어를 습득하도록 돕는가?)가 가장 적절하다.
(2) (A)에는 '가장 주목할 만한 것'의 의미로 선행사를 포함한

관계대명사 what이 필요하다. (B) 전치사 without이 왔으므로, 동사는 동명사인 being이 와야 한다. (C) the fact 뒤에 그 내용을 설명하는 문장이 이어지고 있으므로, 동격의 접속사 that이 적절하다.

And **what** is perhaps most remarkable, / the child
그리고 아마 가장 주목할 만하게도　　　　　　　　　 아동은
　　선행사 포함 관계대명사(~한 것)

practices the language / **without** being conscious / of
언어를 연습한다　　　　　　 의식하지 않고
　　　　　　　　　　　 without+-ing: ~하지 않고
the fact / [**that** he is learning a highly complex code].
사실을　　　 자신이 매우 복잡한 기호를 학습하고 있다는
　　　└ 동격 ┘

어휘 acquire 습득하다 practice 연습; 연습하다 mother tongue 모국어 motivation 동기 부여 urge 열망 remain 계속 ~이다 unfulfilled 충족되지 않은 remarkable 주목할 만한

구문 풀이

L3 He also has the strongest *motivation or urge* / **to learn**
그는 또한 가장 강한 동기 부여나 열망을 가지는데
　　　　　　　　　　　　　　　　　　　　　　 형용사적 용법
　　　　　　　　　　 ┌ 조건 부사절
the language, / [**for** / {if he cannot express himself in his
언어를 배우려는   이는 ~이기 때문이다   만약 모국어로 자신을
　　　　　　　 이유 부사절

mother tongue}, / some of his basic needs / are likely to
모국어로},　　　 그의 기본적인 필요들 중 일부가
표현할 수 없다면   그의 기본적인 필요들 중 일부가   ~할 수 있다
　　　　　　　 주어(some of+복수 명사+복수 동사)   동사

remain unfulfilled].
충족되지 않은 채 남겨질 수 있다
remain+형용사: ~인 채로 남다

지문 해석

언어 기능들은 연습을 통해서만 습득될 수 있다. 모국어의 경우, 아이들은 일상 환경 속에서 이러한 연습을 위한 충분한 기회를 가진다. 그리고 그는 일상 환경 속에서 아주 많은 선생님들이 있다. 그는 또한 언어를 배우려는 가장 강한 동기 부여나 열망을 가지는데, 만약 모국어로 자신을 표현할 수 없다면 그의 기본적인 필요들 중 일부가 충족되지 않은 채 남겨질 수 있기 때문이다.다. 그리고 아마 가장 주목할 만하게도, 아동은 자신이 매우 복잡한 기호를 학습하고 있다는 사실을 의식하지 않고 언어를 연습한다.

영어 제목 쓰는 Tip을 알려 줄게.
1. 모든 단어 첫 글자는 대문자로
2. 관사, 짧은 전치사 등은 소문자로
3. 단, 관사가 제목 첫 글자이면 대문자로
4. 6자 이상의 전치사는 대문자로(ex. Between)

정답과 해설

2주 - 중심 내용 파악하기 ❷

2주 1일 개념 돌파 전략 ①

1-1 I'd like to request your permission for the absence of the players from your school during this event.

1-2 ⓑ

2-1 To his surprise / Norm yelled out in anger

2-2 ⓐ

3-1 If the pioneer survives, everyone else will follow suit. If it perishes, they'll turn away.

3-2 ⓑ

4-1 One of the best ways to promote this type of integration is to help retell the story of the frightening or painful experience.

4-2 ⓑ

1-1

청소년 축구 대회에 참가할 선수들의 결석을 허락해 달라고 요청하는 내용의 글로, 마지막 부분 I'd like to request ~에 글의 목적이 잘 나타나 있다.

1-2

청소년 축구 토너먼트 시리즈 관계자가 대회 참가로 인해 수업에 빠지게 될 선수들의 결석을 허락해 달라고 요청하는 내용의 글이므로, 글의 목적으로 ⓑ가 적절하다.

구문 풀이

> **L4** Regrettably, / however, / the Series will **result in**
> 유감스럽게도   그렇지만   시리즈는 선수들이 빠지게 할 것입니다
>   result in+결과: 결과적으로 ~이 되다
> ┌ 동명사
> players **missing** / two days of school / **for** the competition.
>   이틀간 수업에   대회 참가로 인해
> 동명사의 의미상 주어   이유 전치사

지문 해석

청소년 축구 토너먼트 시리즈를 대표하여, 저는 귀하에게 다음 주에 있을 2019 시리즈에 대해 다시 한 번 상기시켜 드리고 싶습니다. 당연히, 저희는 선수 교육의 중요성을 잘 알고 있습니다. 그렇지만 유감스럽게도, 시리즈는 대회 참가로 인해 선수들이 이틀간 수업에 빠지게 할 것입니다. 이 행사 기간 동안 귀하의 학교 선수들의 결석에 대한 귀하의 허락을 요청하고 싶습니다. 이해해 주셔서 감사합니다.

2-1

To his surprise, ~와 Norm yelled out in anger, ~에서 Norm의 놀라고 화난 심경을 엿볼 수 있다.

2-2

친구 Jason의 실수로 난로에 불이 붙은 것을 보고 놀라서 화를 내며 친구에게 소리치는 상황이므로, Norm의 심경으로 적절한 것은 ⓐ '놀라고 화가 난'이다.

[해석] ⓐ 놀라고 화가 난 ⓑ 흥분되고 기쁜

구문 풀이

> **L2** In the middle of the night, / Norm suddenly woke up /
> 한밤중에   Norm은 갑자기 잠에서 깼다
> ┌ 분사구문(동시 동작)
> [**sensing** something was terribly wrong].
> 뭔가 크게 잘못되었다는 것을 느끼면서
>   ┌ fill A with B: A를 B로 채우다/대과거(said보다 이전의 일)
> **L5** Jason said / [he had **filled** it / **with** every piece of
> Jason은 말했다   난로에 채워 넣었다   모든 나무 조각을
>   = the stove
>   said의 목적어(명사절 접속사 that 생략) every+단수 명사
>   ┌ the stove
> wood / {he could fit into it}].
>   자신이 끼워 넣을 수 있는
>   └ 목적격 관계대명사 that[which] 생략

지문 해석

Norm과 그의 친구 Jason은 겨울 캠핑 여행을 갔다. 한밤중에, Norm은 뭔가 크게 잘못되었다는 것을 느끼면서 갑자기 잠에서 깼다. 놀랍게도, 난로가 빨갛게 타오르고 있었다! Jason은 자신이 끼워 넣을 수 있는 모든 나무 조각을 난로에 채워 넣었다고 말

했다. 그는 Jason을 그의 침대에서 끌어내려, 현관문을 열고 그를 눈 속으로 내쫓았다. Norm은 화가 나서 "내가 이 난로를 식힐 때까지 들어오지 마!"라고 소리쳤다.

3-1

펭귄의 생존 전략에 관한 글로, 표범물개의 먹이가 되는 펭귄들은 살기 위해 펭귄 무리에서 누군가 물 속으로 뛰어들어 생존하면 따라서 뛰어들지만, 뛰어든 펭귄이 죽으면 돌아선다(If the pioneer ~ turn away.)는 내용이 밑줄 친 부분의 단서가 된다.

3-2

표범물개로부터 살아남기 위해 다른 펭귄이 하는 행동을 보고 따라 한다고 했으므로, 밑줄 친 부분의 의미로 적절한 것은 ⓑ '안전하다고 입증된 경우에만 남의 행동을 따라 하다'이다.

해석 ⓐ 최고의 결과를 위해 리더의 결정을 지지하다
ⓑ 안전하다고 입증된 경우에만 남의 행동을 따라 하다

구문 풀이

L6 *The moment* [that occurs], / the rest of the penguins /
└ 명사절 접속사 that 생략
그 일이 일어나는 순간   나머지 펭귄들은
the moment (that): ~하는 순간   the rest+복수 명사+복수 동사

watch with anticipation to see / [what happens next].
기대하며 지켜본다   다음에 일어날 일을
                              see의 목적어(간접의문문: 의문사 주어+동사)

지문 해석

얼음같이 차가운 물 속에 식사로 펭귄을 먹는 것을 좋아하는 표범물개가 있다. 펭귄들의 해결책은 대기 전술을 펼치는 것이다. 그들 중 한 마리가 포기하고 뛰어들 때까지 그들은 물가에서 기다리고, 기다리고 또 기다린다. 그 일이 일어나는 순간, 나머지 펭귄들은 다음에 일어날 일을 기대하며 지켜본다. 만약 그 개척자가 생존하면, 다른 모두가 똑같이 따라 할 것이다. 만약 그가 죽는다면, 그들은 돌아설 것이다. 그들의 전략은 '배워서 사는' 것이라고 말할 수 있을 것이다.

4-1

감정적으로 힘들었던 상황을 겪은 아이에게 그것에 대해 반복하여 말하게 함으로써 극복하게 했다는 내용의 글로, 마지막 문장이 주제문이다.

4-2

두려움이나 실망 등 감정적으로 힘들었던 상황을 겪은 아이에게 그것에 대해 반복하여 말하게 함으로써 극복하게 했다는 내용의 글이다. 따라서 요약문의 빈칸 (A)에는 overcome, (B)에는 repeat가 들어가는 것이 적절하다.

해석 ⓐ 회피하다 … 지우다
ⓑ 극복하다 … 반복하다

구문 풀이

L4 [**When** this happens], / we as parents / can help bring
이런 일이 일어날 때   우리는 부모로서
시간 부사절

the left hemisphere / into the picture / **so that** the child can
좌뇌를 불러들이도록 도와줄 수 있다 그 상황에   아이가 이해하기 시작할 수
                                        so that+주어+can ~: ~할 수 있도록(목적)

begin to understand / [what's happening].
있도록   무슨 일이 일어나고 있는지
                  understand의 목적어(간접의문문: 의문사 주어+동사)

L10 We may **enable** a child / to overcome their painful,
우리는 아이가 가능하게 할 수 있을지도 모른다 그가 자신의 고통스럽고 무서운
                    enable+A+to부정사: A가 ~할 수 있게 하다

frightening experience / **by having** them repeat / **as** much of
경험을 극복하게 하는 것을   그들이 반복하게 함으로써   최대한 그 고통스러운 이야기를 많이
                  by+-ing: ~함으로써 └ have+목적어+목적격보어(동사원형)

the painful story **as** possible.
최대한 그 고통스러운 이야기를 많이
as ~ as possible: 가능한 한 ~한[하게]

지문 해석

아이가 고통스럽거나, 실망스럽거나, 무서운 순간을 경험할 때, 격렬한 감정과 신체적인 느낌이 우뇌에 들이닥쳐, 그것은 감당하기 힘들 수 있다. 이런 일이 일어날 때, 우리는 부모로서 아이가 무슨 일이 일어나고 있는지 이해하기 시작할 수 있도록 그 상황에 좌뇌를 불러들이도록 도와줄 수 있다. 이런 종류의 통합을 증진할 수 있는 가장 좋은 방법 중 하나는 무섭거나 고통스러운 경험의 이야기를 되풀이하도록 돕는 것이다.
→ 우리는 아이가 최대한 그 고통스러운 이야기를 많이 반복하게 함으로써, 그가 자신의 고통스럽고 무서운 경험을 극복하게 하는 것을 가능하게 할 수 있을지도 모른다.

②주 1일 개념 돌파 전략 ②

pp. 44~45

1 ①　　　　　　**3** ③
2 ③　　　　　　**4** ①

1

새로운 회사 로고를 선보일 계획이라고 언급한 후 회사 로고 제작을 의뢰하는 내용의 글이므로, 글의 목적으로 가장 적절한 것은 ①이다. We request you to create a logo에 글의 목적이 잘 나타나 있다.

> **구문 풀이**
>
> **L4** We **request** you to create *a logo* / [**that** best suits /
> 로고를 제작해 주실 것을 요청합니다　　　　　　가장 잘 반영한
> 　　　　　　목적어 목적격보어(to부정사)　　　　주격 관계대명사
> our company's core vision, / 'To inspire humanity].'
> 당사의 가장 중요한 비전인　　　　　'인류애를 고취하자'
> 　　　　　　　　　　　　　　　└ 동격 ┘

> **지문 해석**
>
> 친애하는 Jones 씨께,
> 저는 James Arkady이고, KHJ Corporation의 홍보부 이사입니다. 저희 회사의 창립 10주년을 기념하기 위해서 당사의 브랜드 정체성을 다시 설계하고 새 로고를 선보일 계획입니다. 당사의 가장 중요한 비전인 '인류애를 고취하자'를 가장 잘 반영한 로고를 제작해 주실 것을 요청합니다. 완성하시는 대로 귀하의 로고 디자인 제안서를 저희에게 보내 주시기 바랍니다. 감사합니다.
> James Arkady 드림

© Getty Images Korea

2

우연히 유명한 화가 옆에 앉게 되어 신이 났지만, 그가 자신의 그림이 그려진 냅킨 값으로 2만 달러를 요구하자 당황해서 그 자리에 가만히 서 있었다고 했으므로, Cindy의 심경 변화로 가장 적절한 것은 ③ '신이 난 → 놀란'이다.

해석 ① 안도하는 → 염려하는
② 무관심한 → 당황한
③ 신이 난 → 놀란

> **구문 풀이**
>
> **L3** [**After** a few moments], / the man finished his coffee /
> 장시 후　　　　　　　　그 남자는 커피를 다 마시고
> 시간 부사절　　　　　　　　동사 1
> and was about to throw away the napkin / [**as** he left].
> 그리고 그 냅킨을 버리려고 했다　　　　　　자리를 뜨면서
> 동사 2 / be about to: 막 ~하려 하다　　　시간 부사절

> **L7** [**Being** at a loss], / she stood still / **rooted to** the ground.
> 　　　　　　　　　　　　　　　　　　　┌ being 생략(수동)
> 당황해서　　　　　그녀는 가만히 서 있었다　　그 자리에서 꼼짝 못한 채
> 분사구문(이유)　　　　　　　　　root A to B: A를 B에서 꼼짝 못하게 하다

> **지문 해석**
>
> 어느 날, Cindy는 카페에서 우연히 한 유명한 화가 옆에 앉게 되었다. 그녀는 그를 직접 보게 되어 매우 기뻤다. 그는 커피를 마시면서 사용한 냅킨에 그림을 그리고 있었다. 잠시 후, 그 남자는 커피를 다 마시고 자리를 뜨면서 그 냅킨을 버리려고 했다. Cindy는 그를 막았다. "그림을 그리셨던 그 냅킨을 제가 가져도 될까요?"라고 그녀가 물었다. "물론이죠."라고 그가 대답했다. "2만 달러입니다." 그녀는 눈을 커다랗게 뜨고 말했다, "뭐라고요?" 그녀는 당황해서 그 자리에서 꼼짝 못한 채 가만히 서 있었다.

3

우리는 사건을 선택적으로 해석하는 경향이 있고, 선택적인 지각은 우리에게 두드러져 보이는 것인 우리의 목표, 관심사, 기대 등과 관련이 있다는 내용의 글이다. 인용문과 밑줄 친 문장의 'a hammar(망치)'는 선택적 지각의 바탕이 되는 목표 또는 관심사에 해당하므로 밑줄 친 부분의 의미로 가장 적절한 것은 ③ '특정 방식으로 무언가를 하고자 의도하다'이다.

해석 ① 돋보이는 것을 꺼리다
② 우리의 노력을 헛되게 만들다
③ 특정 방식으로 무언가를 하고자 의도하다

> **구문 풀이**
>
> **L2** However, / [**what** seems to us to be standing out] /
> 그러나　　　　우리에게 두드러져 보이고 있는 것은
> 　　　　　　주어(명사절)
> may very well be related / to our goals, interests, expectations,
> 매우 관련 있을지도 모른다　　　　우리의 목표, 관심사, 기대, 과거의 경험, 또는
> 동사　　　　　　　　　　　　　　　　　　　　　(명사(구) 병렬 구조)
> past experiences, or current demands of the situation.
> 상황에 대한 현재의 요구와

> **지문 해석**
>
> 우리는 선택적으로 사건을 해석하는 경향이 있다. 선택적 지각은 우리에게 두드러져 보이는 것에 기반을 둔다. 그러나, 우리에게 두드러져 보이고 있는 것은 우리의 목표, 관심사, 기대, 과거의

경험, 또는 상황에 대한 현재의 요구와 매우 관련 있을지도 모른다. 즉 "망치를 손에 들고 있으면, 모든 것이 못처럼 보인다"와 같다. 이 인용문은 선택적 지각의 현상을 강조한다. 만약 우리가 망치를 사용하기를 원한다면, 그러면 우리 주변의 세상은 못으로 가득 찬 것처럼 보이기 시작할지도 모른다!

* selective perception(선택적 지각): 외부 정보를 객관적으로 받아들여 처리하는 것이 아닌 자신의 신념이나 자기에게 유리한 것만 선택적으로 받아들여 처리하려는 현상(내가 보고 싶은 것만 보이고 듣고 싶은 것만 들림)

4

주말에 채워진 휴지가 월요일에 모두 없어지는 현상을 개선하려고 화장실에 '함께 쓰는 물건이므로 가져가지 마시오'라는 쪽지를 붙였는데, 그 효과가 즉각 나타났다는 내용의 글이다. 따라서 요약문의 빈칸 (A)에는 reminder, (B)에는 shared가 들어가는 것이 가장 적절하다.

해석 ① 상기시켜 주는 것 … 함께 쓰는

② 상기시켜 주는 것 … 재활용되는

③ 실수 … 저장된

구문 풀이

L4 [A woman {named Rhonda at the university}] / put a note
그 대학에 다니는 Rhonda라는 이름의 한 여성이
주어 과거분사구 동사
ㄷ 현재분사구
in the bathrooms / [asking people not to remove the toilet
쪽지를 화장실에 붙였다 사람들에게 화장실 화장지를 가져가지 말라고 요청하는
ask+A+not to부정사: A가 ~하지 않도록 요청하다
the toilet paper
paper, / {as it was a shared item}].
그것은 함께 쓰는 물건이므로
이유 부사절

L9 A small reminder / brought about a change / in the
사소한 상기시켜 주는 것이 변화를 가져왔다
bring about: ~을 가져오다
behavior of the people / [who had taken more of the shared
사람들의 행동에 함께 쓰는 물건을 더 많이 가져간
주격 관계대명사 대과거(needed보다 이전의 일)
goods / than they needed].
필요한 것보다
more ~ than 비교 구문

지문 해석

California 대학의 청소하는 사람들이 주말마다 화장실에 두루마리 화장지 몇 개를 두고 갔다. 그러나, 월요일 무렵에 모든 화장지가 없어지곤 했다. 일부 사람들이 자신들이 사용할 몫보다 더 많은 휴지를 가져갔기 때문에, 공공재가 파괴되었다. 그 대학에 다니는 Rhonda라는 이름의 한 여성이 사람들에게 화장실 화장지는 함께 쓰는 물건이므로 그것을 가져가지 말라고 요청하는 쪽지를 화장실에 붙였다. 만족스럽게도, 몇 시간 후에 화장지 한 개가 다시 나타났고, 그다음 날에 또 하나가 다시 나타났다.

→ 사소한 상기시켜 주는 것이 함께 쓰는 물건을 필요한 것보다 더 많이 가져간 사람들의 행동에 변화를 가져왔다.

요약문 유형은 제시된 요약문을 먼저 읽어 글의 내용을 유추해 보는 것이 문제 풀이에 도움이 돼.

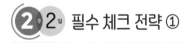

2주 2일 필수 체크 전략 ①

pp. 46~49

| 필수 예제 | 1 ② | 확인 문제 | 1-1 ① | 확인 문제 | 1-2 ⓓ see → seeing |
| 필수 예제 | 2 ⑤ | 확인 문제 | 2-1 ② | | |

확인 문제 2-2 my mind started to imagine how my first day of school would turn out

필수 예제 1

새로 제공 예정인 요리를 선보이고 특별한 요리법을 알려 주는 식당의 연례행사에 참석해 줄 것을 요청하는 내용의 초대장이므로, 글의 목적으로 가장 적절한 것은 ②이다.

구문 풀이

L8 Also, / our chefs will be providing / cooking tips, / ideas
또한 저희 요리사들은 제공할 것입니다 요리 정보
주어 동사(미래 진행형) 목적어 1 목적어 2
[on what to buy for your kitchen], / and special recipes.
여러분의 주방을 위해 사야 할 것들에 대한 의견 그리고 특별한 요리법을
의문사+to부정사: 무엇을 ~해야 할지 목적어 3

정답 과 해설

지문 해석

Dennis Brown 씨께,

G&D 식당은 저희의 연례행사인 Fall Dinner에 귀하를 초대하게 되어 영광스럽고 기쁘게 생각합니다. 연례행사는 2021년 10월 1일에 우리 식당에서 열리게 됩니다. 그 행사에서, 저희 식당이 곧 제공할 예정인 새로운 훌륭한 음식들을 소개하려고 합니다. 이 맛있는 음식들은 뛰어난 저희 요리사들의 놀라운 재능을 보여 드릴 것입니다. 또한, 저희 요리사들은 요리 정보 및 여러분의 주방을 위해 사야 할 것들에 대한 의견, 그리고 특별한 요리법을 제공할 것입니다. 귀하께서 저희 기념 행사의 일원이 되어 주신다면 저희 G&D 식당은 정말 감사할 것입니다. 귀하를 만나 뵙게 되기를 고대합니다. 대단히 감사합니다.

G&D 식당 주인, Marcus Lee 드림

확인 문제 1-1

신입 사원에게 판매부에서의 3개월 근무 완료를 알리며, 각 부서에서 경험을 쌓아야 하는 회사의 정책에 따라 앞으로 마케팅부에서 근무하게 된다는 것을 알리는 내용의 글이므로, 글의 목적으로 가장 적절한 것은 ①이다.

확인 문제 1-2

ⓓ를 포함한 문장의 look forward to(~을 고대하다)에서 to는 전치사이므로 뒤에 (동)명사가 와야 한다. 따라서 ⓓ see는 seeing으로 고쳐야 한다.

구문 풀이

L9 I hope / [that {when your training is finished} / we will
바랍니다　귀하의 연수가 끝났을 때　저희가
hope의 목적어(명사절)　시간 부사절　주어 동사
be able to **settle** you / **into** *the department* {of your choice}].
귀하를 배정할 수 있게 되기를　귀하가 선택한 부서로
　settle A into B: A를 B에 배정하다　형용사구

지문 해석

Sue Jones 씨께,

아시는 것처럼, 모든 신입 사원이 전 부서에서 경험을 얻어야 한다는 것이 당사의 정책입니다. 귀하는 판매부에서 3개월을 완료했으므로, 귀하의 다음 부서로 옮겨야 할 때입니다. 다음 주부터, 귀하는 마케팅부에서 근무하게 됩니다. 귀하가 새 부서에서 훌륭하게 일하는 것을 보게 되기를 고대합니다. 귀하의 연수가 끝났을 때 귀하가 선택한 부서로 저희가 귀하를 배정할 수 있게 되기를 바랍니다.

인사 부장
Angie Young 드림

필수 예제 2

한밤중에 누군가가 자신의 방에 들어오는 소리를 듣고 잠이 깬 상태로, 자신을 안심시켜 줄 사람이 아무도 없는 방에서 알 수 없는 누군가의 숨소리를 들으며 밤새 누워 있는 상황이므로, 글의 분위기로 가장 적절한 것은 ⑤ '불가사의하고 무서운'이다.

해석 ① 유머러스하고 재미있는

② 지루하고 따분한

③ 고요하고 평화로운

④ 시끌벅적하고 신이 난

⑤ 불가사의하고 무서운

두려움 관련 표현
fearful(두려운) / frightening(무서운) /
nervous(초조한) / scary(무서운) /
tense(긴장되는) / urgent(급박한) /
uneasy(불안한) / worried(걱정하는) 등

구문 풀이

L5　　　　명사절 접속사 that 생략
"Mom?" / he said quietly, / [**hoping** {he would **hear**
"엄마?"　그는 침착하게 말했다　바라면서
　　　　　분사구문(동시 동작)　hoping의 목적어
his mother's voice assuring him / <**that** everything was all
자신을 안심시키는 그의 어머니의 목소리 듣게 되기를　다 괜찮다고
hear+목적어+목적격보어(능동 현재분사)　assuring의 목적어(명사절)
right>}].

지문 해석

한밤중에, Matt는 갑자기 잠에서 깼다. 그는 자신의 시계를 힐끗 보았다. 3시 23분이었다. 한순간 그는 그를 깨운 것이 무엇인지 궁금했다. 그는 누군가가 자신의 방에 들어오는 소리를 들었다. Matt는 잠자리에서 일어나 앉아, 자신의 눈을 비비고는, 작은 방을 둘러보았다. "엄마?" 그는 다 괜찮다고 자신을 안심시키는 그의 어머니의 목소리를 자신이 듣게 되기를 바라면서 침착하게 말했다. 하지만 답이 없었다. Matt는 자신이 단지 물건들의 소리를 들은 것뿐이었다고 스스로에게 말하려고 애썼다. 그러나 자신이 그렇지 않았다는 것을 그는 알았다. 그의 방에는 누군가가 있었다. 그는 규칙적으로 긁는 듯한 숨소리를 들을 수 있었고, 그것은 그의 것이 아니었다. 그는 밤새 잠이 깬 채 누워 있었다.

확인 문제 2-1

고등학교의 첫날, 등교를 준비하면서 기대에 가득 찬 마음을 묘사하는 글이므로, 'I'의 심경으로 가장 적절한 것은 ② '들뜬'이다.

해석 ① 화가 난 ② 들뜬 ③ 질투하는

④ 후회하는 ⑤ 실망한

확인 문제 2-2

주어는 '내 마음', 동사는 '상상하기 시작했다'이므로 my mind started to imagine으로 문장을 시작한다. 이어지는 문장은 간접의문문이므로 「의문사＋주어＋동사」의 순서로 배열한다.

> [**When** we got into the car / and headed to school], /
> 우리가 차를 타고　　　　　　　　그리고 학교로 향할 때
> 시간 부사절
> my mind started **to imagine** / [how my first day of school
> 내 마음은 상상하기 시작했다　　　나의 학기 첫날이 어떻지
> 　　　　명사적 용법(목적어) imagine의 목적어
> 　　　　　　　　　　　　　　(간접의문문: 의문사＋주어＋동사)
> would turn out].

구문 풀이

> **L2** The uniforms were **a lot fancier** / **than** in middle school.
> 교복은 훨씬 더 멋졌다　　　　　　　중학교 때보다
> 비교급 강조(＝ even, much, still, far) 비교 구문

지문 해석

내가 St. Roma 고등학교에서 맞는 학기의 첫날이었다. 교복은 중학교 때보다 훨씬 더 멋졌다. St. Roma 고등학교 학생으로서, 나는 어깨에 학교 표식이 있는 녹색 스웨터, 카키색 치마 또는 카키색 바지, 흰색 블라우스, 그리고 초록색 St. Roma 고등학교 타이를 착용해야 했다. 엄마는 "나의 St. Roma 고등학교 학생이 여기 있구나."라고 말씀하셨다. 엄마는 "너의 첫날을 시작할 준비가 됐니?"라고 물으셨었다. 나는 "예!" 하고 엄마에게 말했다. 우리가 차를 타고 학교로 향할 때, 내 마음은 나의 학기 첫날이 어떨지 상상하기 시작했다. '아마도 나는 새 친구들을 사귀게 되겠지. 아마도 내가 반에서 최고가 될 거야.' 나는 새 학교에서의 첫날을 빨리 시작하고 싶었다.

© Pressmaster / shutterstock

2주 2일 필수 체크 전략 ②

pp. 50~51

1 ②　**2** (A) (r)enewing　(B) (c)ontinue　**3** ⑤　**4** shaking their hands with arms raised over their heads

1 잡지를 구독하는 독자에게 구독 기간 만료를 알리며 갱신을 권유하는 글이므로, 글의 목적으로 가장 적절한 것은 ②이다.

2 현재 잡지의 구독 기간 만료 전으로 서비스를 계속 받으려면 갱신해야 한다는 내용이다. 따라서 (A)에는 renew가 들어가야 하는데 전치사 뒤이므로 동명사 형태인 renewing이 적절하다. (B)에는 continue가 들어가야 하는데 조동사 will이 앞에 있으므로 동사원형인 continue가 적절하다.

구문 풀이

> **L8**　　가목적어　　　　　　　　　　진목적어
> 　　to부정사의 의미상 주어
> **To make it as** easy **as possible** / for you **to act** now, /
> 가능한 한 쉽게 ~을 할 수 있도록　　귀하가 바로 신청하실
> 부사적 용법(목적)　as ~ as possible: 가능한 한 ~한[하게]
> 　　　　　　　　　to부정사의 의미상 주어
> we've sent *a reply card* / for you **to complete**.
> 회신용 카드를 보냈습니다　　귀하가 기입하실
> 　　　　　　　　　　　형용사적 용법

지문 해석

Hane 씨께,
귀하에게 드리는 저희의 메시지는 간결하지만 중요합니다. 즉, 귀하의 〈Winston Magazine〉 구독 기간이 곧 만료되는데 저희는 귀하로부터 갱신에 대한 말씀을 전해 듣지 못했습니다. 저희는 귀하가 단 한 권의 다음 호도 놓치고 싶지 않으실 것이라고 확신합니다. 서비스가 계속되도록 지금 갱신하세요. 귀하는 〈Winston Magazine〉을 미국에서 가장 빠르게 성장하는 잡지로 만들어 주는 탁월한 기사와 뉴스를 계속해서 받으실 것입니다. 가능한 한 쉽게 귀하가 바로 신청하실 수 있도록, 귀하가 기입하실 회신용 카드를 보냈습니다. 오늘 카드를 회신만 해 주시면 월간 〈Winston Magazine〉을 계속해서 받게 되실 것입니다.
Thomas Strout 드림

3 Fawn과 Sam의 결혼식이 끝나고 축하 행사에서 사람들이 음악에 맞춰 즐겁게 춤추고 노래하는 장면을 묘사하는 글이므로, 글의 분위기로 가장 적절한 것은 ⑤ '즐거운'이다.
해석 ① 지루한 ② 무서운 ③ 고요한
④ 유머러스한 ⑤ 즐거운

4 '손을 흔들며'로 동시 동작을 나타내는 분사구문이 필요하다. 제시된 동사 shake를 분사형 shaking으로 쓴다. '팔을 올린 채로'는 「with＋목적어＋과거분사」를 써서 with arms

raised로 써야 한다.

They danced in circles / [**making** joyful sounds / and **shaking**
그들은 원을 그리며 춤을 췄다   흥겨운 소리를 내면서   그리고
                          분사구문 1(동시 동작)   분사구문 2

their hands / {**with arms raised** over their heads}].
손을 흔들며   머리 위로 팔을 올린 채로
              with+목적어+과거분사: ~가 …한 채로

구문 풀이

L4 **As soon as** the wedding ceremony was over, /
      결혼식이 끝나자마자
      as soon as+주어+동사: ~하자마자(= on+-ing)

the celebration began.
축하 행사가 시작되었다

추장이 Little Fawn을 나오라고 불러서 그녀의 오른손과 Sam의 오른손을 잡고는 그 두 손을 한 가닥의 작은 가죽 조각으로 함께 묶었다. 그는 크게 소리쳐서 Sam에게 "너는 이제 결혼한 사람이다."라고 말했다. 결혼식이 끝나자마자, 축하 행사가 시작되었다. 어린 소년들과 소녀들이 플루트 음악과 북 장단에 맞춰 춤을 추기 시작하자, Fawn과 Sam은 담요 위에 앉았다. 그들은 흥겨운 소리를 내면서 머리 위로 팔을 올린 채로 손을 흔들며 원을 그리며 춤을 췄다. Fawn은 일어서서 그들과 함께했다. 사람들은 박수를 치고 노래하기 시작했다. Fawn과 Sam은 두 명의 행복한 사람이었다.

© Getty Images Korea

2주 3일 필수 체크 전략 ①

pp. 52~55

필수 예제	**3** ⑤	확인 문제	**3-1** ③	확인 문제	**3-2** (A) decision-making (B) information (C) information
필수 예제	**4** ①	확인 문제	**4-1** ③	확인 문제	**4-2** be discounted

필수 예제 **3**

더러움이 상황에 따른 상대적인 개념이고 깨끗함과 더러움을 분류하는 것은 정리하는 것을 포함한다는 내용의 글이다. 이를 통해 더러움은 정리와 분류가 되지 않은 상태로 볼 수 있으므로, 밑줄 친 부분의 의미로 가장 적절한 것은 ⑤ '정리되지 않은 어떤 것'이다.

해석 ① 완전히 부서진 어떤 것
② 아무도 알아차리지 못한 아주 작은 먼지
③ 더럽지만 재사용 가능한 물질
④ 쉽게 교체될 수 있는 것
⑤ 정리되지 않은 어떤 것

구문 풀이

L4 Shoes are not dirty **in themselves**, / but **it** is dirty /
      신발은 그 자체로 더럽지 않지만   하지만 더러운 것이다
              그 자체로   가주어

[**to place** them on the dining-table]; ~.
식탁 위에 그것이 놓이면
진주어   = shoes

L10 [**Sorting** the dirty from the clean / — removing the shoes
       깨끗한 것에서 더러운 것을 분류하는 것은   즉 식탁에서
       주어(동명사구)   부연 설명

from the table, / putting the dirty clothing in the washing
신발을 치우는 것   세탁기에 더러운 옷을 넣는 것

                                    ┌ 동사(단수)
machine] — / involves systematic ordering and classifying.
              체계적인 순서와 분류를 포함한다

본래부터 쓰레기인 것은 없다. 인류학자인 Mary Douglas는 더러움이 '제자리에 있지 않은 상황'이라는 흔한 말을 상기시키며 해석한다. 더러움은 상대적인 것이라고 그녀는 강조한다. "신발은 그 자체로 더럽지 않지만, 식탁 위에 그것(신발)이 놓이면 더러운 것이다. 음식 자체는 더럽지 않지만, 침실에 냄비와 팬을 놓아두거나, 음식이 옷에 다 묻는다면 더러운 것이다. 마찬가지로, 거실에 있는 욕실 물품들, 의자 위에 놓인 옷, 실내에 놓인 실외 용품들, 아래층에 있는 위층 물건들, 기타 등등." 깨끗한 것에서 더러운 것을 분류하는 것, 즉 식탁에서 신발을 치우는 것, 세탁기에 더러운 옷을 넣는 것은 체계적인 순서와 분류를 포함한다. 그러므로 더러움을 제거하는 것은 긍정적인 과정이다.

확인 문제 **3-1**

인터넷에 있는 너무 많은 무료 정보 때문에 결정을 내릴 때 모든 것을 고려하기 위해 계속 인터넷의 정보를 찾는다는 내용의 글이다. 따라서 밑줄 친 부분의 의미로 가장 적절한 것은 ③ '너무 많은 정보 때문에 결정을 내리지 못하게'이다.

해석 ① 다른 사람들의 생각을 받아들이기를 꺼리게
② 무료 정보에 접근할 수 없게
③ 너무 많은 정보 때문에 결정을 내리지 못하게
④ 이용 가능한 정보의 부족에 무관심하게
⑤ 의사 결정에 있어서의 위험을 기꺼이 감수하게

확인 문제 3-2

첫 번째 문장이 주제문으로, 인터넷에 있는 많은 정보와 의사 결정 과정의 균형을 맞추어야 한다는 내용의 글이다. 따라서 주제문의 빈칸 (A)에는 decision-making, (B)와 (C)에는 information이 들어가는 것이 가장 적절하다.

해석 정보의 바다인 인터넷에서 정확한 정보만을 취사 선택해 의사 결정을 내려야 한다.

구문 풀이

L1 We must **balance** / too much information / **versus**
우리는 조절해야 한다 너무 많은 정보를
  balance A versus B: B에 맞추어 A를 조절하다

using only the right information / and **keeping** the decision-
정확한 정보만을 사용해서 그리고 의사 결정 과정을 단순하게
(동명사 병렬 구조) keep+목적어+목적격보어(형용사)

making process simple.
유지하는 것에 맞추어

L3 The Internet has **made so** much free information
인터넷은 너무 많은 무료 정보를 이용 가능하게 만들어서
  make+목적어+목적격보어(형용사)

available / on any issue / **that** we think / [we have to consider
어떤 주제에 관해서든 우리는 생각한다 우리가 그 모두를 고려해야
so ~ that ...: 너무나 ~해서 …하다 └ 명사절 접속사 that 생략

all of it / **in order to** make a decision].
한다고 결정을 내리기 위해
  in order+to부정사: ~하기 위해(목적)

지문 해석

우리는 정확한 정보만을 사용해서 의사 결정 과정을 단순하게 유지하는 것에 맞추어 너무 많은 정보를 조절해야 한다. 인터넷은 어떤 주제에 관해서든 너무 많은 무료 정보를 이용 가능하게 만들어서 우리는 결정을 내리기 위해 그 모두를 고려해야 한다고 생각한다. 그래서 우리는 계속 인터넷에서 답을 검색한다. 이것은 우리가 개인적, 사업적, 또는 다른 결정을 내리려고 할 때, 전조등에 비친 사슴(의 상태)처럼 우리를 정보에 눈멀게 한다. 눈먼 자들의 세상에서는 한 눈으로 보는 사람이 불가능해 보이는 일을 해낼 수 있다. 한 눈으로 보는 사람은 어떤 분석이든 단순하게 유지하는 것의 힘을 이해하고 그가 직관이라는 한 눈을 사용할 때 의사 결정자가 될 것이다.

필수 예제 4

학생들이 한 주제에 대해 상호작용을 하게 하는 교수 환경을 연구하는 실험에서 토론을 통해 일치를 도출하도록 유도된 그룹과 불일치가 나오도록 설계된 그룹 간 학생들의 흥미도를 비교한 결과, 불일치 그룹에 속한 학생들이 알려는 열망이 더 강했다는

내용의 글이다. 따라서 요약문의 빈칸 (A)에는 increases, (B)에는 **differ**가 들어가는 것이 가장 적절하다.

해석 ① 증가한다 ⋯ 의견을 달리 하도록
② 증가한다 ⋯ 찬성하도록
③ 증가한다 ⋯ 협동하도록
④ 감소한다 ⋯ 참여하도록
⑤ 감소한다 ⋯ 논쟁하도록

© Syda Productions / shutterstock

구문 풀이

L1 An experiment was conducted / **to study** a teaching
한 실험이 실시되었다 교수 환경을 연구하기 위해
  부사적 용법(목적)

environment / [**where** students were assigned to interact /
  학생들이 상호작용을 하게 하는
  관계부사(in which)

on a topic].
한 주제에 대해

L6 [Students {**who** easily reached an agreement}] /
학생들은 합의에 쉽게 도달한
주어 주격 관계대명사

were less interested in the topic, / and studied less.
주제에 흥미를 덜 보였다 그리고 더 적게 공부했다
동사 1 동사 2

지문 해석

학생들이 한 주제에 대해 상호작용을 하게 하는 교수 환경을 연구하기 위해 한 실험이 실시되었다. 한 그룹에서는, 토론이 일치를 도출하는 방식으로 유도되었다. 두 번째 그룹에서는, 토론이 옳은 정답에 대한 불일치가 나오도록 설계되었다. 일치에 쉽게 도달한 학생들은 주제에 흥미를 덜 보였고 더 적게 공부했다. 그러나 가장 뚜렷한 차이는 교사가 학생들에게 토론 주제에 관한 영화를 보여 주었을 때 나타났다! 일치한 그룹의 18퍼센트 만이 영화를 보기 위해 점심시간을 놓쳤지만, 불일치한 그룹 학생들의 45퍼센트가 그 영화를 보기 위해 남았다. 지식 차이를 채우려는 열망은 미끄럼틀과 정글짐을 향한 열망보다 더 강했다.
→ 위의 실험에 따르면, 한 주제에 대한 학생들의 흥미는 학생들이 의견을 달리하도록 장려될 때 증가한다.

확인 문제 4-1

선다형 문제 30개를 푸는 사람을 관찰하게 하면서 한 집단은 초반부에, 다른 집단은 후반부에 더 많은 문제를 맞게 푸는 것을 보게 한 실험에서, 초반부에 더 많은 문제를 맞게 푸는 것을 본 집단이 그 사람을 더 똑똑하다고 평가했다는 결과가 나왔고, 이러한 의견이 형성되면 반대되는 증거가 제시되어도 그 증거가 무

시될 수 있다는 내용의 글이다. 따라서 요약문의 빈칸 (A)에는 earlier, (B)에는 ignored가 들어가는 것이 가장 적절하다.

해석 ① 더 많은 … 받아들여지기

② 더 많은 … 검증받기

③ 초반의 … 무시되기

④ 초반의 … 받아들여지기

⑤ 더 쉬운 … 무시되기

확인 문제 4-2

일단 의견이 생기면 이에 반하는 의견은 증거가 제시되어도 무시된다는 내용이므로, '무시하다'라는 의미의 discount를 수동태 형태인 be discounted로 써야 한다.

해석 1. 무언가를 사실이거나 중요하지 않을 것으로 간주하다

2. 무언가의 가격을 낮추다

구문 풀이

> **L2** One group of subjects / saw the person solve more
> 　　　 한 실험 대상자 집단은　　그 사람이 더 많은 문제를
> 　　　　　　　　　　　　　　　 see+목적어+목적격보어(동사원형)
>
> problems correctly / in the first half // and another group / saw
> 맞게 푸는 것을 보았고　 전반부에　　　 그리고 다른 실험 대상자 집단은
>
> the person solve more problems correctly / in the second half.
> 그 사람이 더 많은 문제를 맞게 푸는 것을 보았다　　후반부에

> **L5** [The group {that saw the person perform better / on the
> 　　　 그 사람이 더 잘 수행하는 것을 본 집단은
> 　　　 주어　　　　 주격 관계대명사
>
> initial examples}] / rated the person as more intelligent /
> 초반의 예제에서　　 그 사람을 더 똑똑하다고 평가했고
> 　　　　　　　　　 동사 1 / rate A as B:A를 B로 평가하다
>
> 　　　　　　　　　　　　　　　┌→ 대과거(recalled보다 이전의 일)
> and recalled [that he had solved more problems correctly].
> 그리고 그가 더 많은 문제들을 맞게 풀었다고 기억했다
> 동사 2　　 recalled의 목적어(명사절)

지문 해석

한 실험에서, 실험 대상자들은 한 사람이 선다형 문제 30개를 푸는 것을 관찰했다. 한 실험 대상자 집단은 그 사람이 전반부에 더 많은 문제를 맞게 푸는 것을 보았고, 다른 실험 대상자 집단은 그 사람이 후반부에 더 많은 문제를 맞게 푸는 것을 보았다. 그 사람이 초반의 예제에서 더 잘 수행하는 것을 본 집단은 그 사람을 더 똑똑하다고 평가했고 그가 더 많은 문제들을 맞게 풀었다고 기억했다. 그 차이에 대한 설명은, 한 집단은 처음 정보에서 그 사람이 똑똑하다는 의견을 형성한 반면, 다른 집단은 그 반대의 의견을 형성했다는 것이다. 이러한 의견이 일단 형성되면, 반대되는 증거가 제시될 때, 그것은 나중의 과제 수행을 우연이나 문제 난이도와 같은 다른 어떤 원인 탓이라고 돌림으로써 무시될 수 있다.

→ 사람들은 초반의 정보에 근거하여 의견을 형성하는 경향이 있고, 그 의견에 반하는 증거가 제시될 때, 그것은 무시되기 쉽다.

2주 3일 필수 체크 전략 ②

pp. 56~57

1 ④　　2 where someone is neither too generous nor too stingy, neither too afraid nor recklessly brave

3 ②　　4 (1) ③　(2) 공상은 이상화된 미래를 상상하는 것을 수반하는 반면, 기대는 실제로 사람의 과거 경험을 기반으로 한다.

---

1 인생에서 지나침을 경계하고 균형이 있는 삶을 살아야 한다는 아리스토텔레스의 주장을 다룬 글이다. '달콤한 지점'은 부족과 과잉 둘 다를 피한 중간 지점이므로, 밑줄 친 부분의 의미로 가장 적절한 것은 ④ '두 극단의 중간에'이다.

해석 ① 편향된 결정의 시간에

② 물질적 풍요의 지역에

③ 사회적 압박에서 벗어나

④ 두 극단의 중간에

⑤ 즉각적인 즐거움의 순간에

2 명사 the midpoint를 추가 설명하는 관계부사절이 오면 된다. 관계부사 뒤에는 문장성분을 모두 갖춘 완전한 절이 오므로 where someone is~의 순서로 쓴다. 'A도 B도 아닌'은 neither A nor B로 나타낸다.

구문 풀이

L8   The best way is / **to live** at *the "sweet spot"* /
가장 좋은 방법은 ~이다   '달콤한 지점'에 사는 것
                        명사적 용법(보어)

[**that** maximizes well-being].
행복을 최대화하는
주격 관계대명사

지문 해석

인생의 거의 모든 일에는, 좋은 것에 지나침이 있을 수 있다. 심지어 인생에서 가장 좋은 것도 과하면 그다지 좋지 않다. 이 개념은 적어도 아리스토텔레스 시대만큼 오래전부터 논의되었다. 그는 미덕이 있다는 것은 균형을 찾는 것을 의미한다고 주장했다. 예를 들어, 사람은 용감해야 하지만, 누군가가 너무 용감하면 무모해진다. 사람이 타인을 믿어야 하지만, 누군가가 너무 타인을 믿는다면 그들은 잘 속아 넘어가는 사람으로 여겨진다. 이러한 특성 각각에 대해, 부족과 과잉을 모두 피하는 것이 최선이다. 가장 좋은 방법은 행복을 최대화하는 '달콤한 지점'에 사는 것이다. 아리스토텔레스의 의견은 미덕은 중간 지점에 있는 것으로, 그곳에서는 누군가가 너무 관대하지도 너무 인색하지도 않고, 너무 두려워하거나 무모하게 용감하지도 않다.

© Anatoli Styf / shutterstock

3 자신의 목표를 성취하도록 동기를 부여하기 위해 효과적인 것이 무엇인지를 알아보는 연구에서 인생의 도전 과제에 대응하는 방식에 대해 살펴본 결과, 공상을 한 사람보다 기대를 한 사람의 결과가 더 좋았고 더 성공적일 가능성이 높았다는 내용의 글이다. 따라서 요약문의 빈칸 (A)에는 **effective**, (B)에는 **success**가 들어가는 것이 가장 적절하다.

해석 ① 효과적이고 … 좌절
② 효과적이고 … 성공

③ 낙담시키고 … 협동
④ 낙담시키고 … 실패
⑤ 흔하고 … 어려움

4 주어진 문장은 '공상과 기대의 차이는 정말 무엇일까?'라는 내용으로, 이에 대한 답이 ③ 뒤에 공상은 이상화된 미래를 상상하는 것을 수반하는 반면 기대는 실제로 사람의 과거 경험을 기반으로 한다고 제시되어 있다.

구문 풀이

L3   The researchers also measured / [how much these
연구자들은 또한 측정했다   이 (실험) 참가자들이
                               measured의 목적어 1(간접의문문)

participants fantasized about positive outcomes] / and
긍정적인 결과에 대해 얼마나 공상했는지   그리고

[how much they actually expected a positive outcome].
그들이 실제로 얼마나 긍정적인 결과를 기대했는지를
목적어 2(간접의문문)

                              that절의 주어   대과거(did보다 이전의 일)
L7   The results revealed / [**that** {*those* <**who** had engaged
그 결과는 보여주었다   공상하는 것에 관련된 사람은
                          revealed의 목적어(명사절)

in fantasizing / about the desired future>} / did worse /
       희망했던 미래에 대해   더 못했다는 것을
                                              동사

in all the conditions].
모든 상황에서

지문 해석

사람들이 자신의 목표를 달성하도록 동기를 부여하기 위해 무엇이 정말 효과가 있는가? 한 연구에서, 인생의 도전 과제에 어떻게 대응하는지를 살펴보았다. 연구자들은 또한 이 (실험) 참가자들이 긍정적인 결과에 대해 얼마나 공상했는지, 그리고 그들이 실제로 얼마나 긍정적인 결과를 기대했는지를 측정했다. 공상과 기대의 차이는 정말 무엇일까? 공상은 이상화된 미래를 상상하는 것을 수반하는 반면, 기대는 실제로 사람의 과거 경험을 기반으로 한다. 그 결과는 희망했던 미래에 대해 공상하는 것에 관련된 사람들은 모든 상황에서 더 못했다는 것을 보여주었다. 성공에 대해 더 긍정적인 기대를 했던 사람들은 더 잘했다. 이 사람들은 직업을 구하거나, 시험에 합격하거나, 또는 수술에서 성공적으로 회복할 가능성이 더 높았다.

→ 긍정적인 기대는 희망했던 미래에 대해 공상하는 것보다 더 효과적이고, 그것은 목표를 성취하는 데 성공의 가능성을 증가시키는 경향이 있다.

② 주 4일 교과서 대표 전략 ①

pp. 58~61

대표 예제 1 (A) (t)hank (B) (h)elping   대표 예제 2 ②   대표 예제 3 (1) ④   (2) ⓐ show → showing
대표 예제 4 (A) ups and downs (B) is loved   대표 예제 5 ②   대표 예제 6 (1) ⑤   (2) (p)aper

대표 예제 1

홍콩에서 공항까지 가는 방법을 몰라 당황한 필자를 도와준 이름 모를 행인에게 감사를 전하는 편지글로, 두 번째 문장 Thank you very much for helping me last month in Hong Kong.에 글의 목적이 잘 나타나 있다.

해석 그녀가 공항에 가는 길 찾는 것을 도와준 것에 대해 감사를 표하기 위해

어휘 passerby 행인 in time 제시간에 direction 방향
thanks to ~ 덕분에

구문 풀이

L4 I was afraid / [I would not arrive at the airport / in time]
저는 걱정이었어요 공항에 도착하지 못할까 봐   제시간에
                         └ 명사절 접속사 that 생략

// [because I did not know / how to get there].
몰랐기 때문에   거기까지 가는 방법을
이유 부사절   how+to부정사: ~하는 방법

L10 I feel / [I would have missed the flight / if you had
저는 생각해요   비행기를 놓쳤을 것이라고
              └ 명사절 접속사 that 생략 가정법 과거완료(if+주어+had+p.p. ~,
                              주어+조동사의 과거형+have+p.p. ...)
not helped].
당신이 도와주지 않았다면

지문 해석

이름 모를 행인에게,
지난달 홍콩에서 저를 도와주셔서 정말 감사합니다. 저는 공항까지 가는 방법을 몰랐기 때문에 제시간에 도착하지 못할까 봐 걱정이었어요. 그때 당신이 친절하게도 저에게 공항에 가는 길을 알려주셨죠. 당신의 도움 덕분에, 저는 공항에 제시간에 도착할 수 있었어요. 당신이 도와주지 않았다면 저는 비행기를 놓쳤을 것이라고 생각해요. 어떻게 감사 인사를 드려야 할지 모르겠네요.
행운을 빌며,
미나 드림

© Rawpixel.com / shutterstock

대표 예제 2

밑줄 친 부분에서 사람들이 말문이 막힌 이유는 이어지는 내용을 통해 바다에 떠 있는 거대하고 아름다운 빙산을 보며 감탄했기 때문임을 알 수 있으므로, 필자의 심경으로 ② '감탄하는'이 가장 적절하다.

해석 ① 걱정되는 ② 감탄하는 ③ 우울한
④ 안도한 ⑤ 무관심한

어휘 iceberg 빙산 approach 접근하다 speechless 말문이 막힌 float 떠다니다 melt 녹다

구문 풀이

L2 [What we saw / {as we approached them}] /
우리가 본 것은   빙산들에 접근하면서
주어   시간 부사절   = the icebergs
┌ 동사
left us speechless.
우리로 하여금 말문이 막히도록 했다
leave+목적어+목적격보어(형용사)

L6 Some of them / were as big as mountains.
그것들 중 일부는   산만큼 컸다
some of+복수 명사+복수 동사 as+원급+as: ~만큼 …한(동등 비교)

지문 해석

우리는 빙산들을 더 잘 보기 위해 이 도시의 항구에서 배를 탔다. 우리가 빙산들에 접근하면서 본 것은 우리로 하여금 말문이 막히도록 했다. 서로 다른 모양의 거대한 빙산들이 바다에 떠다니고 있었다. 그것들 중 일부는 산만큼 컸다. Nielson 씨는 "빙산들은 녹고 있으며 매일 새로운 모양으로 천천히 변하고 있어요. 사실, 어느 때보다도 더 빨리 녹고 있어요."라고 말했다. 그 말은 우리가 같은 모양의 빙산들을 결코 두 번 볼 수 없다는 뜻이다. 아빠는 계속 사진들을 찍으셨고, 나는 내 마음속에 아름다운 빙산들의 이미지들을 기록하고자 최선을 다했다.

대표 예제 3

(1) 가상 합창단 공연의 감동적인 첫 장면을 묘사하는 글이므로, 글의 분위기로 ④ '감동적인'이 가장 적절하다.
   해석 ① 시끌벅적한 ② 긴장되는 ③ 즐거운
   ④ 감동적인 ⑤ 낭만적인
(2) ⓐ를 포함한 문장의 주어는 Rows of little screens이고 동사는 fill이므로 show ~ colors는 주어를 수식하는 현재분사구 형태가 되어야 한다. 따라서 ⓐ show는 showing으로 고쳐야 한다.

row 열 appear 나타나다 conduct 지휘하다
zoom 확대하다 perform 공연하다 virtual 가상의
choir 합창단 moved 감동받은 electronic 전자의
composer 작곡가

구문 풀이

L1 [Rows of little *screens*, / {**showing** people of all ages and
작은 화면들이 줄지어서   모든 연령대와 인종의 사람들을 보여주는
주어   현재분사구

colors}], / **fill** the stage / against a dark background.
              무대를 채운다   어두운 배경을 한
              동사

L9 There is / **neither** an orchestra **nor** an audience.
~이 있다   오케스트라도 청중도 없는
                neither A nor B: A도 B도 아닌

지문 해석

붉은 커튼이 천천히 열린다. 모든 연령대와 인종의 사람들을 보여 주는 작은 화면들이 줄지어서 어두운 배경을 한 무대를 채운다. 가운데에서 한 남자가 등장한다. 그는 곧 지휘를 시작하고 사라진다. 그러고 나면 노래를 부르는 이미지들이 음악에 따라 천천히 움직인다. 그 이미지들 중 몇 개는 서로 다른 얼굴들을 보여 주기 위해 확대된다. 오케스트라도 청중도 없다. 노래를 부르는 사람들은 서로 만나 본 적도 없고 함께 연습을 해 본 적이 없다. 그럼에도 불구하고 〈Lux Aurumque〉라고 불리는 노래는 아름다운 목소리가 어우러져 공연된다. 이것이 '가상 합창단'이다. "그 영상을 처음 봤을 때 저는 정말 감동받아 눈물을 흘렸어요. 모두 자신만의 무인도에 있던 이 사람들이 전자 메시지를 병에 담아 서로에게 보낸 거죠."라고 현대 음악 작곡가인 Eric Whitacre는 말했다.

대표 예제 4

은유는 경우에 따라 배경지식이나 단어의 의미를 기반으로 짐작할 수 있지만, 그렇지 않은 경우도 있다는 내용의 글이다.

(A) 인생은 많은 굴곡이 있다.
(B) 너는 사랑받거나 총애받는 사람이다.

comparison 비교 metaphor 은유 the apple of my eye 가장 사랑하는 사람 make up 구성하다

© goodluz / shutterstock

구문 풀이

L1 Now, / **think** carefully / about *the comparisons* made /
이제   주의 깊게 생각해 보라   제시된 비교와
명령문   about의 목적어 1   과거분사
                                ┌ 목적어 2
and [**what** you already know about the world].
그리고 여러분이 세상에 대해 이미 무엇을 알고 있는지에 대해
            선행사 포함 관계대명사(~하는 것)

L18 However, / you may **not always** / be able to guess
하지만   여러분이 항상 ~은 아니다   정확하게 짐작할 수 있는 것
                  항상 ~은 아닌(부분 부정)
correctly.

지문 해석

이제, 제시된 비교와 여러분이 세상에 대해 이미 무엇을 알고 있는지에 대해 주의 깊게 생각해 보라. 그러면 은유들이 무엇을 뜻하는지 여러분은 이해할 수 있을지도 모른다. 롤러코스터가 올라갔다가 내려간다는 점을 안다면, 여러분은 "인생은 롤러코스터이다."의 의미를 짐작할 수 있다. 하지만, 여러분이 항상 정확하게 짐작할 수 있는 것은 아니다. 예를 들어, 은유를 구성하는 모든 단어들을 이해하더라도 "너는 내 눈의 사과야."가 무슨 뜻인지 이해하지 못할 수 있다.

대표 예제 5

서두르지 말고 자신이 원하는 삶을 긍정적으로 살라는 내용의 글이므로, 요약문의 빈칸 (A)에는 follow, (B)에는 your own 이 들어가는 것이 가장 적절하다.

① 밀어붙일 … 서두름
② 따를 … 네 자신
③ 따를 … 모범
④ 밀어붙일 … 자유
⑤ 모방할 … 모범

keep ~ in mind ~을 명심하다 positive 긍정적인
make the most of ~을 최대한 이용하다 confident 자신감 있는 mentor 멘토, 조언자

구문 풀이

L2 I hope / [you keep its message in mind]: / high school
나는 바랄게 네가 이 시의 메시지를 명심하길   고등학교 시절은
          └명사절 접속사 that 생략
                  ┌ 명령문 1   ┌ 명령문 2
happens only once, / so **try to** stay positive / and **make** the
단 한 번뿐이니까   그러니 긍정적으로 생각하려고 노력하고
                try+to부정사: ~하려고 노력하다(cf. try+동명사: 한번 ~해보다)
most of it.
그리고 그것을 최대한 이용하도록 해

지문 해석

여기 내가 너와 나누고픈 시 한 편이 있어. 나는 네가 이 시의 메시지를 명심하길 바랄게. 고등학교 시절은 단 한 번뿐이니까 긍정적으로 생각하려고 노력하고 그것을 최대한 이용하도록 해. 행운을 빌어!

인생은 한 편의 예술 작품과 같다.

두려워하지 마라. 네 마음을 따르라.

네 물감과 네 붓을 골라라.

여유를 가져라. 서두르지 마라.

나는 공책을 덮으면서 마음이 따뜻해지고 자신감이 생기는 것을 느꼈다. 고마워요, 내 비밀 조언자!

→ 다른 사람들을 <u>따를</u> 필요는 없다. <u>네 자신</u>의 삶을 살아라.

대표 예제 6

(1) 사물을 다르게 바라봄으로써 새로운 물건을 발명하고 새 역사를 형성한다는 내용의 글로, Gutenberg가 인쇄기를 발명하게 된 사례를 들어 설명하고 있다. 와인 압착기와 동전 천공기 두 장치를 연결하려는 Gutenberg의 독특한 아이디어가 현대적인 인쇄기의 탄생으로 이어진 것이므로, 요약문의 빈칸 (A)에는 unique, (B)에는 combining이 들어가는 것이 가장 적절하다.

해석 ① 다른 … 창조함

② 독특한 … 만듦

③ 다른 … 구매함

④ 평범한 … 압착함

⑤ 독특한 … 결합함

(2) 동전 천공기와 와인 압착기를 이용해 이미지를 남길 만한 곳으로 paper(종이)가 적절하다.

어휘 shape 형성하다 device 장치, 도구 common 흔히 일어나는 punch 천공기 link 연결하다 press 압착하다 printing press 인쇄기

구문 풀이

L1 Throughout the ages, / many people have shaped
여러 시대에 걸쳐   많은 사람들이 인류 역사를 형성해 왔다

human history / **by viewing** things differently / and thus
          사물을 다르게 바라보고   그렇게 해서
by+ing: ~함으로써 동명사 1

developing *ideas* [**that** were new and useful].
아이디어들을 개발하는 것으로 새롭고 유용한
동명사 2   주격 관계대명사+동사(복수)

L12 What if / I took a bunch of these coin punches /
어떻게 될까 내가 이 동전 천공기 여러 대를 가져다
What if ~? ~라면 어떻까? 동사 1

and put them under the wine press / **so that** they left images /
그리고 와인 압착기 아래에 놓으면   이미지를 남길 수 있도록
동사 2 = these coin punches   so that ~: ~할 수 있도록(목적)

on paper?
종이 위에

지문 해석

여러 시대에 걸쳐, 많은 사람들이 사물을 다르게 바라보고 그렇게 해서 새롭고 유용한 아이디어들을 개발하는 것으로 인류 역사를 형성해 왔다. 그러한 사람 중 한 명이 Johannes Gutenberg였다. Gutenberg 시대에는, 두 개의 장치가 흔히 사용되었는데, 와인 압착기와 동전 제조기였다. 첫 번째 장치는 포도를 압착해서 와인을 만들었고, 다른 하나는 동전에 이미지를 새겨 넣었다. 어느 날, Gutenberg는 재미 삼아 자신에게 물었다. "만약 주화 제조기 여러 개를 와인 압착기 아래에 놓아 종이에 이미지를 남기게 하면 어떨까?" 결국, 두 장치를 연결하려는 그의 아이디어가 현대적인 인쇄기의 탄생으로 이어졌다. 이것은 역사를 영원히 바꾸어 놓았다.

→ Gutenberg는 독특한 방식으로 생각하여 두 가지 다른 장치를 결합함으로써 현대적인 인쇄기를 발명했다.

© Jan Schneckenhaus / Shutterstock

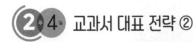
교과서 대표 전략 ②

pp. 62~63

01 ⑤   **02** ③   **03** ①   **04** ⓔ usual → new

01 효과적인 문제 해결을 위한 방법인 문제 확인 및 정보 수집 → 가능한 해결책 목록 작성 및 가능성 평가 → 실행에 옮긴 뒤 관찰 → 결과 평가라는 4단계 절차를 설명하는 글이므로, 글의 목적으로 ⑤가 가장 적절하다.

L10 Then, / **put** the **chosen** *solution* into action /
그리고 난 뒤　　　　　선택한 해결책을 실행에 옮기고
　　　명령문 1　과거분사

and **observe** [what happens].
그리고 무슨 일이 일어나는지 관찰하세요
　명령문 2　목적어(간접의문문: 의문사 주어+동사)

L12 I'm sure / [these steps will **help** you solve your
저는 확신합니다　이러한 단계가 여러분이 문제를 해결하는 데 도움을
　　　└ 명사절 접속사 that 생략　help+목적어+목적격보어(동사원형)

problems].
줄 것이라고

여러분은 대개 문제를 어떻게 해결하나요? 효과적인 문제 해결을 위해 여러분이 따라야 할 몇 가지 단계가 있습니다. 먼저, 자세히 살펴보고, 문제를 확인하고, 그러고 나서 문제에 관한 모든 중요한 사실들을 모으세요. 여러분은 문제를 풀기 전에 그것을 이해할 필요가 있습니다. 두 번째로, 여러분이 최선의 것을 선택하기 전에 가능한 해결책의 목록을 만들고 가능성들을 평가해 보세요. 그러고 난 뒤, 선택한 해결책을 실행에 옮기고 무슨 일이 일어나는지 관찰하세요. 마지막으로, 결과를 평가하세요. 저는 이러한 단계가 여러분이 문제를 해결하는 데 도움을 줄 것이라고 확신합니다.

02 필자와 일행은 일찌감치 자리를 잡고 북극광을 기다렸으나 아무 조짐도 없자 북극광을 볼 수 있을지 의심하다가, 마침내 북극광이 나타나 이를 감상하며 최고의 밤을 보내는 상황이므로, 필자의 심경 변화로 가장 적절한 것은 ③ '의심스러운 → 기쁜'이다.

해석 ① 지루한 → 무관심한
② 걱정스러운 → 당황한
③ 의심스러운 → 기쁜
④ 흥분한 → 실망한
⑤ 고무된 → 낙심한

L4
　　　　　　　　　　　┌ insisted의 목적어(명사절)
Mr. Nielsen **insisted** / [**that we get** settled early].
Nielsen 씨는 주장했다　　우리가 일찍 자리를 잡아야 한다고
insist that+주어(+should)+동사원형　└ should 생략

L13 Then, / they gradually turned into *curtains of green*
그러더니　그것들은 점차 녹색 빛 커튼들로 변했다

lights / [**that kept** changing color and shape].
　색깔과 모양이 계속 변하는
　주격 관계대명사　keep+-ing: 계속 ~하다

우리는 우리 여행의 마지막 목적지인 캉에를루수아크로 갔다. 그곳은 그린란드에서 북극광을 보기에 가장 좋은 장소들 중 하나이다. Nielsen 씨는 우리가 일찍 자리를 잡아야 한다고 주장했다. 그래서, 우리는 한 언덕 위에 자리를 잡고 북극광을 조용히 기다리면서 저녁을 먹었다. 하늘에서 북극광에 관한 어떤 조짐도 없이 시간이 흘렀다. 나는 우리가 북극광을 볼 수 있을지 의심하기 시작했다. 그때, 엄마가 외치셨다. "저 위를 봐!" 약간의 빛들이 하늘에 나타나기 시작했다! 처음에는, 그것들이 바람에 흔들리는 양초 불길처럼 보였다. 그러더니, 그것들은 점차 색깔과 모양이 계속 변하는 녹색 빛 커튼들로 변했다. 내 인생 최고의 밤이었다.

03 창의성을 향상시키는 방법에 관한 글로, 가능한 많은 답을 찾고, 실수를 두려워하지 말고, 지식과 경험을 통해 배우라고 말하고 있으므로, 요약문의 빈칸 (A)에는 creativity, (B)에는 mistakes가 들어가는 것이 가장 적절하다.

해석 ① 창의성 … 실수
② 창의성 … 성공
③ 상상력 … 실수
④ 상상력 … 기술
⑤ 지식 … 실패

© Africa Studio / shutterstock

04 ⓔ를 포함한 문장 앞에 실수를 두려워하지 말라는 내용이 있고 ⓔ가 포함된 Einstein이 한 말이 이어지고 있다. ⓔ 뒷부분에 계속해서 새로운 것을 배울 필요가 있다고 말하고 있으므로, ⓔ를 포함한 문장은 실수를 해 본 적이 없는 사람은 새로운 것을 결코 시도해 본 적이 없다는 의미가 적적하다. 따라서 ⓔ usual(평범한)은 new(새로운)로 고쳐야 한다.

L9 When you **do** *make mistakes,* / **try** to learn from them.
　　　정말 실수를 하면　　　　　그것들로부터 배우려고 노력하라
　　　일반동사　강조 조동사　　　명령문　　　　= mistakes

L11 *Anyone* [**who** has never made a mistake] / has never
실수를 해 본 적이 없는 사람은　　　　　　　　새로운 것을 결코
주어　　　주격 관계대명사　　　　　　　　　　동사
　┌ -thing+형용사
tried anything *new.*
시도해 본 적이 없다
try+(동)명사: ~을 시도하다

지문 해석

우리는 이러한 유명한 발명가들처럼 다르게 혹은 더 창의적으로 사고하는 것을 배울 수 있을까? 다행스럽게도, 그 대답은 '그렇다'이다. 창의적 사고는 기술이고, 우리는 그것을 향상시킬 수 있다. 더 창의적으로 사고하기 위해서, 단지 하나의 답이 아니라 많은 가능한 답을 찾아라. '…라면 어떨까?'라고 자문하거나, '…을 상상해 봐.'라고 스스로에게 말해 보라. 또한, 실수하는 것을 두려워하지 마라. 정말 실수를 하면, 그것들로부터 배우려고 노력하라. 언젠가 Albert Einstein이 말했듯이, "실수를 해 본 적이 없는 사람은 평범한(→ 새로운) 것을 결코 시도해 본 적이 없다." 가장 중요한 것은 창의성이 지식과 경험에 기반을 두고 있다는 것을 잊지 않는 것이다. 여러분은 계속해서 새로운 것을 배울 필요가 있다. 그런 식으로, 여러분은 창의성을 위한 도구들을 갖게 될 것이다.

→ 우리는 많은 다양한 답을 찾고 실수와 경험으로부터 배우려고 노력함으로써 창의성을 향상시킬 수 있다.

2주 누구나 합격 전략

pp. 64~65

01 ①   02 ②   03 ②   04 ①

01 동물 보호소 책임자로서 특별한 돌봄이 필요한 반려동물을 입양해 달라고 요청하는 글이므로, 글의 목적으로 가장 적절한 것은 ①이다.

어휘 community 지역 사회, 공동체 director 책임자 shelter 보호소 support 지원, 도움 effort 노력 facility 시설 fill up with ~로 가득 차다 adopt 입양하다 behavioral 행동상의 long-term 오랜 기간

구문 풀이

L7 Without *community members* / [who will take these
지역 주민이 안 계시다면 ~이 없다면 / 이러한 반려동물들을 주격 관계대명사

pets into their homes], / our shelter can fill up / with
자신들의 집으로 데려가는 / 저희 보호소는 가득 찰 것입니다

difficult-to-adopt cases.
입양이 어려운 동물들로

L13 It takes an entire community / [to save animals' lives] /
지역 사회 전체가 필요합니다 / 동물들의 생명을 구하는 데에는
가주어 진주어

— we cannot do it / without you!
저희는 그것을 할 수 없습니다 여러분이 없으면
= to save animals' lives

지문 해석

친애하는 지역 주민 여러분,
Save-A-Pet 동물 보호소 책임자로서, 저희 동물들을 보살피는 데 있어 여러분의 도움과 지원에 감사드립니다. 여러분의 노력에도 불구하고, 특별한 보살핌이 필요한 동물들을 돌보는 것은 저희 시설의 능력 밖의 일입니다. 이러한 반려동물들을 자신들의 집으로 데려가시는 지역 주민이 안 계시다면, 저희 보호소는 입양이 어려운 동물들로 가득 찰 것입니다. 의료적 또는 행동상의 도움이 필요한 반려동물을 입양하는 것을 고려해 주세요. 저희 입양 센터에 오셔서 더 오랜 기간 이곳에 거주하고 있는 동물 중 일부를 만나 주세요. 동물들의 생명을 구하는 데에는 지역 사회 전체가 필요합니다. 저희는 여러분이 없으면 그것을 할 수 없습니다!
Sarah Levitz 박사 드림

02 이륙하고 얼마 되지 않은 비행기에 문제가 생겨 두려워하던 필자가 비상사태를 알리기 위해 마이크를 향해 손을 뻗자 자신도 모르게 기화기 열 레버를 쳤고 이로 인해 엔진의 동력이 살아나 최악의 고비를 넘긴 상황이므로, 'I'의 심경 변화로 가장 적절한 것은 ② '겁에 질린 → 안도한'이다.

해석 ① 부끄러운 → 기뻐하는
② 겁에 질린 → 안도한
③ 만족한 → 후회하는
④ 무관심한 → 흥분한
⑤ 희망에 찬 → 실망한

실수로 기화기 열 레버를 친 것이 상황의 반전을 가져왔네.

어휘 board (배·비행기 등에) 타다, 탑승하다 climb out 급상승하다 freeze (두려움 등으로 몸이) 얼어붙다 control 통제 windscreen (자동차·비행기 등의) 앞 유리 declare 선언하다 emergency 비상사태 regain 되찾다, 회복하다 backfire 폭발음을 내다 loosen up 긴장이 풀리다 at ease 마음이 놓인

L6 [**When** I reach for the microphone / **to call** the center /
마이크에 손을 뻗을 때   센터에 전화하려고
시간 부사절   부사적 용법(목적)

to declare an emergency], / my shaky hand accidentally
비상사태를 선언하기 위해   나의 떨리는 손이 잘못해서
부사적 용법(목적)   주어 1

bumps the carburetor heat levers, / and the left engine
기화기 열 레버를 툭 쳤고   그리고 갑자기 왼쪽 엔진의
동사 1   주어 2

suddenly regains power.
동력이 되살아난다
     동사 2

        ┌→ Feeling의 목적어(명사절)
L11 [Feeling {that the worst is over}], / I find my whole body
최악의 고비가 끝났다고 느끼며   온몸의 긴장이 풀어지고
분사구문(동시 동작)   목적어

loosening up / and at ease.
         마음이 놓였다
목적격보어 1   목적격보어 2

지문 해석

나는 비행기를 타고, 이륙해서, 밤하늘로 올라간다. 몇 분 되지 않아, 비행기가 심하게 흔들리고, 나는 내가 아무것도 통제할 수 없다는 것을 느끼며 얼어붙는다. 빗물이 조종석 앞 유리를 강타하고 나는 더 나빠지는 기상 속으로 들어간다. 비상사태를 선언하기 위해 센터에 전화하려고 마이크에 손을 뻗을 때, 나의 떨리는 손이 잘못해서 기화기 열 레버를 툭 쳤고, 갑자기 왼쪽 엔진의 동력이 되살아난다. 양쪽 엔진이 모두 점화되어 최대 동력에 이른다. 최악의 고비가 끝났다고 느끼며, 온몸의 긴장이 풀어지고 마음이 놓였다.

03 '내가 그것을 하지 않았으면 좋을 텐데!'라는 가정으로부터 일어난 일에 대한 후회가 아닌 다음번에 무엇을 해야 할지 더 잘 알게 될 것이라는 가치를 배우라는 내용의 글이다. 또한 과거에 대해 후회하지 말고 미래 상황으로 바꿔 생각하라고 말하고 있으므로, 밑줄 친 부분의 의미로 가장 적절한 것은 ② '후회를 극복하고 다음번을 계획하다'이다.

해석 ① 당신의 관심과 연결된 일자리를 찾다
② 후회를 극복하고 다음번을 계획하다
③ 지지하는 사람들로 자신을 둘러싸다
④ 문법을 공부하고 명료한 문장으로 글을 쓰다
⑤ 당신의 말하는 방식을 검토하고 사과하다

어휘 reaction 반응 disappointment 실망 impress 인상을 남기다 entirely 전적으로 approach 접근법 pay-off 보상, 이득 significant 중요한 virtual 가상의 work out 해결하다 translate 번역하다

L2 If *the disappointment* [you're feeling] is linked / to
만약 당신이 느끼는 실망이 ~과 관련이 있다면
조건 부사절   └, 목적격 관계대명사 that[which] 생략

an exam [you didn't pass / because you didn't study for it], /
통과하지 못한 시험   당신이 그것을 위해 공부하지 않았기 때문에
to의 목적어 1└, 목적격 관계대명사 that[which] 생략

or *a job* [you didn't get / because you said silly things at
또는 얻지 못한 일자리   면접에서 어리석은 말을 했기 때문에
   목적어 2└, 목적격 관계대명사 that[which] 생략

the interview], / or *a person* [you didn't impress / because
또는 인상을 남기지 못한 사람
         목적어 3   └, 목적격 관계대명사 that[who(m)] 생략

you took entirely the wrong approach], / accept [that it's
당신이 완전히 잘못된 접근 방식을 취했기 때문에   지금 일이 '일어났다'는 것을
                              accept의 목적어(명사절)

happened now].
받아들이라

지문 해석

'내가 그것을 하지 않았으면 좋을 텐데!'라는 반응을 넘어가라. 만약 당신이 느끼는 실망이 당신이 그것을 위해 공부하지 않았기 때문에 통과하지 못한 시험, 또는 면접에서 어리석은 말을 했기 때문에 얻지 못한 일자리, 또는 당신이 완전히 잘못된 접근 방식을 취했기 때문에 인상을 남기지 못한 사람과 관련이 있다면, 지금 일이 '일어났다'는 것을 받아들이라. '내가 그것을 하지 않았으면 좋을 텐데!'의 유일한 가치는 다음번에 무엇을 해야 할지 더 잘 알게 될 거라는 것이다. 학습 보상은 유용하고 중요하다. 이 '내가 …이면 좋을 텐데'라는 의제는 가상이다. 일단 당신이 그것을 해결했다면, 그것을 과거 시제에서 미래 시제로 번역할 시기이다. 즉, '다음번에 내가 이 상황에 처한다면, 나는 …하려고 노력할 것이다.'

04 세 개의 연령 집단으로 나눈 뒤, 혼자서 혹은 두 명의 또래들이 지켜보는 가운데 컴퓨터 운전 게임을 하게 하는 실험에서 성인들은 혼자서 하거나 누가 있거나 아무런 변화가 없었지만 나이가 어릴수록 더 위험하게 운전하는 경향이 있다는 실험 결과를 소개하는 글이다. 따라서 요약문의 빈칸 (A)에는 presence, (B)에는 take risks가 들어가는 것이 가장 적절하다.

해석 ① 존재 … 위험을 감수하게
② 존재 … 조심스럽게 행동하게
③ 무관심 … 서투르게 수행하게
④ 부재 … 모험을 즐기게
⑤ 부재 … 독립적으로 행동하게

어휘 adolescent 청소년 mean 평균의 subject 실험

대상자 warn 경고하다 peer 또래 index 지수, 지표
reckless 무모한 behave 행동하다 observe 관찰하다

구문 풀이

L5 Subjects played *a computerized driving game* / [**in which**
실험 대상자들은 컴퓨터 운전 게임을 했다
　　　　　　　　　　　　　　　전치사+관계대명사(= where)
the player must avoid crashing into *a wall* / {**that** appears,
게임 참가자가 벽에 충돌하는 것을 피해야 하는
　　　　　　　avoid+동명사　　　　　　　　주격 관계대명사
(without warning), on the roadway}].
도로에 경고 없이 나타나는
삽입구

L15 In contrast, / adults behaved in similar ways / regardless
대조적으로　　　성인들은 비슷한 방식으로 행동했다　　상관없이
of / **whether** they were on their own / **or** observed by others.
　　　그들이 혼자 있든지　　　　　또는 다른 사람들에 의해 관찰되든지에
　　　whether A or B: A이든 B이든　　　　└, were 생략

지문 해석

한 연구에서, 306명의 사람들은 세 개의 연령 집단, 즉 평균 나

이 14세로 이루어진 어린 청소년, 평균 나이 19세로 이루어진 나이가 더 많은 청소년, 그리고 24세 이상인 성인으로 나뉘었다. 실험 대상자들은 게임 참가자가 도로에 경고 없이 나타나는 벽에 충돌하는 것을 피해야 하는 컴퓨터 운전 게임을 했다. 그들은 혼자서 게임을 하거나 두 명의 같은 나이 또래들이 구경하는 가운데 게임을 했다. 나이가 더 많은 청소년들은 자신들의 또래들이 (같은) 방에 있을 때 위험 운전 지수에서 약 50퍼센트 더 높은 점수를 기록했고, 어린 청소년들의 운전은 다른 십 대들이 주변에 있을 때 두 배 더 무모했다. 대조적으로, 성인들은 그들이 혼자 있든지 또는 다른 사람들에 의해 관찰되든지에 상관없이 비슷한 방식으로 행동했다.

© Getty Images Korea

→ 또래들의 존재는, 성인들은 그렇지 않지만, 청소년들이 더 위험을 감수하게 만든다.

2주 창의·융합·코딩 전략

pp. 66~69

A (1)(a)(i)nform　(b) day　(c) recycling　(2) ⓒ
B (1) I froze. / a chilly 'pins-and-needles' feeling / a pressure around my throat / my voice was trapped
　　(2) panicked / embarrassed / stressed
C 다솜
D (1)(a) unwilling responses　(b) equality　(2) ⓒ

A (1) 정해진 재활용 배출 요일이 없어서 재활용 구역이 지저분해지는 문제를 해결하기 위해 앞으로는 수요일에만 재활용품을 배출할 수 있다고 입주민들에게 알리는 내용의 글이다.

　해석 나는 입주민들에게 재활용하는 요일을 알리기 위해 이 글을 썼습니다.

　(2) ⓒ는 앞 문장 전체, 즉 This makes the recycling area messy를 선행사로 하는 관계대명사로, that은 계속적 용법으로 쓸 수 없다.

　어휘 recycling 재활용(품) participation 참여 resident 입주민, 거주민 put ～ out ～을 내놓다 association 조합 deal with ～을 처리하다

구문 풀이

L2 This **makes** the recycling area messy, / [**which** requires /
이것이 재활용 구역을 지저분하게 만들어서　　　　필요하게 합니다
　　　make+목적어+목적격보어(형용사)　　계속적 용법의 주격 관계대명사
extra labor and cost].　　　　　　　　　　　　(= and it requires)
추가 노동과 비용을

지문 해석

저희 재활용 프로그램은 여러분의 참여 덕분에 잘 운영되어 오고 있습니다. 재활용을 위해 정해진 날이 없기 때문에 입주민들은 아무 때나 그들의 재활용품을 내놓고 있습니다. 이것이 재활용 구역을 지저분하게 만들어서 추가 노동과 비용을 필요하게 합니다. 이 문제를 처리하기 위해서, 입주민 조합은 재활용하는

요일을 결정했습니다. 저는 여러분에게 수요일에만 여러분의 재활용품을 내놓을 수 있다는 것을 알려드리고자 합니다.

B (1) 필자가 직장에서 발표를 하려고 일어났을 때 몸이 얼어붙었고, '핀과 바늘로 찌르는 듯한' 차가운 느낌을 받았으며, 목에서 압박감을 느껴 목소리가 나오지 않는 것 같았으며, 사람들의 얼굴을 보자 계속할 수 없을 만큼 당황하고 있는 상황을 묘사한 글이다.

(2) 해석 〈보기〉 자랑스러운 / 당황한 / 만족한 / 스트레스 받은 / 당황한 / 기쁜 / 놀란

나는 직장에서 발표를 해야 했을 때 <u>당황했다/스트레스를 받았다</u>.

어휘 due ~하기로 되어 있는[예정된] freez 얼어붙다 (-froze-frozen) chilly 차가운 creep 엄습하다 stand still 정지해 있다 struggle 애쓰다 pressure 압박(감) trap 가두다 gaze around (놀라서) 두리번거리다 blur 흐릿한 형체

L4 [**Gazing** around at the blur of faces], / I realized /
흐릿한 형체의 얼굴들을 둘러보았을 때, 나는 깨달았다
분사구문(= When I gaze ~)
명사적 용법(목적어)
[they were all waiting for me **to begin**], / but by now / I knew /
그들이 모두 내가 시작하기를 기다리고 있다는 것을 하지만 그때쯤 나는 알았다
└ 명사절 접속사 that 생략 to부정사의 의미상 주어
[I couldn't continue].
내가 계속할 수 없다는 것을
└ 명사절 접속사 that 생략

내가 직장에서 발표를 하기로 한 날이었다. 시작하려고 일어났을 때, 나는 얼어붙었다. '핀과 바늘로 찌르는 듯한' 차가운 느낌이 손에서 시작해서 나를 엄습했다. 내가 말하기를 시작하려고 애썼을 때 시간은 정지해 있는 것 같았고, 나는 목 주위에 압박감을 느꼈는데, 마치 내 목소리가 갇혀서 빠져나올 수 없는 것 같았다. 흐릿한 형체의 얼굴들을 둘러보았을 때, 나는 그들이 모두 내가 시작하기를 기다리고 있다는 것을 깨달았지만, 그때쯤 나는 내가 계속할 수 없다는 것을 알았다.

긴장·초조함 관련 표현
anxious(걱정되는) / embarrassed(당황한) / irritated(초조한) / nervous(불안한) / stressed(스트레스 받은) 등

C 밑줄 친 부분이 의미하는 바를 파악하기 위해서는 성공적으

로 업무를 수행하는 창의적인 팀의 모순되는 특징 (contradictory characteristics)이 무엇인지 확인해야 하는데, For example 이하에서 최고의 업무 수행을 위해서는 깊은 지식과 숙련이 필요함과 동시에 신선한 관점이 필요하다고 했다. 따라서 밑줄 친 부분이 의미하는 바로 가장 적절한 것은 '전문가들과 신참자들 양측 모두를 활용하는 것'이다.

해석 민지: 그것은 단기 목표와 장기 목표를 수립하는 것을 의미해.

재림: 아니, 그것은 어려운 과업과 쉬운 과업 모두를 수행하는 것을 의미해.

규한: 나는 임시적인 해결책과 영구적인 해결책을 채택하는 것을 의미한다고 생각해.

다솜: 나는 그것을 전문가들과 신참자들 양측 모두를 활용하는 것이라고 이해했어.

Daniel: 글쎄. 나는 과정과 결과를 동시에 고려하는 것이라고 생각해.

어휘 exhibit 드러내다, 보이다 paradoxical 역설적인 characteristic 특징 tendency 경향 mutually 상호적으로 exclusive 배타적인 contradictory 모순되는 mastery 숙련, 통달 perspective 관점 prevailing 널리 퍼진, 만연한 accelerate 가속화하다

L2 For example, / **to do** its best work, / a team needs /
예를 들어 최고의 업무를 수행하기 위해서 팀은 필요하다
부사적 용법(목적)
[deep knowledge of *subjects* / relevant to *the problem* / {it's
주제에 대한 깊은 지식과 문제와 관련된 목적격 관계대명사
needs의 목적어 1 형용사구 that[which] 생략
trying to solve}], / and [a mastery of *the processes* **involved**].
해결하려고 애쓰고 있는 그리고 수반되는 과정의 숙련이
목적어 2 과거분사

L5 [Often **called** a "beginner's mind,"] / this is the newcomers'
종종 '초심자의 마음'이라고 불리는 이것은 신참자의 관점이다
└ being 생략 분사구문
perspective: / *people* [**who** are curious, even playful, and willing
즉 이들은 호기심 많고 심지어 장난기 넘치고 어떤 것도 기꺼이 물어보는
주격 관계대명사
to ask anything / — **no matter how naive** the question may
사람들인데 질문이 아무리 유치해 보일지라도
no matter how+형용사+주어+동사: ~가 아무리 …일지라도
seem] — / because they don't know / [what they don't know].
그들은 모르기 때문이다 자신이 모르는 것이 무엇인지도
know의 목적어(간접의문문)

창의적인 팀은 역설적인 특징을 드러낸다. 그것은 우리가 상호

배타적이거나 모순된다고 추정할 생각과 행동의 경향을 보여 준다. 예를 들어, 최고의 업무를 수행하기 위해서, 팀은 그들이 해결하려고 애쓰고 있는 문제와 관련된 주제에 대한 깊은 지식과 수반되는 과정의 숙련이 필요하다. 그러나 동시에, 널리 퍼져 있는 지혜나 일을 하는 확립된 방식에 구애받지 않는 신선한 관점이 필요하다. 종종 '초심자의 마음'이라고 불리는 이것은 신참자의 관점이다. 즉, 이들은 호기심 많고, 심지어 장난기 넘치고, 질문이 아무리 유치해 보일지라도 어떤 것도 기꺼이 물어보는 사람들인데, 그들은 자신이 모르는 것이 무엇인지도 모르기 때문이다. 따라서, <u>모순되는 특징들을 한데 모으는 것</u>은 새로운 아이디어의 과정을 가속화할 수 있다.

D (1) 개가 동일한 행위에 대해 더 안 좋은 보상을 받을 경우 마지못해 하는 반응을 보이고 이것이 개가 평등함에 대한 개념을 가지고 있음을 보여 준다는 실험 내용을 소개하는 글이다. 따라서 요약문의 빈칸 (A)에는 unwilling responses, (B)에는 equality가 들어가는 것이 가장 적절하다.

해석 기꺼이 하는 / 마지못해 하는 / 평범한 / 반응 / 행위 / 부끄러움 / 평등 / 소속감

(2) ⓒ를 포함한 문장은 동일한 행위에 대해 보상을 덜 받은 개는 발을 더 억지로 내밀고 더 빨리 멈추었다는 의미가 적절하므로 ⓒ later(더 늦게)는 sooner(더 빨리)로 고쳐야 한다.

어휘 fairness 공평 in turn 번갈아 가며, 교대로 reward 보상 reluctantly 억지로 raise 제기하다 hatred 증오심 inequality 불평등

구문 풀이

L2 The researchers **had** two dogs sit / next to each other /
연구자들은 두 마리의 개들을 앉히고 　　　　나란히
　　　　　　　　동사 1 have+목적어+목적격보어(동사원형)
　　　　　┌ 삽입구
and **asked** each dog (in turn) **to** give a paw.
그리고 각각의 개에게 번갈아 발을 내밀게 했다
동사 2 ask+A+to부정사: A가 ~하도록 요청하다

L4 In response, / *the dog* / [**that** was being "paid" less / ┌ 주격 관계대명사
이에 대한 반응으로　개는　'보상'을 덜 받고 있던
　　　　　　　주어　　　과거진행 수동태(be동사+being+과거분사)
for the same work] / **began** giving its paw more reluctantly /
동일한 행위에 대해　　　　발을 더 억지로 내밀기 시작하였고
　　　　　　　　　　　　　동사 1
and **stopped** giving its paw sooner.
그리고 발 내밀기를 더 빨리 멈추었다
동사 2

지문 해석

동물들은 공평에 대한 개념이 있을까? 연구자들은 '발을 내미는 것'에 대해 개들에게 보상을 주는 것으로 이것을 실험해 보기로 결정했다. 개들은 자신의 발을 내밀도록 반복적으로 요구받았다. 연구자들은 두 마리의 개들을 나란히 앉고 각각의 개에게 번갈아 발을 내밀게 했다. 그러고 나서 두 마리의 개들 중 한 마리는 다른 개보다 더 나은 보상을 받았다. 이에 대한 반응으로, 동일한 행위에 대해 '보상'을 덜 받고 있던 개는 발을 더 억지로 내밀기 시작하였고 발 내밀기를 더 늦게(→ 더 빨리) 멈추었다. 이러한 결과는 개들이 공평에 대한 기초적인 개념 또는 최소한 불평등에 대한 증오심을 가지고 있을 수 있다는 가능성을 제기한다.

→ 동일한 행위에 대해 다른 개보다 더 적은 보상을 받은 개는 <u>마지못해 하는 반응</u>을 보였고, 이것은 개들이 <u>평등함</u>에 대한 개념을 가지고 있을 수도 있다는 것을 암시한다.

신유형·신경향·서술형 전략

pp. 72~75

1 ②　　　2 ⓓ who → whose
3 ①　　　4 mistake
5 ②　　　6 That's why I knew something was terribly wrong
7 ②　　　8 ⓒ rare → frequent

1 중국 유목민들은 가축에서 지방과 단백질은 쉽게 얻을 수 있지만 비타민을 얻기 힘들어 그 부족함을 차(茶)로 보충했다는 내용의 글이므로, 글의 주제로 ② '중국에서 유목민이 차(茶)를 마시는 이유'가 가장 적절하다.

해석 ① 지방을 줄이기 위해 차를 마시는 것의 중요성
② 중국에서 유목민이 차를 마시는 이유

③ 높은 고도의 지역에서 사는 것의 어려움
④ 중국 북서부에서 유목 생활의 역사
⑤ 중국 차 문화를 단순하게 만드는 물건

2 ⓓ를 포함한 문장은 Tea, therefore, supplements the basic needs of the nomadic tribes.＋The nomadic tribes' diet lacks vegetables.이다. ⓓ 뒤에 명사가 이어지므로 who는 소유격 관계대명사인 whose로 고쳐야 한다.

어휘 life-changing 삶을 바꿀 정도의 herdsman 목동 spread 퍼지다 grassland 초원 pasture 목초지 make a living 생계를 유지하다 circumstance 환경 raise 기르다 fat 지방 protein 단백질 supplement 보충하다 nomadic 유목민의 diet 음식, 식이 요법 plateau 고원 autonomous 자치의 region 지역

<구문 풀이>

L3 It is often said / [that people make a living /
흔히 ~라고들 말한다   사람들은 생계를 유지하게 된다
가주어   진주어
according to given *circumstances*].
주어진 환경에 따라
~에 따라   과거분사

L9 Therefore, / [the herdsmen / from the QinghaiTibet
그러므로   유목민들은   QinghaiTibet 고원,
                주어   형용사구
Plateau, the Xinjiang and Inner Mongolia autonomous regions]
Xinjiang, 내(內)몽고 자치구의
/ follow [the tea culture system / {in which they drink tea with
차 문화 체계를 따른다   우유를 차와 함께 마시는
동사   목적어   전치사+관계대명사(= where)
milk}].

<지문 해석>

어떤 점에서, 차는 중국의 초원이나 목초지에 전파된 후, 목동들과 사냥꾼들에게 삶을 바꿀 정도의 중요한 역할을 했다. 사람들은 주어진 환경에 따라 생계를 유지하게 된다고들 말한다. 중국 북서 지역의 고원과 초원에서는, 많은 소, 양, 낙타, 그리고 말이 길러진다. (가축들이 제공하는) 우유와 고기는 사람에게 다양한 지방과 단백질을 제공하지만 비타민은 거의 제공하지 못한다. 그러므로, 차는 채소가 부족한 유목민들의 식단에 기본적인 필수 요소들을 보충한다. 그러므로, QinghaiTibet

© Pierre Jean Durieu / shutterstock

고원, Xinjiang, 내(內)몽고 자치구의 유목민들은 우유를 차와 함께 마시는 차 문화 체계를 따른다. 그리고 그들은 밀크티를 중국 북서 지역의 사람들에게 가장 소중한 것이 되게 했다.

3 필자가 어렸을 때 많은 시행착오를 겪으며 엄마로부터 요리를 배웠던 예를 들며 실수를 통해 배울 수 있다는 것을 설명하는 글이므로, 글의 요지로 ①이 가장 적절하다.

4 실수가 최고의 선생님이고 실수를 통해 배울 수 있다는 내용이므로, 빈칸에는 mistake(s)가 들어가는 것이 가장 적절하다.
해석 잘못된 방법으로 행해진 어떤 것
어휘 hindrance 방해 tool 도구 tolerate 참다 mess 엉망진창, 혼란 care about ~에 신경 쓰다, ~에 관심을 갖다 stuff ~것, 물건 trial and error 시행착오 flour 밀가루 boil 끓이다, 끓다 stove 스토브, (요리용) 레인지

<구문 풀이>

L7 We can't **tell** you / [how many times / we have dropped
                    ┌ 의문사구   ┌ 주어+동사
우리는 여러분에게 말해 줄 수 없다 얼마나 많이   달걀을 바닥에 떨어뜨리고
        간접목적어   직접목적어(간접의문문)   과거분사 1
eggs on the floor, / coated the kitchen in flour, / or boiled
                    부엌을 밀가루로 뒤덮고
                    (└ have) 과거분사 2   (└ have)
                                                    과거분사 3
things over on the stove].
스토브 위에서 음식을 끓어 넘치게 했는지

L11 Through those mistakes / we have learned [**what** works]
                                선행사 포함 관계대명사 ┐
그러한 실수들을 통해서   우리는 배워 왔다   효과가 있는 것과
                                        learned의 목적어 1(명사절)
/ and [definitely **what** doesn't].
그리고 효과가 분명히 없는 것을
목적어 2   (└ work)

<지문 해석>

우리 각자가 세 살이 되자 우리는 부엌일을 돕기 시작했다. 우리는 그 나이 때 도움이 된다기보다 방해가 되었을 것이라 확신하지만, 엄마는 요리가 좋은 학습 도구라고 생각하셨기 때문에, 우리가 저지른 모든 실수들을 참아내셨다. 물론, 우리는 배워야 할 것에 대해서 전혀 관심이 없었고, 그저 재밋거리로만 생각했으며, 지금도 여전히 그렇다. 우리는 많은 시행착오를 통해서 요리를 배웠다. 우리는 얼마나 많이 달걀을 바닥에 떨어뜨리고, 부엌을 밀가루로 뒤덮고, 스토브 위에서 음식을 끓어 넘치게 했는지 여러분에게 말해 줄 수 없다. 요점은, 할 만한 실수가 있다면 우리는 그것(실수)을 해 왔다. 그러나, 엄마가 항상 말씀하시는 것처럼, 실수는 최고의 선생님이다. 그러한 실수들을 통해서, 우리는 효과가 있는 것과 효과가 분명히 없는 것을 배워 왔다.

5 필자는 작년 봄에 잃어버린 애완견 Pinky를 찾으려고 주변을 뒤지고 전단지를 붙이는 등의 노력을 하고 있지만 아직도 나타나지 않고 있는 상황이므로, 'I'의 심경으로 ② '걱정스럽고 실망한'이 가장 적절하다.

해석 ① 지루하고 외로운

② 걱정스럽고 실망한

③ 흥분하고 기쁜

④ 겁먹고 위협 받은

⑤ 안도하고 만족한

6 '그것이 ~한 이유였다'는 That's why를 이용하여 쓸 수 있다. '무엇인가 크게 잘못 되었다'는 something was terribly wrong의 순서로 쓰면 된다.

> That's why / I knew / [something was terribly wrong /
> 그것이 ~한 이유였다 내가 알게 된 무엇인가 크게 잘못되었다는 것을
>   └ 명사절 접속사 that 생략
> that afternoon / last spring].
> 그 날 오후   작년 봄

어휘 handful 다루기 힘든 것[일] run 동물이 평소 지내는 울타리가 있는 공간 greet 맞이하다 empty 텅 빈 ache 아프다 animal shelter 동물 보호소 match 일치하다 description 생김새 sign 표지판 neighborhood 인근, 이웃 turn up 나타나다

구문 풀이

> **L2** *Every day* [**when** I got off the school bus] / she'd bark, /
> 매일 내가 스쿨버스에서 내릴 때마다   그녀는 짖으면서
>   관계부사   would+동사원형 1(과거 불규칙적 습관)
>
> (┌ would)   (┌ would)
> race to the end of her run / and try to jump over the gate /
> 마당 끝까지 달려와서   그리고 대문을 뛰어넘으려고 애를 쓰곤 했다
> 동사원형 2   동사원형 3
>
> **to greet** me.
> 나를 맞이하기 위해
> 부사적 용법(목적)
>
> **L6** None of my neighbors / **had seen** her **either**.
>   나의 이웃 사람 중 누구도   그녀를 보지 못했다
>   과거완료(경험)   ~도 역시(부정문)

지문 해석

나의 개, Pinky는 다루기 힘들었다. 그러나 Pinky와 나는 서로 정말 좋아했다. 매일 내가 스쿨버스에서 내릴 때마다 나를 맞이하기 위해 그녀는 짖으면서 마당 끝까지 달려와서 대문을 뛰어넘으려고 애를 쓰곤 했다. 그것이 작년 봄 그 날 오후 무엇인가

크게 잘못되었다는 것을 내가 알게 된 이유였다. 아무 소리도 없었다. Pinky가 평소 놀던 곳도 비어 있었다. 나는 발이 아플 때까지 거리를 뒤졌다. Pinky는 없었다. 나의 이웃 사람 중 누구도 그녀(Pinky)를 보지 못했다. 그다음 날 나는 동물 보호소에 전화했다. 나는 신문에 있는 '개 주인 찾기' 광고를 자세히 살펴보았다. 많은 광고가 있었지만, 어떤 것도 Pinky의 생김새와 일치하지 않았다. "걱정하지 마,"라고 엄마가 말씀하셨다. "우리는 잃어버린 개를 찾는 전단지를 붙이고 계속 찾아 볼 거야." 우리는 엿새 동안 인근을 살펴보았다. 여전히 Pinky는 나타나지 않았다.

7 속담이 그 나라의 국민성을 직접적으로 반영하지는 않지만, 그것의 빈번한 사용은 한 국가에 대한 일반적인 개념을 형성한다는 내용의 글로, 독일의 속담을 예로 들고 있다. 따라서 요약문의 빈칸 (A)에는 reflect, (B)에는 general이 들어가는 것이 가장 적절하다.

해석 ① 반영하다 … 이상적인

② 반영하다 … 일반적인

③ 포함하다 … 창의적인

④ 평가하다 … 특별한

⑤ 평가하다 … 전형적인

8 ©를 포함한 문장은 특정 문화 속에서 특정 속담들의 빈번한 사용이 다른 사회적, 문화적 지표들과 함께 사용되어 일부 공통적인 개념을 형성할 수 있다는 의미가 적절하므로 © rare(드문)는 frequent(빈번한)로 고쳐야 한다.

어휘 mentality 심리 conclusion 결론 character 성격 classical 고대의 biblical 성서의 medieval 중세의 indicator 지표 frequency 빈도 mirror 반영하다

구문 풀이

> **L4** There are **so** many popular proverbs / from classical,
>   유명한 속담들이 너무나 많기에   고대시대,
>   so ~ that ...: 너무나 ~해서 …하다
>
> Biblical, and medieval times / current in various cultures /
> 성서시대와 중세시대로부터 유래하여   현재 다양한 문화에 존재하는
>   ┌ 진주어
> **that it** would be foolish / [**to think of** them as showing
> 어리석을 것이다   그 속담들이 반영하고 있다고 보는 것은
>   가주어   think of A as B: A를 B로 보다
>   ┌ 과거분사
> <some **imagined** *national character*>].
> 몇몇 상상화 된 국민성을
> showing의 목적어

L10 Thus, / [if the Germans really **do** *use* the proverb, /
그러므로　만약 독일인들이 속담을 정말로 사용한다면
　　　　　조건 부사절　　　　　일반동사 강조 조동사

"Morgenstunde hat Gold im Munde" (*The morning hour* has
"*아침 시간*은 금과 같다."라는

gold in its mouth) / **with** high **frequency**], / then it **does** *mirror*
　　　　　　　　　 빈번하게　　　　　　　정말로 그것은 반영한다
　　　　　　　　 with+명사=부사　　　　일반동사 강조 조동사

/ at least to some degree / the German attitude /
적어도 어느 정도까지는　　　　　독일인들의 태도를
삽입구

towards getting up early.
일찍 일어나는 것에 대한

지문 해석

우리가 한 민족의 특정 세계관이나 심리를 표현하는 측면으로서 속담을 바라보는 경우에는 주의를 기울여야 한다. 즉, 소위 '국민

성'에 관하여 어떠한 고정된 결론도 도출되어서는 안 된다. 고대 시대, 성서시대와 중세시대로부터 유래하여 현재 다양한 문화에 존재하는 유명한 속담들이 너무나 많기에 그 속담들이 몇몇 상상화 된 국민성을 반영하고 있다고 보는 것은 어리석을 것이다. 그럼에도 불구하고, 특정 문화 속에서 특정 속담들의 <u>드문(→ 빈번한)</u> 사용은 다른 사회적, 문화적 지표들과 함께 사용되어 일부 공통적인 개념을 형성할 수 있다. 그러므로, 만약 독일인들이 정말로 "*아침 시간*은 금과 같다."라는 속담을 빈번하게 사용한다면, 그것은 일찍 일어나는 것에 대한 독일인들의 태도를 적어도 어느 정도까지는 반영한다.

→ 비록 속담들이 국민성을 직접적으로 <u>반영</u>할 수는 없지만, 특정 속담들의 빈번한 사용이 한 국가에 관한 <u>일반적인</u> 개념을 형성하기 쉽다.

© Getty Images Bank

적중 예상 전략 1회

pp. 76~79

01 ④　02 ①　03 ①　04 ②　05 ⓑ equality → barriers　06 some of whom spend their time spreading blame and division　07 (a) social media　(b) conflict　08 ⓐ believe의 목적어 명사절을 이끄는 접속사로 쓰였다.　ⓑ the time and effort를 선행사로 하는 주격 관계대명사로 쓰였다.　09 we are always better off gathering as much information as possible and spending as much time as possible　10 (a) impressions (b) better　(c) consideration

---

01 오랜 시간 연락하지 않고 지내다가 갑자기 연락한다고 해서 멀어진 사이가 한 번에 회복되지 않으며, 처음부터 연락이 끊기지 않도록 하는 것이 더 이상적이라는 내용의 글이므로, 필자의 주장으로 가장 적절한 것은 ④이다.

어휘 period 기간, 시기　take notice of ~을 알아차리다　distance 거리　scramble 급히 서둘러 하다　repair 수리　keep up 계속되다, 따라가다　fix 해결책　bother 귀찮아 하다　ideal 이상적인　consistency 일관성

구문 풀이

L5 We call *people* / [we haven't spoken to in ages], /
우리는 사람들에게 전화를 건다　오랫동안 이야기를 나누지 않은
　　　　　　　　　　└ 목적격 관계대명사 who(m)[that] 생략

[hoping / {that one small effort will erase / the months and
희망하며　한 번의 작은 노력으로 ~이 지워지기를　　몇 개월과
분사구문(동시 동작) hoping의 목적어(명사절)

years of *distance* / <we've created>}].
몇 년의 거리가　　　　우리가 만든
　　　　　　　└ 목적격 관계대명사 that[which] 생략

L10 This isn't to say / [that you shouldn't bother calling
이것은 말하려는 것이 아니다　누군가에게 전화하는 것을 귀찮아해서는
　　　　　　　　　　　　　 say의 목적어 1(명사절)

someone / just because it's been a while / since you've
안 된다고　　　단지 오래되었다는 이유로　　당신이 이야기한 지
　　　　　　　　　　　　　　　　　　　 비인칭주어

spoken]; / [just that it's more ideal / {not **to let** yourself *fall* out
　　　　단지 더 이상적이라는 것이다　연락을 끊기게 하지 않는 것이
　　　　목적어 2(명사절) 가주어　　진주어　let+목적어+목적격보어
　　　　　　　　　　　　　　　　　　　　 (사역동사)　　(동사원형)

of touch / in the first place}].
　　　　처음부터

지문 해석

우리는 자신이 아는 사람들에게 연락하지 않고 오랜 기간의 시간을 보내는 경향이 있다. 그러다가, 우리는 생겨난 거리감을 갑자기 알아차리고 서둘러 고친다. 한 번의 작은 노력으로 우리가 만든 몇 개월과 몇 년의 거리가 지워지기를 희망하며, 우리는 오랫동안 이야기를 나누지 않은 사람들에게 전화를 건다. 그러나, 이것은 거의 효과가 없다. 왜냐하면 관계는 커다란 일회성 해결

정답과 해설 **41**

책으로 유지되지 않기 때문이다. 이것은 단지 당신이 이야기한 지 오래되었다는 이유로 누군가에게 전화하는 것을 귀찮아 해서는 안 된다고 말하려는 것이 아니다. 단지 처음부터 연락을 끊게 하지 않는 것이 더 이상적이라는 것이다. 일관성이 언제나 더 나은 결과를 가져온다.

02 다른 사람의 요청을 거절하지 못함으로써 겪는 불편함이 쌓이면 거절하지 못하는 사람에게 분노를 느끼고 스트레스가 쌓이게 된다는 내용의 글이므로, 글의 요지로 가장 적절한 것은 ①이다.

> **어휘** inconvenience 불편함 pose 주다, 제기하다 request 요청하다, 요구하다 resent 분노하다, 분개하다 suppress 억누르다, 참다 constantly 지속적으로 eat up 사로잡다, 먹어 치우다

구문 풀이

L2 [**No matter what** anyone asks of you, / **no matter how**
어떤 사람이 여러분에게 무슨 요청을 하더라도   그것이 여러분에게
양보 부사절(무엇을 ~하더라도)   양보 부사절(아무리 많은 ~하더라도)
much of an inconvenience it poses for you], / you do /
아무리 많은 불편함을 주더라도   여러분은 한다
                                      주어   동사
┌ 선행사 포함 관계대명사(~한 것)
[**what** they request].
그들이 요청한 것을
do의 목적어(명사절)

L8 You will resent *the person* / [who (you feel) you cannot
여러분은 사람에게 분개할 것이다   거절할 수 없다고 느끼는
                                목적격 관계대명사   주어 동사
┌ 전치사+관계대명사
say no to] / [**because** you no longer have control of {your life} /
                자신의 삶을 더 이상 통제할 수 없기 때문에
                이유 부사절   of의 목적어 1
(┌ have control)
and of {what **makes** you happy}].
그리고 자신을 행복하게 만드는 것을
목적어 2 make+목적어+목적격보어(형용사)

지문 해석

여러분 중에서 얼마나 많은 사람이 거절하는 데 어려움을 겪는가? 어떤 사람이 여러분에게 무슨 요청을 하더라도, 그것이 여러분에게 아무리 많은 불편함을 주더라도, 여러분은 그들이 요청한 것을 한다. 이것은 여러분이 늘 그렇겠다고 함으로써 불편함이라는 감정을 쌓고 있기 때문에 건강한 생활 방식이 아니다. 여러분은 더 이상 자신의 삶과 자신을 행복하게 만드는 것을 통제할 수 없기 때문에, 거절할 수 없다고 느끼는 사람에게 분개할 것이다. 여러분이 감정적으로 억눌리고 여러분 자신의 의지와는 반대되는 일들을 지속적으로 할 때, 여러분이 셋까지 셀 수 있는 것보다 더 빨리 스트레스가 여러분을 사로잡을 것이다.

03 지식이나 생각은 말하거나 글을 쓰고 난 후 그것에 대해 비판적으로 돌아볼 때 다듬어진다는 내용의 글이므로, 글의 주제로 가장 적절한 것은 ① '생각을 정제하는 데 있어 말하기와 쓰기의 중요한 역할'이다.

> **해석** ① 생각을 정제하는 데 있어 말하기와 쓰기의 중요한 역할
> ② 여러분이 생각하는 것을 사람들과 의사소통하기 위한 설득력 있는 방법
> ③ 여러분의 쓰기를 위해 올바른 정보를 선택하는 데 중요한 조언
> ④ 읽기에서 논리적 사고의 긍정적인 효과
> ⑤ 음성 언어와 문자 언어의 엄청난 차이

> **어휘** communicate 전달하다 sheer 단순한, 순수한 judgement 판단 polish 다듬다, 손질하다 detail 세부 사항 critically 비판적으로 uncover 발견하다 embarrassing 당황스러운

구문 풀이

L1 You can say / [**that** information sits in one brain /
여러분은 말할 수 있다 정보가 한 뇌에 머무르고 있다고
                              say의 목적어(명사절)
┌ the information
{**until** it is communicated to another,} / <**unchanged** in the
그것)이 다른 뇌로 전달될 때까지   대화 중에는 변하지 않은 채로
~할 때까지(접속사)   = another brain being 생략 분사구문
conversation>].

L9 Therefore / you don't learn / the details of your thinking
그러므로   여러분은 알지 못한다 자신의 생각의 세부 내용에 대해서
                                      learn의 목적어
┌ ~할 때까지(전치사)
/ **until** {speaking or writing it out in detail} / and {looking back
그것을 자세히 말하거나 쓸 때까지
        until의 목적어 1   = your thinking   목적어 2
critically at the result}.
그리고 그 결과를 비판적으로 되돌아볼

지문 해석

여러분은 정보가 다른 뇌로 전달될 때까지 대화 중에는 변하지 않은 채로 한 뇌에 머무르고 있다고 말할 수 있다. 이것은 여러분의 전화번호나 여러분이 열쇠를 둔 장소와 같이 '단순한' 정보에 대해서는 사실이다. 하지만 이것은 지식에 대해서는 사실이 아니다. 지식은 판단에 의존하는데, 여러분은 다른 사람들이나 자신과의 대화 중에 그것(판단)을 발견하고 다듬는다. 그러므로 여러분은 그것을 자세히 말하거나 쓰고 나서 그 결과를 비판적으로 되돌아볼 때까지 자신의 생각의 세부 내용에 대해서 알지 못한다. 여러분은 말하거나 쓸 때 자신의 형편없는 생각들, 즉 자주 당황스러운 생각들, 그리고 또한 좋은 생각들, 때로는 유명하게 해 주는 생각들을 발견한다. 생각은 그것의 표현을 필요로 한다.

04 오랫동안 공동체들은 춤 의식을 통해 공동체의 삶에 강한 영향력을 미치며 자신들의 정체성을 구축해 왔다는 내용의 글이다. 따라서 글의 제목으로 가장 적절한 것은 ② '춤: 사회적 정체성의 분명한 표시'이다.

[해석] ① 무엇이 전통 춤을 배우기 어렵게 만드는가?

② 춤: 사회적 정체성의 분명한 표시

③ 더 다양할수록, 더 나은 춤

④ 울적한가? 춤을 즐기라!

⑤ 부족 춤의 기원

[어휘] community 공동체, 지역 사회 identity 정체성 ritual 의식, 의례 mark 기념하다, 표시하다 bind 결속시키다, 뭉치다 influence 영향력 participation 참여 demonstrate 보여 주다, 입증하다 belonging 소속감 consequence 결과 distinct 뚜렷한, 분명한

구문 풀이

L1 Throughout time, / communities have forged their
오랫동안   공동체들은 자신들의 정체성을 구축해 왔다
                       주어   동사

identities / through *dance rituals* / [**that** mark major events /
춤 의식을 통해   중요한 사건들을 기념하는
                        주격 관계대명사

in the life of individuals, / {**including** birth, marriage, and
개인의 삶에서   출생, 결혼, 죽음을 포함한
                                ~을 포함하여

death / — **as well as** religious festivals and important points
죽음   종교적인 축제와 계절의 중요한 시점만 아니라
         A as well as B: B뿐만 아니라 A도(A, B 명사(구) 병렬 구조)

in the seasons}].
in the seasons}].

L12 As a consequence, / in many regions of the world /
그 결과   세계의 많은 지역에는

there are **as many** types of dances / **as** there are *communities*
많은 종류의 춤이 존재한다   공동체들이 존재하는 만큼
          as many ... as ~: ~만큼이나 많은 …

/ with distinct identities.
뚜렷한 정체성을 가진
형용사구

지문 해석

오랫동안, 공동체들은 종교적인 축제와 계절의 중요한 시점뿐만 아니라, 출생, 결혼, 죽음을 포함한 개인의 삶에서 중요한 사건들을 기념하는 춤 의식을 통해 자신들의 정체성을 구축해 왔다. 역사적으로, 춤은 그 집단의 사회적 정체성을 표현하는 수단으로서, 공동체 삶에 단결시켜 주는 강한 영향력을 끼쳐 왔으며, 참여는 개인들로 하여금 소속감을 보여 주도록 해 준다. 그 결과, 세

계의 많은 지역에는 뚜렷한 정체성을 가진 공동체들이 존재하는 만큼 많은 종류의 춤이 존재한다.

[05~07]

05 ⓑ를 포함한 문장의 앞부분에 제시된 역접의 연결어 but으로 보아 ⓑ는 문맥상 앞의 내용과는 상반되는 의미가 되어야 한다. 우리가 더 가까워지기는 했지만 서로 장벽을 쌓도록 해 왔다는 부정적 의미가 적절하므로 ⓑ equality(평등)는 barriers(장벽)로 고쳐야 한다.

06 조건상 관계대명사를 사용해야 하므로 '이들 중 일부는'은 some of whom으로 나타낸다. '~하는 데 시간을 보내다'는 「spend+시간+-ing」로 나타낸다.

In some respects it has, / but it has simultaneously
어떤 면에서는 그래 왔지만   하지만 동시에 그것은 목소리와 조직력을 부여해 왔고,
                                = has united us

given voice and organizational ability / **to** *new cyber tribes*, /
새로운 인터넷 족들에게
give+직접목적어+to+간접목적어: ~을 …에게 부여하다

some of **whom spend** their time / spreading blame and
이들 중 일부는 자신들의 시간을 보낸다   비난과 분열을 확산하는 데
= and some of them spend+시간+-ing: ~하는 데 시간을 보내다

division / across the World Wide Web.
월드 와이드 웹에서

07 소셜 미디어를 통한 세계화가 우리를 더 가깝게 만들기도 했지만 또한 갈등과 분쟁이라는 부정적 결과를 낳기도 했다는 내용의 글로, 후반부의 There seem now to be as many tribes, and as much conflict between them, as there have ever been.이 주제문이다.

[해석] 소셜 미디어를 통해, 세계화와 더불어 집단 분쟁의 시대가 도래했다.

[어휘] flat 평평한 globalization 세계화 inevitably 필연적으로 inspire 부추기다, 고무하다 threat 위협 financial 재정의 refugee 난민, 망명자 immigration 이민 cling 매달리다 unite 통합시키다, 하나로 되다 simultaneously 동시에 organizational 조직의 coexist 공존하다

구문 풀이

L8 **There seem** now **to be** / **as** many tribes, / **and as** much
　　　현재 있는 것 같다　　　　　　많은 부족들, 그리고 많은 분쟁이
There seems to be ~: ~가 있는 것 같다　　as A1 and as A2 ~ as B:
　　　　　　　　　　　　　　　　　　　B만큼 A1하고 A2하다
conflict / between them, / **as** there have ever been.
　　분쟁이　　그들 사이의　　지금까지 그래 온 만큼이나
　　　　　　　　　　　　　　　현재완료(계속)

지문 해석

Thomas Friedman의 2005년 저서 제목인 〈The World Is Flat〉은 세계화가 필연적으로 우리를 더 가깝게 만들 것이라는 믿음에 근거한 것이었다. 그것은 그렇게 해 왔지만, 또한 그것은 우리가 평등(→ 장벽)을 쌓도록 해 왔다. 금융 위기, 테러리즘, 폭력적 충돌, 난민과 이민, 늘어나는 빈부 격차 같은 감지된 위협들에 직면할 때, 사람들은 자신의 집단에 더 단단히 매달린다. 한 유명한 소셜 미디어 회사 설립자는 소셜 미디어가 우리를 결합시킬 것이라고 믿었다. 어떤 면에서는 그래 왔지만, 동시에 그것은 새로운 사이버 족들에게 목소리와 조직력을 부여해 왔고, 이들 중 일부는 월드 와이드 웹에서 비난과 분열을 확산하는 데 자신들의 시간을 보낸다. 지금까지 그래 온 만큼이나 많은 부족들, 그리고 그들 사이의 많은 분쟁이 현재 있는 것 같다. '우리와 그들'이라는 개념이 남아 있는 세계에서 이러한 부족들이 공존하는 것이 가능한가?

© Getty Images Korea

[08~10]

08 연결사로 쓰인 that은 접속사나 관계대명사이다. 접속사 that은 주어, 보어, 목적어 역할을 하는 명사절을 이끈다. 관계대명사 that은 who, whom이나 which 대신 주격과 목적격 관계대명사로 쓰이며, 선행사를 수식하는 형용사절을 이끈다. 접속사 that 뒤에는 주어, 동사, 보어/목적어 등 문장 성분을 모두 포함한 완전한 절이 이어지는 반면, 관계대명사 that 뒤에는 불완전한 절이 이어진다.

09 비교급 구문을 사용하여 문장을 완성한다. '우리가 늘 더 나을 것이다'는 we are always better off로, '가능한 한 ~한'은 「as+비교급+as possible」로 쓰면 된다.

We believe / [**that** we are always better off / gathering **as**
우리는 믿는다　　우리가 언제나 더 나을 것이라고　　분사구문 1(조건)
　　　　　　　believe의 목적어(명사절)

much information **as possible** / and spending **as** much time
가능한 한 많은 정보를 모으고　　　그리고 가능한 한 많은 시간을
as ~ as possoble: 가능한 한 ~한[하게]　　분사구문 2

as possible in careful consideration].
주의 깊게 숙고하는 데 시간을 보내면
spend+시간+in+명사 ~하는 데 시간을 보내다

10 대부분 빠르게 인식하는 것보다는 오랜 시간과 노력을 들일수록 더 좋은 결정을 내릴 수 있다고 믿지만, 시간에 쫓기는 중요한 상황에서는 신속하고 첫인상에 기초한 판단이 지나치게 신중한 고찰보다 더 나을 수 있다는 내용의 글이다.

해석 신속한 첫인상에 기초한 판단이 지나치게 신중한 고찰보다 더 나을 수 있다.

어휘 suspicious 의심하는 leap (껑충) 뛰다 consideration 숙고, 고찰 time-driven 시간에 쫓기는 critical 매우 중요한 snap judgment 순식간에 내리는 판단 impression 인상 make sense of ~을 이해하다 survivor 생존자 sharpen 연마하다, 날카롭게 하다

구문 풀이

L5 But there are *moments*, / parrticularly in time-driven,
　　　하지만 순간이 있다　　　　특히 시간에 쫓기는 매우 중요한 상황에서는
　　　　　　　when절의 선행사　　　삽입구

critical situations, / [**when** haste does not make waste], /
　　　　　　　　　　서두르는 것이 일을 그르치지 않는
　　　　　　　　　　계속적 용법의 관계부사 1

[**when** our snap judgement and first impressions / can offer
순식간에 내리는 우리의 판단과 첫인상이　　　　더 나은 수단을
관계부사 2

better means / of making sense of the world].
제공할 수 있는　세상을 이해하는

지문 해석

우리 대부분은 빠른 인식에 의구심을 가진다. 우리는 결정의 질이 결정을 내리는 데 소요된 시간 및 노력과 직접적인 관계가 있다고 믿는다. 우리가 자녀들에게 말하는 "서두르면 일을 그르친다." "돌다리도 두드려 보고 건너라." "멈춰서 생각하라." "겉만 보고 판단하지 마라."가 그것이다. 우리는 가능한 한 많은 정보를 모으고 가능한 한 많은 시간을 주의 깊게 숙고하는 데 시간을 보내면 우리가 언제나 더 나을 것이라고 믿는다. 하지만 특히 시간에 쫓기는 매우 중요한 상황에서는 서두르는 것이 일을 그르치지 않는, 다시 말해 순식간에 내리는 우리의 판단과 첫인상이 세상을 이해하는 더 나은 수단을 제공할 수 있는 순간이 있다. 생존자들은 어쨌든 이 교훈을 배웠고 신속하게 인식하는 능력을 발전시켜서 연마했다.

01 ④　　02 ①　　03 ⑤　　04 ②　　05 was as useful and immediate invitation / was more useful and immediate invitation / asking someone for something　　06 overcome　　07 (a) newcomer (b) favor　　08 ③　　09 through which one's identity can be positioned in relation to others 10 (a) connections　(b) musical　(c) community

01 도서관 건물 개축 공사를 지원한 건축업자를 도울 자원봉사자를 모집하면서 도서관을 더 나은 곳으로 만드는 데 참여할 것을 권유하는 글이므로, 글의 목적으로 가장 적절한 것은 ④이다.

어휘 raise (자금 등을) 모으다 remodel 개축하다, 리모델링하다 local 지역의 builder 건축업자 volunteer 자원하다 assistance 도움 grab 쥐다 donate 기부[기증]하다 construction 공사

구문 풀이

L9 **Join** Mr. Baker in his volunteering team / and **become** a
　　Baker 씨의 자원봉사 팀에 함께하셔서
　　명령문 1　　　　　　　　　　　　　　　　명령문 2

part of **making** Eastwood Library a better place!
Eastwood 도서관을 더 나은 곳으로 만드는 일원이 되십시오
　　make+목적어+목적격보어(명사구)

지문 해석

Eastwood 도서관 회원들에게,

Friends of Literature 동호회 덕분에, 우리는 도서관 건물을 개축하기에 충분한 자금을 성공적으로 마련했습니다. 우리 지역의 건설업자인 John Baker 씨가 개축을 도와주기로 자원했지만, 그분은 도움이 필요합니다. 망치나 그림 그리는 붓을 쥐고 여러분의 시간을 기부함으로써, 여러분은 공사를 도울 수 있습니다. Baker 씨의 자원봉사 팀에 함께하셔서 Eastwood 도서관을 더 나은 곳으로 만드는 일원이 되십시오! 더 많은 정보를 원하시면 541-567-1234로 전화해 주시기 바랍니다.

Mark Anderson 드림

02 새로 이사 온 이웃에 대해 궁금해 하던 중 자신 또래의 여자아이가 있다는 말을 듣고 친구를 달라는 자신의 기도가 응답을 받았다며 즐거워하는 상황이므로, Shirley의 심경으로 가장 적절한 것은 ① '궁금하고 신이 난'이다.

해석 ① 궁금하고 신이 난
② 미안하고 언짢은
③ 질투가 나고 짜증이 난
④ 차분하고 느긋한
⑤ 실망하고 기분이 좋지 않은

어휘 notice 알아차리다 neighbor 이웃 joyfully 기쁘게 playmate 놀이 친구 nearly 거의 drop 떨어뜨리다 pray 기도하다

구문 풀이

L1 On the way home, / Shirley **noticed** a truck parked /
　　집에 오는 길에　　　　Shirley는 트럭 한 대가 주차되어 있는 것을 알아차렸다
　　　　　　　　　　　　　　　notice+목적어+목적격보어(수동 과거분사)

in front of the house / across the street.
집 앞에　　　　　　　　　길 건너편에 있는

지문 해석

집에 오는 길에, Shirley는 길 건너편에 있는 집 앞에 트럭 한 대가 주차되어 있는 것을 알아차렸다. 새로운 이웃이었다! Shirley는 그들에 대해 알고 싶어 견딜 수가 없었다. 저녁 식사 시간에 그녀는 "새 이웃에 대해 뭐 좀 아시나요?"라고 아빠에게 물었다. 아빠는 "그럼, 그리고 너에게 흥미 있을 만한 것이 하나 있지."라고 말씀하셨다. Shirley는 더 묻고 싶은 것이 엄청나게 많았다. 아빠는 "딱 너 정도의 나이인 여자아이가 한 명 있더구나. 아마 그 애가 너의 놀이 친구가 되고 싶어 할지도 몰라."라고 즐겁게 말씀하셨다. Shirley는 자신의 포크를 바닥에 떨어뜨릴 뻔했다. 친구를 달라고 그녀가 얼마나 많이 기도했던가? 드디어, 그녀의 기도는 응답을 받은 것이었다! 그녀와 새로 온 여자아이는 함께 학교에 가고, 함께 놀고, 그리고 제일 친한 친구가 될 수 있을지도 모른다.

03 밑줄 친 부분은 성공에 대한 현재의 정의만으로는 답을 찾을 수 없는 이유에 해당된다. 수백만 명의 사람들이 돈과 권력을 성공과 동일시하지만, 많은 사람들이 그렇지 않다는 것을 인식하고 있다고 했으므로, 밑줄 친 부분의 의미로 가장 적절한 것은 ⑤ '돈과 권력이 반드시 당신을 성공으로 이끌지는 않는다.'이다.

해석 ① 사람들은 스스로에 대한 자신감을 잃어 가고 있다.
② 꿈이 없으면, 성장할 기회도 없다.
③ 우리는 다른 사람들의 기대에 따라 살아서는 안 된다.
④ 어려운 상황에서 우리의 잠재력을 깨닫는 것은 어렵다.
⑤ 돈과 권력이 반드시 당신을 성공으로 이끌지는 않는다.

어휘 equate 동일시하다 desperately 필사적으로, 몹시 promotion 승진 payday 월급날 satisfy 만족시키다 longing 갈망 silence 침묵시키다 dissatisfaction 불만족 emerging economies 개발 도상국 dead end 막다른 chase 좇다, 추구하다

구문 풀이

L3 There are still *millions* [desperately looking for /
수백만 명의 사람들이 여전히 있다   필사적으로 찾는
⌐ who are 생략
the next promotion, / the next million-dollar payday] /
다음번 승진   다음번 백만 달러의 월급날
looking for의 목적어 1   목적어 2
[that (they believe) will satisfy / their longing {to feel better
그들이 믿기에   충족시켜 주거나 더 나은 기분을 느끼려는 열망을
주격 관계대명사 삽입절   동사 1   형용사적 용법
about themselves}, / or silence their dissatisfaction].
자신에 대해   혹은 자신들의 불만족을 잠재울
(will) 동사 2

지문 해석

여전히 성공을 돈이나 권력과 동일시하는 수백만 명의 사람들이 있다. 그들이 믿기에 자신에 대해 더 나은 기분을 느끼려는 열망을 충족시켜 주거나 자신들의 불만족을 잠재울 다음번 승진, 다음번 백만 달러의 월급날을 필사적으로 찾는 수백만 명의 사람들이 여전히 있다. 하지만 서구와 개발 도상국 모두, 이것이 모두 막다른 길에 있다는 것, 즉 그들이 깨진 꿈을 좇고 있다는 것을 인식하는 사람들이 매일 더 많다. 우리가 성공에 대한 현재의 정의만으로는 답을 찾을 수 없는데, 왜냐하면 '그곳에는 그곳이 없기' 때문이다.

04 휴대전화가 있는 방과 휴대전화가 없는 방에서 모르는 사람과 짝이 되어 이야기하게 한 실험에서, 휴대전화가 있는 방에서 대화를 한 참가자들이 휴대전화가 없는 방에서 대화를 한 참가자들보다 대화의 질이 더 나빴다는 실험 결과를 소개하고 있다. 따라서 요약문의 빈칸 (A)에는 weakens, (B)에는 ignored가 들어가는 것이 가장 적절하다.

해석 ① 약화시킨다 … 응답되고
② 약화시킨다 … 무시되고
③ 재개한다 … 응답되고
④ 유지한다 … 무시되고
⑤ 유지한다 … 갱신되고

어휘 present 있는, 존재하는 participant 참가자 quality 질 relationship 관계 hurt 해치다, 상하게 하다 connection 관계, 연결

© Umberto Shtanzman / shutterstock

구문 풀이

L5 [**After** the conversations **had ended**], / the researchers
대화가 끝나고 나서   연구자들은
시간 부사절   대과거(asked보다 이전의 일)
asked the participants / [what they thought of each other].
참가자들에게 물었다   서로에 대해 어떻게 생각하는지
간접목적어   직접목적어(간접의문문: 의문사+주어+동사)
⌐ 선행사 포함 관계대명사
L8 Here's [**what** they learned]: / when a cell phone was
이것이 그들이 알게 된 것이다   방에 휴대전화가 있을 때
is의 보어(명사절)
present in the room, / the participants reported / [the quality
참가자들은 말했다   명사절
명사절 접속사 that 생략 ⌐
비교 구문
of their relationship was **worse** / **than** *those* {who'd talked /
그들의 관계의 질은 더 나빴다고   대화한 참가자보다
= participants 주격 관계대명사
in a cell phone-free room}].
휴대전화가 없는 방에서

지문 해석

한 연구에서, 연구자들은 모르는 사람들과 짝이 되어 한 방에 앉아서 이야기하도록 요청했다. 방의 절반에는 근처의 탁자 위에 휴대전화가 놓여 있었고, 나머지 절반의 방에는 휴대전화가 없었다. 대화가 끝나고 나서, 연구자들은 참가자들에게 서로에 대해 어떻게 생각하는지 물었다. 이것이 그들이 알게 된 것이다. 방에 휴대전화가 있을 때 참가자들의 관계의 질은 휴대전화가 없는 방에서 대화한 참가자들보다 더 나빴다고 말했다. 친구와 점심을 먹으려고 자리에 앉아서 휴대전화를 탁자 위에 놓았던 모든 순

간을 생각해 보라. 여러분이 확인하지 않은 메시지도 여전히 맞은편에 앉아 있는 사람과의 관계를 해치고 있었다.

→ 휴대전화의 존재는 심지어 휴대전화가 <u>무시되고</u> 있을 때조차 대화에 참여하는 사람들의 관계를 <u>약화시킨다</u>.

[05~07]

05 최상급 구문은 부정어와 원급 및 비교급을 이용하여 같은 의미의 문장으로 바꿔 쓸 수 있다.

*최상급
= 「부정어+as+원급+as A」(A만큼 ~한 것은 없다)
= 「부정어+비교급 ~ than A」(A보다 더 ~한 것은 없다)

Asking someone for something was the most useful and immediate invitation to social interaction.

= Nothing was as useful and immediate invitation to social interaction as asking someone for something.

= Nothing was more useful and immediate invitation to social interaction than asking someone for something.

06 새로 이사 온 사람과 그 이웃이 서로에게 부탁을 함으로써 양쪽 모두 낯선 사람에 대한 주저함과 두려움을 극복할 수 있었을 것이므로, 빈칸에는 overcome(극복하다)이 들어가는 것이 가장 적절하다.

해석 무언가를 성취하는 것을 방해하는 감정이나 문제를 통제하다

07 도움을 준 사람이 도움을 요청한 사람에게 오히려 호감을 느끼는 현상인 프랭클린 효과에 대해 설명하는 글로, 상대에게 친절을 베풀도록 요청하는 행위가 또 다른 친절로 이어져 친밀함과 신뢰를 증진시키며 낯선 사람에 대한 두려움을 극복할 수 있다는 내용이다.

해석 새로 온 사람이 새로운 이웃과의 친밀함과 신뢰를 증진시키는 최고의 방법은 <u>부탁</u>하는 것임을 알려주기 위해

어휘 suggest 제안하다 newcomer 새로 온 사람, 신참자 neighborhood 동네 favor 친절, 호의, 부탁 maxim 격언 immediate 즉각적인 invitation 초대 interaction 상호작용 opportunity 기회 encounter 만남 in return 보답

으로 familiarity 친밀함 trust 신뢰 hesitancy 주저함

구문 풀이

L1 Benjamin Franklin once **suggested** / [**that** a newcomer
Benjamin Franklin은 언젠가 제안했다   동네에 새로 온 사람은
suggest that+주어(+should)+동사원형
┌→ should 생략
to a neighborhood / **ask** a new neighbor **to do** him or her a
새 이웃이 그 또는 그녀에게 친절을 베풀도록 요청해야 한다고
ask+A+to부정사: A가 ~하도록 요청하다
favor], ...

L5 Such asking / on the part of the newcomer /
그러한 부탁은   새로 온 사람이 만든

provided the neighbor / with *an opportunity* [**to show** himself
이웃에게 제공했던 것이다   자신을 보여줄 수 있는 기회를
provide A with B: A에게 B를 제공하다   형용사적 용법
or herself / **as** a good person, / at first encounter].
좋은 사람으로   첫 만남에서
~로서(자격)

지문 해석

Benjamin Franklin은 언젠가 '여러분에게 친절을 베푼 적이 있는 사람은 바로 여러분이 친절을 베풀었던 사람보다도 더 여러분에게 또 다른 친절을 베풀 준비가 되어 있을 것이다.'라는 옛 격언을 인용하며 동네에 새로 온 사람은 새 이웃이 그 또는 그녀에게 친절을 베풀도록 요청해야 한다고 제안했다. Franklin의 의견에 따르면, 누군가에게 무언가를 부탁하는 것은 사회적 상호작용에 대한 가장 유용하고 즉각적인 초대였다. 새로 온 사람이 만든 그러한 부탁은 첫 만남에서 (이웃이) 자신을 좋은 사람으로 보여 줄 수 있는 기회를 이웃에게 제공했던 것이다. 그것은 또한 이제 반대로 후자(이웃)가 보답으로 전자(새로 온 사람)에게 부탁할 수 있다는 것을 의미하며, 이는 친밀함과 신뢰를 증진시켰다. 그러한 방식으로, 양쪽은 낯선 사람에 대한 당연한 주저함과 서로 간의 두려움을 <u>극복할</u> 수 있었다.

[08~10]

08 주어진 문장은 사회음악학자인 Frith가 대중음악이 such connections(그러한 연결)을 가지고 있다고 주장한다는 내용으로, such connections는 ③ 앞부분의 Agger의

진술인 "identities are largely social products, formed in relation to others and how we think they view us."를 언급한다. 또한 ③ 뒷부분에서 대중음악이 그 기능을 하는 장소가 되어 정체성이 형성된다고 말하고 있으므로, 주어진 문장은 ③에 들어가는 것이 가장 적절하다.

09 주어는 '자신의 정체성'이므로 one's identity, 동사는 '자리 잡힐 수 있다'이므로 수동태 can be positioned로 쓴다. 앞에 나온 'places'를 선행사로 하는 관계대명사 which가 필요한데 '그 장소를 통해'의 의미이므로 전치사 through와 함께 쓰면 된다.

For music fans, / [*the genres, artists, and songs* / {in which
음악 팬들에게　　　 장르, 예술가, 그리고 노래는　　　 전치사+관계대명사(= where)
　　　　　　　　 주어

people find meaning}], / thus, / function as potential "*places*" /
사람들이 그 속에서 의미를 찾는　 그러므로　 잠재적인 '장소'로서 기능을 하는데
　　　　　　　　　　　　　　　　　　 동사

[**through which** one's identity / can be positioned / in relation
　그 장소를 통해 자신의 정체성이　　　 자리 잡힐 수 있다　　　 다른 사람들과
　전치사+관계대명사+완전한 문장　　　 조동사+be+과거분사

to others].
연관되어

10 마지막 문장은 이 글을 요약한 것으로, 공유된 음악적 열정을 통해 만들어진 연결이 공동체라는 느낌을 제공해 줄 수 있는 비슷한 사람들의 집단이 있다는 점에서 안전과 안정감을 제공한다는 내용이므로, 빈칸에는 connections, musical, community가 들어가는 것이 가장 적절하다.

어휘 emotional 감정적인 connection 연결 significance

중요성 self 자아 identity 정체성 relation 관계 security 안정감 function 기능을 하다 potential 잠재적인

구문 풀이

L8 [*The connections* / {**made** through shared musical
　　 연결은　　　　　　　 공유된 음악적 열정을 통해 만들어진
　　 주어　　　　　　　　 과거분사구

passions}] / provide / a sense of safety and security / in *the*
　　　　　 제공한다　 안전과 안정감을　　　　　　　 ~라는 점에서
　　　　　 동사
┌'동격 접속사
notion / [**that** there are groups of similar *people* {**who** can
　　　　　 비슷한 사람들의 집단이 있다는
└ 동격 ┘　　　　　　　　　　　　　　　 주격 관계대명사

provide the feeling of a community}].
공동체라는 느낌을 제공해 줄 수 있는

지문 해석

음악은 공통의 관심사나 취미를 통해서 뿐만 아니라 특정한 노래, 공동체, 그리고 예술가에 대한 감정적 연결을 통해서도 사람들을 서로 연결시킨다. 그 자신을 찾아가는 과정 속에서 다른 사람들의 중요성은 의미가 있다. 사회학 교수인 Agger가 진술한 것처럼, "정체성은 주로 다른 사람들과의 관계에서 그리고 우리 생각에 그들이 우리를 어떻게 보느냐에서 형성되는 사회적 산물이다." 그리고 사회음악학자인 Frith는 대중음악이 그러한 연결을 가지고 있다고 주장한다. 그러므로, 음악 팬들에게, 사람들이 그 속에서 의미를 찾는 장르, 예술가, 그리고 노래는 잠재적인 '장소'로서 기능을 하는데, 그 장소를 통해 자신의 정체성이 다른 사람들과 연관되어 자리 잡힐 수 있다. 말하자면 그것은 사람들의 정체성의 적어도 일부분을 있어야 할 곳에 묶어두는 사슬로서 역할을 한다. 공유된 음악적 열정을 통해 만들어진 연결은 공동체라는 느낌을 제공해 줄 수 있는 비슷한 사람들의 집단이 있다는 점에서 안전과 안정감을 제공한다.

Book 2

정답과 해설

정답 과 해설

1주 - 논리적 추론 및 흐름 파악하기

1주 1일 개념 돌파 전략 ①

pp. 8~11

1-1 Actions are restricted by the role responsibilities and obligations associated with individuals' positions within society.
1-2 ⓑ
2-1 experts understand the importance of strength training and have made it part of the game
2-2 ⓐ
3-1 first impressions
3-2 ⓑ
4-1 (B)−(A)−(C)
4-2 stress responses

1-1
사람들의 행동은 각 개인이 사회 내에서 어떤 역할과 의무를 가지는지에 따라 결정된다는 내용의 글로, 두 번째 문장이 주제문이다.

1-2
전형적인 양식의 상호 작용은 각 개인이 사회 내에서 어떤 역할과 의무를 가지는지에 따라 결정되며 각자가 차지하고 있는 위치에 따라 달라진다는 내용이므로, 빈칸에 들어갈 말로 가장 적절한 것은 ⓑ '지위'이다.

해석 ⓐ 경력 ⓑ 지위 ⓒ 능력

구문 풀이

> **L8** Thus, / interactions are *functions* / **not only** of the
> 그러므로 상호 작용은 작용이다
> not only A but also B: A뿐만 아니라 B도
> individual personalities of the people / **but also** of the *role*
> 사람들의 개별 성격의 작용일 뿐만 아니라 역할 요구의
> 목적격 관계대명사 that[which] 생략
> *requirements* / [**associated** with the statuses {they have}].
> 그들이 지닌 지위와 관련된
> 과거분사구

지문 해석

사람들은 자신의 역할과 다른 사람의 역할 사이의 관계에 근거하여 전형적인 양식의 상호 작용에 참여한다. 행동은 사회 내의 개인의 위치와 관련된 역할 책임과 의무에 의해 제한된다. 예를 들어, 부모와 자식은 특정한 권리, 특권, 그리고 의무에 의해 연결된다. 그러므로, 상호 작용은 관련된 사람들의 개별 성격의 작용일 뿐만 아니라 그들이 지닌 지위와 관련된 역할 요구의 작용이다.

2-1
야구 선수를 위한 몸 만들기에서 근력 운동이 중요해졌다는 내용의 글로, 마지막 문장이 주제문이다.

2-2
근력 운동에 대한 과거의 일반적인 생각과 그 이유, 그리고 현재의 변화된 생각에 관해 설명하는 글이다. 따라서 보디빌딩 운동과 운동선수용 운동을 비교한 내용의 ⓐ는 글의 흐름상 무관한 문장이다.

구문 풀이

> **L7** Today, / though, / experts understand the importance
> 오늘날 그러나 전문가들은 근력 운동의 중요성을 이해하고
> 동사 1
> of strength training / and have **made** it part of the game.
> 그리고 그것을 경기의 일부분으로 만들어 왔다
> 동사 2 make+목적어+목적격보어(명사구)

지문 해석

대부분의 감독과 코치는 근력 운동을 야구 선수가 아닌 보디빌더를 위한 것으로 생각했다. (더 고립된 보디빌딩 운동과는 달리, 운동선수용 운동은 많은 근육군과 기능을 훈련시킨다.) 그들은 무게를 들어 올리는 것과 큰 근육을 키우는 것이 선수들이 유연성을 잃게 할 것이라고 걱정했다. 그러나 오늘날, 전문가들은 근력 운동의 중요성을 이해하고 그것을 경기의 일부분으로 만들어 왔다.

3-1

첫인상의 중요성에 관해 설명하는 글로, first impressions가 핵심어구이다.

3-2

주어진 문장은 신속한 판단(첫인상)이 취업 문제뿐만 아니라 사랑이나 관계 문제에도 적용된다는 내용이다. ⓑ 앞에서 채용 과정에서의 첫인상의 중요성에 관해 언급하고 있고 ⓑ 다음에서 사랑이나 관계에 있어서의 첫인상에 관한 내용을 언급하고 있으므로, 주어진 문장이 들어가기에 가장 적절한 곳은 ⓑ이다.

구문 풀이

> **L6** On a date with a wonderful *somebody* / [**who** you've
> 멋진 누군가와의 데이트에서　　　　　　주격 관계대명사
>
> 　　　　　　　　　　　　　　　　　　전 ~와 같은
> painstakingly tracked down for months], / [subtle *things* / {like
> 여러분이 몇 달간 공들여 찾아낸　　　　　미묘한 것들이　　　　　　
> 　　　　　　　　　　　　　　　　　　　　　　　　주어　　　수식어구
>
> bad breath or wrinkled clothes}] / may spoil your noble efforts.
> 구취 또는 구겨진 옷과 같은　　　　여러분의 귀한 노력을 망칠지도 모른다
> 　　　　　　　　　　　　　　　동사

지문 해석

여러분은 아마 '첫인상은 아주 중요하다'라는 표현을 들어 본 적이 있을 것이다. 이것은 채용 과정에서 매우 두드러지는데, 그 과정에서 최고의 채용 담당자는 지원자들이 자신을 소개하는 몇 초 이내에 그들에 대한 자신의 최종 결정의 방향을 예측할 수 있다. 이런 식으로, 신속한 판단들이 단지 채용 문제에만 관련되는 것이 아니며, 그것들(신속한 판단들)은 또한 사랑이나 관계 문제에도 동일하게 적용된다. 여러분이 몇 달간 공들여 찾아낸 멋진 누군가와의 데이트에서, 구취 또는 구겨진 옷과 같은 미묘한 것들이 여러분의 귀한 노력을 망칠지도 모른다.

4-1

소수 집단의 구성원들이 다수 집단보다 더 나쁜 건강 결과를 가진다는 주어진 글 다음에는, 그 차이가 사회 계층과 의료 서비스로의 접근성과 같은 명백한 요소들이 통제될 때조차도 사실인지

묻는 (B)가 이어지고, 이에 대한 가능한 답은 스트레스라고 하면서, 다른 민족적-인종적 범주의 구성원들과 접촉하는 것이 스트레스를 유발한다는 내용의 (A)가 이어지며, 이러한 스트레스 반응이 아무리 작을지라도 빈번하면 전체적인 스트레스를 증가시킬 수 있다는 내용의 (C)가 이어지는 것이 글의 흐름상 가장 자연스럽다.

4-2

(B)의 That difference는 주어진 글의 건강 결과의 차이를 가리키고, (C)의 such responses는 (A)의 다른 민족적-인종적 범주의 구성원들과의 접촉이 가져오는 스트레스 반응(stress responses)을 가리킨다.

구문 풀이

> **L8** [**However** minimal such responses may be], / their
> 이러한 반응이 아무리 작을지라도
> 복합관계부사(아무리 ~일지라도(=No matter how))
> 　　　　　　　　　　　　　　　　　　　　┌ 설명하다
> frequency may increase total stress, / [**which** would **account**
> 그것의 빈도가 전체적인 스트레스를 증가시킬 수도 있는데　　이는 설명할 것이다
> 　　　　　　　　　　계속적 용법의 관계대명사(선행사: However ~ stress)
>
> **for** / part of the health disadvantage / of minority individuals].
> 　　건강상 불이익의 일부를　　　　　소수 집단 개인들의

지문 해석

일반적으로 소수 집단의 구성원들은 다수 집단보다 더 나쁜 건강 결과를 가진다. (B) 그러한 차이는 사회 계층과 의료 서비스로의 접근성과 같은 명백한 요인들이 통제될 때조차도 남아 있다. 그것이 어떻게 사실일 수 있을까? (A) 가능한 한 가지 답은 스트레스이다. 우리는 다른 민족적-인종적 범주의 구성원들과의 접촉이 스트레스 반응을 유발한다는 것을 안다. (C) 이러한 반응이 아무리 작을지라도, 그것의 빈도가 전체적인 스트레스를 증가시킬 수도 있는데, 이는 소수 집단 개인들의 건강상 불이익의 일부를 설명할 것이다.

1 ③   3 ①
2 ②   4 ②

1

운동선수는 이기기 위해 거짓말을 하는 등 바람직하지 못한 인격을 보일 수도 있지만, 이런 유혹에 저항할 때 긍정적 인격 특성을 계발할 수 있다는 내용의 글이다. 따라서 빈칸에 들어갈 말로 가장 적절한 것은 ③ '양날의 검'이다.

해석 ① 식은 죽 먹기
② 일방통행
③ 양날의 검

구문 풀이

L4 Some athletes may want **to win so** much / **that** they
어떤 선수는 너무나 이기고 싶은 나머지
명사적 용법(목적어) so ~ that ...: 너무나 ~해서 ···하다

┌ 동사 1
lie, cheat, and break team rules.
거짓말을 하고, 속이며, 팀의 규칙을 위반한다
　동사 2　　　동사 3

L7 However, / [**when** athletes resist *the temptation* / **to win**
그러나　　선수가 유혹에 저항할 때
　　　　시간 부사절　　　　　　　　　　　　형용사적 용법

in a dishonest way], / they can develop *positive character traits*
부정한 방법으로 이기려는　　그들은 긍정적인 인격 특성을 계발할 수 있다

┌ 주격 관계대명사
/ [**that** last a lifetime].
평생 동안 지속되는

지문 해석

운동선수들은, 부분적으로는 이기는 것에 대한 강조가 더욱 커지기 때문에, 더 높은 경쟁적 수준까지 올라감에 따라서 어느 정도는 도덕적 분별력 및 바람직한 스포츠 행위가 감소하는 것으로 보인다. 따라서 승리는 인성 발달을 가르치는 데 있어 양날의 검이 될 수 있다. 어떤 선수는 너무나 이기고 싶은 나머지 거짓말을 하고, 속이며, 팀의 규칙을 위반한다. 그들은 짧은 시간에 이기기 위해 자신의 능력을 강화할 수 있는 바람직하지 못한 인격 특성을 계발할 수도 있다. 그러나, 선수가 부정한 방법으로 이기려는 유혹에 저항할 때, 그들은 평생 동안 지속되는 긍정적인 인격 특성을 계발할 수 있다.

2

우리의 생활 환경과 질병이 밀접하게 연관되어 있다는 내용의 글이다. 질병 확산을 막기 위해 도시를 재계획하고 재건축하는

노력을 해 왔으며 그 예로 런던의 하수 처리 시스템을 들고 있는 가운데 재건의 노력에도 도시들이 쇠퇴하고 사람들이 떠나기 시작했다는 내용의 ②는 글의 흐름상 무관한 문장이다.

구문 풀이

L5 In the mid-nineteenth century, / London's pioneering
19세기 중반에　　　　　　　　　런던의 선구적인

sewer system **was built** / **as a result of** understanding /
하수 처리 시스템은 만들어졌다　　이해의 결과로
　　　　　　　수동태　　　　~의 결과로

[the importance of clean water / **in** stopp**ing** the spread of
깨끗한 물의 중요성　　　　　　　　콜레라의 확산을 막는 데 있어
understanding의 목적어　　　　　　in+-ing: ~에 있어

cholera].

지문 해석

의사들은 열악한 생활 환경, 인구 과밀, 위생, 그리고 질병 간의 연관성을 발견했다. 이 연관성에 대한 인식은 전염병 확산을 막기 위하여 도시 재계획과 재건축으로 이어졌다. (재건의 노력에도 불구하고, 도시들은 많은 지역에서 쇠퇴하였고 많은 사람들이 떠나기 시작했다.) 19세기 중반에, 런던의 선구적인 하수 처리 시스템은 콜레라의 확산을 막는 데 있어 깨끗한 물이 중요하다는 이해의 결과로 만들어졌다.

3

주어진 문장은 베네수엘라에 살고 있는 일반 원주민이 3분의 1이나 더 많은 대략 1,600 종의 박테리아를 갖고 있다는 내용으로, 비교 대상인 일반 미국 성인이 1,200 종의 박테리아를 갖고 있다는 내용 다음인 ①에 들어가는 것이 가장 적절하다.

구문 풀이

L4 Similarly, / [other groups of *humans* / {with *lifestyles and*
이와 유사하게　다른 집단의 인간들도　　생활 습관과 식단을 가진
　　　　　　　주어　　　　　　　　　　　형용사구

diets / similar to our ancestors}] / have **more** varied bacteria /
우리의 조상들과 비슷한　　　　　더 다양한 박테리아를 갖고 있다
　　　　　　　　　　　　　　　동사　more ~ than 비교 구문

in their gut / **than** we Americans do.
그들의 장 속에　우리 미국인들이 갖고 있는 것보다
　　　　　　　　　　　　　　　= have

일반 미국인 성인은 그들의 장 속에 살고 있는 대략 1,200개의 다른 종의 박테리아를 갖고 있다. 베네수엘라의 한 일반 원주민이 3분의 1이나 더 많은 대략 1,600 종의 박테리아를 갖고 있다는 것을 당신이 고려할 때까지는 그것이 많은 것처럼 보일 수 있다. 이와 유사하게, 우리의 조상들과 비슷한 생활 습관과 식단을 가진 다른 집단의 인간들도 우리 미국인들이 갖고 있는 것보다 더 다양한 박테리아를 그들의 장 속에 갖고 있다. 우리의 가공 처리된 서양식 식단, 항생제의 과용, 그리고 소독한 집들이 우리의 장 내부에 사는 것들의 건강과 안정성을 위협하고 있는 것이다.

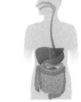

© metamorworks / shutterstock

4

사람들이 많은 시간을 미디어와 상호 작용하는 데 보낸다고 해서 미디어 분석에 매우 중요한 기술을 가지고 있다는 것은 아니라는 내용의 주어진 글 다음에는, 젊은이들이 소셜 미디어 채널을 통해 쉽게 속는다는 연구 결과를 언급한 (B)가 이어지고, 65세 이상의 사람들이 젊은이보다 7배나 더 많은 잘못된 정보를 공유한다는 것을 언급한 후, 이에 대한 해결책이 무엇인지 묻는 (A)가 이어지며, 그 해결책으로 정부와 기술 플랫폼을 언급하는 (C)가 이어지는 것이 글의 흐름상 가장 자연스럽다.

L3 A research found / [**that** people over 65 / shared
한 조사는 알아냈다   65세 이상의 사람들이
                          found의 목적어(명사절)
seven times as much misinformation / **as** their younger
7배나 더 많이 잘못된 정보를 공유한다는 것을   좀 더 젊은 상대방보다
배수사 비교(배수사+as+원급+as: ~보다 몇 배 더 …한)
counterparts].

사람들은 많은 시간을 미디어와 상호 작용하는 데 보내지만, 그것이 사람들이 미디어를 분석하는 데 매우 중요한 기술을 가지고 있다는 것을 의미하는 것은 아니다. (B) 젊은이들은 특히 소셜 미디어 채널을 통해 잘못된 정보에 쉽게 속는다. 그러나 이러한 약점은 젊은이에게서만 발견되는 것은 아니다. (A) 한 조사는 65세 이상의 사람들이 좀 더 젊은 상대방보다 7배나 더 많이 잘못된 정보를 공유한다는 것을 알아냈다. 잘못된 정보 문제에 대한 해결책은 무엇인가? (C) 정부와 기술 플랫폼은 분명히 잘못된 정보를 막아내는 데 해야 할 역할이 있다.

1주 2일 필수 체크 전략 ①

pp. 14~17

필수 예제 **1** ①   확인 문제 **1-1** ①

확인 문제 **1-2** 아이들에게 이야기를 들려주고 그들이 자신의 생각을 하게 한 뒤 그들의 생각을 포함한 이야기를 완성하여 들려주는 것

필수 예제 **2** ④   확인 문제 **2-1** ④

확인 문제 **2-2** (A) audience feedback (B) respectful connection

필수 예제 1

과학에서는 실수를 드러내 보임으로써 자신만의 경험에서 얻은 이익뿐만 아니라 다른 모든 사람들의 경험이라는 이익을 얻는다고 했으므로, 빈칸에 들어갈 말로 가장 적절한 것은 ① '이익들을 공유해서'이다.

해석 ① 이익들을 공유해서
② 통찰력을 간과해서

③ 창의적인 기술을 개발해서
④ 성과를 과장해서
⑤ 지식을 과소평가해서

> 빈칸의 단서가 되는 문장은 주제문이겠지? 이 글의 주제문은 네 번째 문장 This way ~ mistakes.야.

L7 This, (by the way), is another *reason* / [**why** we humans
한편, 이는 또 다른 이유이다   왜 우리 인간이
        삽입구   관계부사
are so **much smarter** / **than** every other species].
훨씬 더 영리한지에 대한   모든 다른 종보다
    비교급 강조   비교 구문

정답과 해설

L9 It is **not** [**that** our brains are bigger or more powerful], /
그것은 아니다 우리의 뇌가 더 크거나 더 강력해서
　　　　　not that A but that B: A이기 때문이 아니라 B이기 때문이다

or [even **that** we have *the ability* / **to reflect** on our own past
혹은 싱지어 우리가 능력을 가져서가　　우리 자신의 과거 실수들을 되돌아보는
　　　　명사절 2　　　　　　　　　형용사적 용법

errors], but [**that** we share *the benefits* {**that** our individual
　　　우리가 이익들을 공유해서이다　　　우리 개개인들의 뇌가 얻어 낸
　　　　명사절 3　　　　　　　　　　목적격 관계대명사

brains have earned / from their individual histories of trial and
그들 개개인들의 시행착오의 역사로부터

error}].

지문 해석

과학과 무대 마술 사이의 한 가지 큰 차이점은 마술사들이 그들의 실수를 관중에게 숨기는 반면, 과학에서는 공공연히 실수를 한다는 것이다. 여러분은 모두가 실수로부터 배울 수 있도록 실수를 드러내 보여 준다. 이런 식으로, 여러분은 단지 실수라는 영역을 거쳐 온 여러분 자신만의 특유한 길(에서 얻은 이익)뿐만 아니라, 다른 모든 사람들의 경험이라는 이익을 얻는다. 한편, 이는 왜 우리 인간이 모든 다른 종보다 훨씬 더 영리한지에 대한 또 다른 이유이다. 그것은 우리의 뇌가 더 크거나 더 강력해서, 혹은 심지어 우리가 우리 자신의 과거 실수들을 되돌아보는 능력을 가져서가 아니라, 우리 개개인들의 뇌가 그들 개개인들의 시행착오의 역사로부터 얻어 낸 <u>이익들을 공유해서</u>이다.

확인 문제 1-1

아이들이 자신만의 이야기를 창작하도록 돕는 기법을 소개하는 글이다. 필자는 Benno and the Beasts라는 이야기를 들려주고 아이들에게 자신의 생각을 하게 하여 그들의 생각을 포함한 이야기를 완성하여 들려준다고 했으므로, 빈칸에 들어갈 말로 가장 적절한 것은 ① '여러분이 그것(이야기)을 들려주기 전에 이야기를 완성하는 것을 도와 달라고'이다.

해석 ① 여러분이 그것(이야기)을 들려주기 전에 이야기를 완성하는 것을 도와 달라고
② 자신이 관심 있는 책 몇 권을 고르라고
③ 가능한 한 많은 서평을 읽으라고
④ 이야기를 듣고 요약문을 쓰라고
⑤ 자신의 경험에 관한 그림을 그리라고

확인 문제 1-2

It은 앞부분에 제시된 아이들이 이야기를 창작하도록 돕는 기법을 가리키므로 앞부분의 내용을 요약하면 된다.

L1 [A lovely technique / for **helping** children take the first
　　훌륭한 기법은　　아이들이 첫걸음을 내딛게 하는 데 도움이 되는
　　주어　　　　　　help+목적어+목적격보어(동사원형)

steps / towards creating their own, unique story], / **is to ask**
자신만의 독특한 이야기를 창작하도록　　　　　　그들에게
　　ask+A+to부정사: A에게 ~하도록 요청하다　　　명사적 용법(보어)

them / **to help** you complete a story / [**before** you tell it].
요청하는 것이다 여러분이 이야기를 완성하는 것을 도와 달라고 그것을 들려주기 전에
　　　help+목적어+목적격보어(동사원형)　　시간 부사절　　= the story

L11 It is **a most** effective way / of involving children / in the
　　그것은 매우 효과적인 방법이다　　아이들을 참여시키는
　　　　부정관사+most: 매우, 대단히

art of creating stories // and they love / **hearing** their ideas
이야기를 창작하는 기술에　　그리고 그들은 아주 좋아한다　　자신의 생각이
　　　　　　　　　　　　　　hear+목적어+목적격보어(수동 과거분사)

used.
사용되는 것을 듣는 것을

지문 해석

아이들이 자신만의 독특한 이야기를 창작하도록 첫걸음을 내딛게 하는 데 도움이 되는 훌륭한 기법은, 그들에게 여러분이 그것(이야기)을 들려주기 전에 이야기를 완성하는 것을 도와 달라고 요청하는 것이다. 내가 흔히 이 기법을 사용해 본 한 이야기는 내가 Benno and the Beasts라고 부르는 이야기이다. 원작에서, 그 성자는 늪에서 개구리 한 마리를 만나 그것이 자신의 기도를 방해할 수 있으니 개구리에게 조용히 하라고 말한다. 나중에, 그는 신이 그 개구리의 소리를 듣는 것을 즐기고 있었을 수도 있어서 이렇게 말한 것을 후회한다. 나는 아이들에게 그 성자가 만날 여러 다른 동물과 그가 그 동물들을 만날 여러 다른 장소를 생각해 보라고 권한다. 그러고 나서 나는 그들에게 그들 자신의 생각을 포함한 이야기를 들려준다. 그것은 이야기를 창작하는 기술에 아이들을 참여시키는 매우 효과적인 방법이고, 그들은 자신의 생각이 사용되는 것을 듣는 것을 아주 좋아한다.

필수 예제 2

Zeigarnik 효과에 관한 글로, 퍼즐을 완성해야 하는 과업을 주고 과업을 하는 동안 방해하는 실험에서 참가자들은 완성된 과업들보다 완성되지 못한 과업들을 더 잘 기억했다는 실험 결과를 소개하고 있다. 따라서 퍼즐을 함께 맞춤으로써 협동 기술을 발달시켰다는 내용의 ④는 글의 흐름상 무관한 문장이다.

L5 The waiters would remember an order, [**however**
그 웨이터들은 주문을 기억했다
복합관계부사(아무리 ~하더라도(=no matter how))

complicated], / [**until** the order was complete], / but they
아무리 복잡하더라도   주문이 끝날 때까지   그런데 그들은
                  시간 부사절

┌ 목적격보어
would later **find it** *difficult* / [**to remember** the order].
나중에는 어렵다는 것을 알았다   그 주문을 기억하는 것이
            가목적어   진목적어

L12 The results showed / [**that** both adults and children
그 결과들은 보여 주었다   어른들과 아이들 둘 다 기억했다는 것을
                      showed의 목적어(명사절)   주어

remembered / *the tasks* {**that** hadn't been completed
방해 때문에 완성되지 못한 과업들을 더 잘
동사   목적어   주격 관계대명사 과거완료 수동태(had been+과거분사)

┌ the tasks
because of the interruptions} **better** / **than** *the ones* {**that** had
완성된 것들보다
because of+명사(구)(cf. because+주어+동사) 비교 구문   주격 관계대명사

been completed}].

Zeigarnik 효과는 보통 어떤 과업이 끝날 때까지 그것이 끝나지 않은 과업임을 당신에게 상기시켜 주는 잠재적인 마음의 경향을 말한다. 심리학자 Bluma Zeigarnik는 한 식당에서 웨이터들이 서빙하는 것을 보고 있을 때 그 효과를 알아차렸다. 그 웨이터들은 주문이 아무리 복잡하더라도 주문이 끝날 때까지 그것을 기억했는데, 그들은 나중에는 그 주문을 기억하는 것이 어렵다는 것을 알았다. Zeigarnik는 어른들과 아이들 둘 다에게 완성할 퍼즐을 준 다음 그 과업들 중 몇 개를 하는 동안 그들을 방해하는 더 깊은 연구를 했다. (그들은 함께 퍼즐을 맞춤으로써 과업들을 마친 후에 협동 기술을 발달시켰다.) 그 결과들은 어른들과 아이들 둘 다 방해 때문에 완성되지 못한 과업들을 완성된 것들보다 더 잘 기억했다는 것을 보여 주었다.

대중 연설에서 연사들은 청중의 반응을 주시하는데, 이는 청중의 반응이 다양한 방식으로 연사를 도와주기 때문이라는 내용의 글이다. 따라서 연사가 무대 불안감을 줄이기 위해 원고를 암기하는 것이 중요하다는 내용의 ④는 글의 흐름상 무관한 문장이다.

연사가 대중 연설을 할 때 청중의 반응을 살피는 것이 중요한데, 이것이 청중과 정중한 관계를 만들도록 도와준다는 내용이므로,

주제문의 빈칸 (A)에는 audience feedback, (B)에는 respectful connection이 들어가는 것이 가장 적절하다.

대중 연설에서 청중의 반응이 중요한데, 그것이 연사가 청중과 정중한 관계를 만들도록 도와주기 때문이다.

L4 Audience feedback often indicates / [**whether** listeners
청중의 반응은 종종 나타낸다   청중들이
       indicates의 목적어(의문사 없는 간접의문문: if/whether+주어+동사)

understand, / have interest in, / and are ready to accept / the
이해하고   관심을 갖고   그리고 받아들일 준비가 되었는지를
동사 1   동사 2   동사 3

speaker's ideas].
연사의 생각을

┌ when+to부정사: 언제 ~할지
L7 It **helps** the speaker know / [**when to** slow down, /
그것은 연사가 아는 데 도움이 된다   언제 속도를 늦출지
help+목적어+목적격보어(동사원형)   know의 목적어 동사원형 1

┌ 간접목적어
explain something more carefully, / or even tell the audience /
어떤 것을 언제 더 주의 깊게 설명할지   또는 심지어 언제 청중에게 말할지를
(└ when to) 동사원형 2   (└ when to) 동사원형 3

{**that** she or he will return to an issue / in a question-and-
어떤 주제로 되돌아 갈 것이라고   질의응답 시간에
직접목적어

answer session / at the close of the speech}].
                연설의 마지막에 있는

대중 연설은 연사들이 연설하는 동안 청중에게 '귀 기울이기' 때문에 청중 중심적이다. 그들은 청중의 반응, 즉 청중이 연사에게 주는 언어적, 비언어적 신호를 주시한다. 청중의 반응은 종종 청중들이 연사의 생각을 이해하고, 관심을 갖고, 받아들일 준비가 되었는지를 나타낸다. 이 반응은 연사를 여러 가지 방식으로 돕는다. 그것은 연사가 언제 속도를 늦출지, 어떤 것을 언제 더 주의 깊게 설명할지, 또는 심지어 연설의 마지막에 있는 질의응답 시간에 어떤 주제로 되돌아 갈 것이라고 언제 청중에게 말할지를 파악하는 데 도움이 된다. (연사가 무대 불안감을 줄이기 위해 자신의 원고를 암기하는 것이 중요하다.) 청중의 반응은 연사가 청중과 정중한 관계를 만들도록 돕는다.

 1주 2일 필수 체크 전략 ② pp. 18~19

1 ③ **2** ⓐ noise → (s)tillness **3** ③ **4** (A) were (B) call (C) walk

1 예술가나 과학자들의 창의적인 생각이 정신적인 정적의 시간에 생겨났다는 내용의 글이다. 빈칸에는 대다수의 과학자들이 창의적이지 '않은' 이유가 들어가야 하는데, 수학자들을 대상으로 한 조사에서 생각이 창의적인 행위에 부수적 역할만 한다고 했으므로 생각을 하지 않는 방법을 모르기 때문이라고 할 수 있다. 따라서 빈칸에 들어갈 말로 가장 적절한 것은 ③ '생각하기를 멈추는'이다.

해석 ① 자신의 생각을 체계화하는

② 사회적으로 상호 작용하는

③ 생각하기를 멈추는

④ 정보를 수집하는

⑤ 자신의 상상력을 이용하는

2 진정한 예술가들은 생각이 없는 상태에서 창작을 한다는 말이 앞에 있고, 뒷 문장에서는 과학자들은 '정신적인 정적'에서 창의성이 생긴다고 하였으므로, ⓐ noise(소란, 소음)는 적절하지 않다, stillness(고요함, 평온)로 고쳐야 한다.

구문 풀이

L4 [The surprising result / of a nationwide inquiry / among
놀라운 결과는   전국적인 조사의
주어

America's most famous mathematicians, / including Einstein, /
미국의 가장 유명한 수학자들을 대상으로 한   아인슈타인을 포함한

┌→ 동사
to find out their working methods], / was [**that** thinking "plays
그들의 작업 방식을 알아내기 위한   생각이 단지 부수적인 역할만 할 뿐
부사적 용법(목적)   동사   보어   that절의 주어

only a subordinate part / in the brief, decisive phase / of the
이라는 것이다   짧고, 결정적인 단계에서

creative act itself."]
창의적인 행위 자체의

L8 So / I would say / [**that** *the simple reason* / {**why** the
그래서 나는 말하고 싶다   단순한 이유는
say의 목적어(명사절)   주어   관계부사

majority of scientists are *not* creative} / is **not** {**because** they
대대수의 과학자들이 창의적이지 '않은'   그들이 생각하는 방법을
동사

┌→ how+to부정사: ~하는 방법
don't know <**how to think**>}, / **but** {**because** they don't know
몰라서가 아니라   생각하기를 멈추는 방법을 모르기 때문이라고
not because A but because B:
A이기 때문이 아니라 B이기 때문이다
<**how to stop** thinking>}]!
stop+-ing: ~을 멈추다(*cf.* stop+to부정사: ~하기 위해 하던 일을 멈추다)

지문 해석

생각은 본질적으로 생존 기계이다. 모든 진정한 예술가들은 생각이 없는 상태, 즉 내적인 소란(→ 고요함) 속에서 창작을 한다. 심지어 위대한 과학자들조차 그들의 창의적인 돌파구는 정신적인 정적의 시간에서 생겨났다고 말해 왔다. 아인슈타인을 포함한 미국의 가장 유명한 수학자들을 대상으로 한 그들의 작업 방식을 알아내기 위한 전국적인 조사의 놀라운 결과는, 생각이 '창의적인 행위 자체의 짧고, 결정적인 단계에서 단지 부수적인 역할만 할 뿐'이라는 것이었다. 그래서 나는 대다수의 과학자들이 창의적이지 '않은' 단순한 이유는 그들이 생각하는 방법을 몰라서가 아니라 생각하기를 멈추는 방법을 모르기 때문이라고 말하고 싶다!

3 near, far와 같은 단어들은 여러분이 어떤 상황에서 쓰는지에 따라 다른 것을 의미한다는 내용의 글이므로, 건강을 위해 가게로 걸어가는 것이 더 좋다는 내용의 ③은 글의 흐름상 무관한 문장이다.

4 (A), (B) 가정법 과거는 「if+주어+동사의 과거형/were ~, 주어+조동사의 과거형+동사원형 ....」으로 나타낸다.
(C) had better+동사원형: ~하는 것이 더 좋다

구문 풀이

L2 If you **were** at a zoo, / then you **might say** you are 'near'
여러분이 만약 동물원에 있고   여러분은 그 동물 '가까이' 있다고
가정법 과거(if+주어+동사의 과거형/were ~, 주어+조동사의 과거형+동사원형 ...)
an animal / if you **could** reach out and touch it / through the
말할지도 모른다   손을 뻗어 동물을 만질 수 있다면
=the animal

bars of its cage.
동물 우리의 창살 사이로

┌→ how+to부정사: ~하는 방법
L6 If you were **telling** someone / [**how to** get to your local
여러분이 만약 어떤 사람에게 말하고 있다면   동네 가게에 가는 방법을
가정법 과거   간접목적어   직접목적어

shop], / you might call it 'near' / if it **was** a five-minute walk
그것을 '가까이'라고 말할 수도 있을 것이다   그 거리가 걸어서
가정법 과거에서 were 대신 was도 가능함

away.
5분 거리라면

'near'와 'far'와 같은 단어들은 여러분이 어디에 있는지, 무엇을 하는지에 따라 다른 것을 의미할 수 있다. 여러분이 만약 동물원에 있고 동물 우리의 창살 사이로 손을 뻗어 동물을 만질 수 있다면 여러분은 그 동물 '가까이' 있다고 말할지도 모른다. 여기서 'near'라는 단어는 팔 하나 정도의 길이를 의미한다. 여러분이 만약 어떤 사람에게 동네 가게에 가는 방법을 말하고 있고, 그 거리가 걸어서 5분 거리라면 그것(그 거리)을 '가까이'라고 말할 수도 있을 것이다. (여러분은 건강을 향상시키기 위해 그 가게로 걸어가는 것이 더 좋을 것 같다.) 이제 'near'라는 단어는 팔 하나 정도의 길이보다 훨씬 더 길다는 의미이다. 'near', 'far', 'small', 'big', 'hot', 그리고 'cold'와 같은 단어들은 모두 다른 때에 다른 사람들에게 다른 것들을 의미한다.

1주 3일 필수 체크 전략 ①

pp. 20~23

필수 예제 **3** ③	확인 문제 **3-1** ②	확인 문제 **3-2** The bigger the team, the more possibilities exist for diversity.
필수 예제 **4** ⑤	확인 문제 **4-1** ④	

확인 문제 **4-2** (a) however / 앞 문장과 상반되는 내용을 진술　(b) That is / 앞 문장에 대해 재진술

필수 예제 **3**

역접의 연결어 However로 시작하는 주어진 문장은 카페인과 수면의 부정적인 상관관계에 대한 내용이다. ③ 앞에서 카페인의 긍정적인 효과, 즉 각성과 두통 치료의 효과를 언급하고 있고 ③ 다음에서 카페인의 부정적인 효과의 사례를 제시하고 있으므로, 주어진 문장이 들어가기에 가장 적절한 곳은 ③이다.

구문 풀이

L3 Studies have consistently **shown** caffeine **to be**
연구들은 카페인이 효과적이라는 것을 일관되게 보여 주었다
　　　　　　　　show + A + to be + B: A가 B라고 증명하다

effective / **when used** together with a pain reliever / **to treat**
진통제와 함께 사용될 때
　　└ it is 생략　　　　　　　　　부사적 용법(목적)

headaches.
두통을 치료하기 위해

　　　　　　　　　　　　　　　┌ 주어 1　┌ 동사 1
L9 One study from 2018 showed / [that coffee improved
2018년의 한 연구는 보여 주었다　커피는 반응 시간은 개선시켰지만
　　　　　　　　　　　　　showed의 목적어 1(명사절)

reaction times / in those {with or without poor sleep}] / but
사람들에게　　수면이 부족한 또는 부족하지 않은　　하지만
　　　　　　= those people

(┌ that) 목적어 2
[caffeine seemed to increase errors / in *the group* {with little
카페인은 실수를 증가시키는 것 같다는 사실을　집단 내에서는　수면이 부족한
주어 2　　　동사 2　　　　　　　　　　　　　　　형용사구

sleep}].

지문 해석

연구들은 카페인이 두통을 치료하기 위해 진통제와 함께 사용될 때 효과적이라는 것을 일관되게 보여 주었다. 카페인 섭취와 하루 종일 각성된 상태로 있는 것 사이의 긍정적인 상관관계 역시 잘 확립되어 있다. 60밀리그램(일반적으로 차 한 잔에 들어 있는 양)만큼의 적은 양으로도 반응 시간이 더 빨라질 수 있다. 하지만, 각성과 정신적 수행 능력을 향상시키기 위해 카페인을 사용하는 것은 숙면을 취하는 것을 대신하지 않는다. 2018년의 한 연구에 따르면 커피는 수면이 부족한 사람 또는 부족하지 않은 사람에게 반응 시간은 개선시켰지만, 카페인은 수면이 부족한 집단 내에서는 실수를 증가시키는 것 같다는 사실을 보여 주었다. 게다가, 이 연구는 카페인을 섭취한다고 해도 수면이 부족한 집단은 적절한 수면을 취한 집단만큼 점수를 잘 받지 못했다는 것을 보여 주었다. 그것은 카페인이 불충분한 수면을 충분히 보충하지 못한다는 것을 시사한다.

© Getty Images Bank

확인 문제 **3-1**

주어진 문장의 This는 ② 앞에서 언급한 '자신과 성향이 같은 사람을 고용하는 것'을 의미한다. ② 앞에서 과거의 고용 기준을 언급하고 있고 ② 다음에서 과거와 달라진 오늘날의 고용 기준에 대해 언급하고 있으므로, 주어진 문장이 들어가기에 가장 적절한 곳은 ②이다.

확인 문제 **3-2**

'~하면 할수록, 더욱더 …하다'는 「the+비교급 ~, the+비교급 ....」으로 나타낼 수 있다.

구문 풀이

L9 **When putting** together a new team / or **hiring** team
새로운 팀을 짜거나   혹은 팀 구성원을 고용할 때
└ we are 생략(접속사+분사구문)   (└ when we are)

목적어 2(간접의문문): 의문사+주어+동사 ┐
members, / we need to look at each individual / and [how he
우리는 각 개인을 보고 살펴볼 필요가 있다   그리고 그 사람이
look at의 목적어 1(명사구)

or she fits / into the whole of our team objective].
어떻게 어울리는지   우리의 팀 목적 전반에

지문 해석

우리 대부분은 어떤 기술적인 정보 및 개인 정보와 함께 인적 자원 기준에 근거하여 많은 사람을 고용해 왔다. 나는 대부분의 사람이 자신들과 같은 사람들을 고용하고 싶어 한다는 것을 알게 되었다. 과거에는 이것이 효과가 있었겠지만, 오늘날에는 상호 연결된 팀의 업무 과정으로 인해 우리는 모든 사람이 똑같기를 원치 않는다. 한 팀 내에서, 누군가는 지도자가 될 필요가 있고, 누군가는 실행가일 필요가 있으며, 누군가는 창의적인 역량을 제공할 필요가 있고, 누군가는 분위기를 진작하는 사람일 필요가 있는 것 등이다. 다르게 말하면, 우리는 구성원들이 서로를 보완해 주는 다양화된 팀을 찾고 있다. 새로운 팀을 짜거나 팀 구성원을 고용할 때, 우리는 각 개인을 보고 그 사람이 어떻게 우리의 팀 목적 전반에 어울리는지 살펴볼 필요가 있다. 팀이 크면 클수록, 다양성의 가능성이 더욱더 많이 존재한다.

필수 예제 **4**

타문화에 대한 존중과 지식을 발달시키려면 "내가 대접받고 싶은 방식대로 당신을 대접합니다."라는 황금률을 재점검해보는 일로 시작된다는 주어진 글 다음에는, 이 법칙이 같은 문화적 틀 안에서는 주효하다는 내용의 (C)가 이어지고, 그 반대로 다문화 환경에서는 이 법칙이 의도치 않은 결과를 가져올 수도 있다는 내용의 (B)가 이어지며, 이에 덧붙여 우리가 하는 것이 의도한 대로 해석되지 않아 불만스러운 상황이 생길 수도 있다는 내용의 (A)가 이어지는 것이 글의 흐름상 가장 자연스럽다.

구문 풀이

L1
┌ how+to부정사: ~하는 방법
[**Understanding** / {**how to** develop / respect for and
이해하는 것은   발달시키는 방법을   존중과 지식을
주어(동명사구)   understanding의 목적어(명사절)

a knowledge / of other cultures]] / begins with reexamining the
타문화에 대한   황금률을 재점검해보는 일로 시작된다
동사(단수)

관계부사 how 생략 ┐ (the way와 how는 함께 쓸 수 없음)
golden rule: / "I treat others / in the way [I want to be treated].
즉 나는 당신을 대접합니다   내가 대접받고 싶은 방식대로
to부정사 수동태(to be+과거분사)

L5

L5 It can also create / a frustrating *situation* / [**where**
그것은 또한 만들 수도 있다   불만스러운 상황을
관계부사

(we believe) we are doing / {what is right}, / but {what we are
우리가 하고 있다고 믿지만   옳은 것을   하지만 우리가 하고 있는 것이
삽입절   doing의 목적어(명사절)   주어(명사절)

doing} / is not being interpreted / in *the way* {**in which** it was
해석되지 않고 있는   의도된 방식으로
동사(단수/현재진행 수동태: be동사+being+과거분사)   전치사+관계대명사(= how)
meant}].

지문 해석

타문화에 대한 존중과 지식을 발달시키는 방법을 이해하는 것은 황금률을 재점검해 보는 일로 시작된다. 즉, "나는 내가 대접받고 싶은 방식대로 당신을 대접합니다." (C) 이 법칙은 어느 수준에서는 타당하다. 이 법칙은 모든 사람이 같은 문화적 틀 안에서 일하는 단일 문화 환경에서는 주효하다. (B) 그러나 단어, 제스처, 신념과 관점이 다른 의미를 지닐지도 모르는 다문화 환경에서는 이 법칙이 의도하지 않은 결과를 가져오며, 그것은 나의 문화가 너의 것보다 낫다는 메시지를 보낼 수도 있다. (A) 그것은 또한 우리가 옳은 것을 하고 있다고 믿지만, 우리가 하고 있는 것이 의도된 방식으로 해석되지 않고 있는 불만스러운 상황을 만들 수도 있다.

확인 문제 **4-1**

AI 로봇과 보통 로봇의 기본적인 차이에 대해 설명한 주어진 글 다음에는, 이를 구체적으로 설명하여 보통 로봇이 항상 똑같은 결과를 만든다는 내용의 (C)가 이어지고, 그 예로 보통 로봇은 동일한 상황에서 항상 동일한 행동을 하지만 AI 로봇은 두 가지 행동을 할 수 있다는 내용의 (A)가 이어지며, 이에 대한 부연 설명으로 AI 로봇은 환경에 적응하여 다른 방식으로 행동한다는 내용의 (B)가 이어지는 것이 글의 흐름상 가장 자연스럽다.

© Getty Images Bank.

확인 문제 **4-2**

(a) 보통 로봇은 동일한 상황에서 항상 동일한 행동을 하지만 AI 로봇은 두 가지 행동을 할 수 있다며 앞 문장과 상반되는 내용을 진술하고 있으므로 however가 적절하다.

(b) 결정론적인 행동을 보인다는 앞 문장의 내용에 대해 재진술하고 있으므로 That is가 적절하다.

L1 [The basic difference / between an AI robot and a normal
기본적 차이는   AI 로봇과 보통 로봇의
주어
                                          ┌→ the robot's
robot] / is *the ability* of the robot and its software / [**to make**
로봇과 그것의 소프트웨어의 능력이다
동사(단수)   형용사적 용법(to부정사 병렬 구조)

decisions, and **learn** and **adapt** to its environment / {**based on**
결정하고, 학습하여 환경에 적응하는
         (└ to)   (└ to)   being 생략 분사구문

data from its sensors}].
센서로부터 얻은 데이터에 기초하여

AI 로봇과 보통 로봇의 기본적 차이는 센서로부터 얻은 데이터에 기초하여 결정하고, 학습하여 환경에 적응하는 로봇과 그것의

소프트웨어의 능력이다. (C) 좀 더 구체적으로 말하자면, 보통 로봇은 결정론적인 행동을 보인다. 즉, 일련의 입력에 대해 그 로봇은 항상 똑같은 결과를 만들 것이다. (A) 예를 들어, 만약 (그 로봇이) 동일한 상황에 직면하면, 그 로봇은 항상 똑같은 행동을 할 것이다. 하지만 AI 로봇은 보통 로봇이 할 수 없는 두 가지를 할 수 있다. 즉, 결정하고 경험으로부터 학습한다. (B) 그것은 환경에 적응할 것이고, 어떤 상황에 직면할 때마다 다른 행동을 할지도 모른다. AI 로봇은 장애물을 밀어내거나, 새로운 경로를 만들거나, 또는 목표를 바꾸려고 할 수도 있다.

© MOLPIX / shutterstock

1주 3일 필수 체크 전략 ②   pp. 24~25

1 ②   2 was asked to spell *echolalia*, a word that means a tendency to repeat whatever one hears
3 ⑤   4 ⓑ calling → called

1 주어진 문장은 자신이 단어의 철자를 잘못 말했다는 것을 알고 심사위원에게 가서 말했다는 내용이므로 대회 탈락의 원인이고, ② 다음에 이어지는 내용은 결국 대회에서 탈락했다는 결과이므로, 주어진 문장이 들어가기에 가장 적절한 곳은 ②이다.

2 주어는 앞에 나와 있고, 동사부터 영작하면 된다. '말하라는 요청을 받았다'는 수동태를 사용하여 was asked to spell로 쓴다. 명사 a word에 대한 부가적인 설명이 이어지므로 주격 관계대명사 that을 사용하여 '~을 의미하는 단어'는 a word that means ~로 쓸 수 있다.

Some years ago / at the national spelling bee / in Washington,
몇 년 전   전국 단어 철자 맞히기 대회에서   Washington D.C.의
                                    ┌ be asked+to부정사: ~하라는 요청을 받다
D.C., / a thirteen-year-old boy was asked to / spell
한 13세 소년이 요청을 받았다   'echolalia'의
주어   동사
echolalia, / [*a word* {**that** means *a tendency* / <**to repeat**
철자를 말하라는 경향을 의미하는 단어인
  └ 동격   주격 관계대명사   형용사적 용법
(**whatever** one hears)>}].
들은 것은 무엇이든 반복하는
복합관계대명사(~은 무엇이든 = anything that)

L3 [**Although** he misspelled the word], / the judges
그는 그 단어의 철자를 틀리게 말했지만   심사위원은
양보 부사절
      명사절 접속사 that 생략 ┐   ┌ 대과거(told보다 이전의 일)
misheard him / and told him / [he had allowed him to
그의 말을 잘못 들었다 그리고 그에게 말했다 그가 진출하는 것을 허용한다고
동사 1   동사 2   allow+A+to부정사: A가 ~하는 것을 허용하다
advance].

몇 년 전 Washington D.C.의 전국 단어 철자 맞히기 대회에서, 한 13세 소년이 들은 것은 무엇이든 반복하는 경향을 의미하는 단어인 'echolalia'의 철자를 말하라는 요청을 받았다. 그는 그 단어의 철자를 틀리게 말했지만, 심사위원은 그의 말을 잘못 들었고 그가 (다음 단계로) 진출하는 것을 허용한다고 말했다. 그 소년은 자신이 그 단어의 철자를 잘못 말했다는 것을 알았을 때, 심사위원에게 가서 말했다. 그래서 그는 결국 대회에서 탈락했다. 다음날 신문기사 헤드라인에서 그 정직한 소년을 '단어 철자 맞히기 대회 영웅'으로 칭했다. 그 소년은 "내가 아주 정직하다고 심사위원분들이 말씀하셨어요."라고 기자들에게 말했다. 그는 자신이 그렇게 한 이유가 "저는 거짓말쟁이가 되고 싶지 않았어요."라고 덧붙였다.

3 스페인으로부터 독립한 페루의 해방군을 이끌었던 장군인 Simón Bolívar가 새 나라를 위한 헌법의 초안 작성을 위해 회의를 소집했다는 내용의 주어진 글 다음에는, 시간의 흐름에 따라 회의 후에 사람들이 감사의 표시로 Bolívar에게 백만 페소의 돈을 주었다는 내용의 (C)가 이어지고, Bolívar가 그 선물을 받은 후에 페루에 있는 노예의 수와 값을 묻고 선물을 준 사람들이 이에 답하는 내용인 (B)가 이어지며, Bolívar가 선물로 받은 돈으로 노예를 사서 그들을 해방시키겠다고 말한 내용의 (A)가 이어지는 것이 글의 흐름상 가장 자연스럽다.

4 주어진 문장의 두 번째 문장에서 Simón Bolívar와 the general who had led the liberating forces는 동격으로 주어이고 뒤에 동사가 이어져야 하므로 ⓑ calling은 called로 고쳐야 한다.

구문 풀이

L5
　　　　　┌ 복합관계대명사(~은 무엇이든(= anything that))
I'll add / [**whatever** is necessary] / to *this million pesos* /
나는 더할 것입니다　필요한 것은 무엇이든　이 백만 페소에
　　　　add의 목적어(명사절)

[you have given me] / and I will buy all the slaves in Peru / and
여러분이 나에게 준　　　　그리고 페루의 모든 노예를 사서
└ 목적격 관계대명사 that[which] 생략

---

set them free.
그리고 그들을 해방시켜 주겠습니다
　= all the slaves

L7　It makes no sense / [**to free** a nation], / [**unless** all its
　　　　의미가 없습니다　　한 국가를 해방시킨다는 것은　조건 부사절
　　　　가주어　　　　　진주어　　　　　(~하지 않으면 (= if ~ not))
citizens enjoy freedom as well].
모든 시민 또한 자유를 누리지 못한다면

지문 해석

1824년, 페루는 스페인으로부터 자유를 쟁취했다. 곧이어, 해방군을 이끌었던 장군인 Simón Bolívar는 새로운 나라를 위한 헌법의 초안을 작성하기 위해 회의를 소집했다. (C) 회의가 끝난 후, 사람들은 Bolívar가 그들을 위해 했던 모든 것에 대해 감사를 표하기 위해 그에게 무언가 특별한 것을 해 주고 싶어 했다. 그래서 그들은 그에게 백만 페소를 선물로 주었다. (B) Bolívar는 그 선물을 받고 나서, "페루에 노예가 몇 명입니까? 그리고 노예 한 명은 얼마에 팔립니까?"라고 물었다. 그는 대략 3천 명이 있고 한 사람당 약 350페소에 팔린다고 들었다. (A) "그렇다면, 나는 여러분이 나에게 준 이 백만 페소에 필요한 것은 무엇이든 다 더해서 페루의 모든 노예를 사서 그들을 해방시켜 주겠습니다. 모든 시민 또한 자유를 누리지 못한다면, 한 국가를 해방시킨다는 것은 의미가 없습니다."라고 Bolívar가 말했다.

1주 4일 교과서 대표 전략 ①
pp. 26~29

| 대표 예제 1 ① | 대표 예제 2 ④ | 대표 예제 3 (1) ④　(2) ② |
| 대표 예제 4 ② | 대표 예제 5 (C) – (B) – (A) | 대표 예제 6 (1) ③　(2) (A) (C)ontribution　(B) (E)cosystem |

대표 예제 1

SNS를 통해 빠른 의사소통을 하고 있지만 SNS 예절을 모르는 사람들이 많다는 내용의 글로, 마지막 문장에서 어떤 SNS 사용자가 되기 위한 자신만의 규칙이 있는지를 묻고 있다. 따라서 빈칸에는 '사려 깊은'이라는 의미의 considerate이 들어가는 것이 가장 적절하다.

① 사려 깊은　② 거만한　③ 수동적인
④ 경쟁적인　⑤ 마음이 열린

 valuable 가치 있는 share 공유하다 connect 연결하다 be supposed to ~해야 한다 post 올리다, 게시하다

구문 풀이

L8　We can connect with *others* / [**who** would normally be
　　　　우리는 다른 사람과 이어질 수 있습니다　보통 연락하기 어렵게 된
　　　　　　　　　　　　　　　　　　　주격 관계대명사
hard to reach].
　　　부사적 용법(형용사 수식)

지문 해석

오늘, 우리는 소셜 네트워크 서비스, 즉 SNS에 관해 이야기하려고 합니다. SNS는 우리 삶에서 가치 있고 영향력 있는 도구가 되었습니다. 그것은 우리가 서로 콘텐츠를 만들고 공유하게 해

줍니다. 우리는 SNS를 통해서 빠르고 창조적으로 의사소통할 수 있습니다. 우리는 보통 연락하기 어렵게 된 다른 사람과 이어질 수 있습니다. 하지만 SNS 예절을 모르는 사람들이 많습니다. 예를 들어, 우리는 사실이 아닌 정보를 올리면 안 됩니다. 사려 깊은 SNS 사용자가 되기 위한 당신만의 규칙은 무엇인가요?

© Getty Images Bank

대표 예제 2

고등학교 생활을 시작하게 된 필자의 긴장되고 걱정되는 심정과 학교 첫날을 묘사하는 글로, 싫어하는 번호로 배정받은 사물함에서 발견한 것을 소개하고 있다. 따라서 사물함은 항상 깨끗하게 유지되어야 한다는 내용의 ④는 글의 흐름상 무관한 문장이다.

어휘 nervous 긴장한, 초조한 jump into ~에 뛰어들다 completely 완전히 adapt 적응하다 environment 환경 assign 배정하다 locker 사물함 cover 표지 unknown 알려지지 않은 freshman 신입생 curious 호기심에 찬

구문 풀이

L1 I felt nervous and worried / [because I was about to
나는 긴장하고 걱정이 되었다
feel(2형식동사)+형용사 보어   이유 부사절   be about to: 막 ~하려고 하다
jump into a completely new world].
완전히 새로운 세계로 곧 뛰어들게 될 것이었기 때문에

L3 I was not sure / [if I could adapt to the new environment].
나는 확신이 서지 않았다   내가 새로운 환경에 적응할 수 있을지
목적어(의문사 없는 간접의문문: if/whether + 주어 + 동사)

L12 [When I opened the locker], / I found a small notebook /
내가 사물함을 열었을 때   나는 작은 공책을 하나 발견했다
시간 부사절
with some words written on the cover: / "To an Unknown
표지에 글씨가 적힌   '누군지 알 수 없는 신입생에게'
with+목적어+과거분사: ~가 …되어진
Freshman."

지문 해석

나는 완전히 새로운 세계로 곧 뛰어들게 될 것이었기 때문에 긴장하고 걱정이 되었다. 나는 내가 새로운 환경에 적응할 수 있을지 확신이 서지 않았다. 학교의 첫날, 나는 늦게 일어났고 수업에 지각을 했다. 하루가 끝나 갈 무렵, 담임 선생님은 우리 각자에게 사물함을 배정해 주셨다. 나는 사물함 13번을 받았다! 나는 언제나 이 숫자를 싫어했다. (사물함은 항상 깨끗하게 유지되어야 한

다.) 내가 사물함을 열었을 때, 나는 표지에 '누군지 알 수 없는 신입생에게'라는 글씨가 적힌 작은 공책을 하나 발견했다. 나는 호기심이 생겼고 그 공책을 펴 보았다.

대표 예제 3

(1) 슬리퍼를 선물함으로써 소음이 사라지길 바라는 상황으로 그 선물이 할 역할을 말하는 가운데, 슬리퍼를 선물 받았던 때를 떠올리며 기뻤다는 내용의 ④는 글의 흐름상 관계 없는 문장이다.

(2) 이웃의 소음 때문에 화가 난 상황을 묘사하는 글로, 화가 날수록 더 진정해야 한다는 의미가 자연스러우므로, 빈칸에는 ② '스스로를 진정시키고'가 들어가는 것이 가장 적절하다.

해석 ① 그녀를 위로하고
② 스스로를 더욱 진정시키고
③ 그녀의 고통을 이해하고
④ 지혜에 대해 생각하는 것을 멈추고
⑤ 어려움을 이겨내는 방법을 생각해 내고

어휘 firmly 단호하게 shameless 부끄러운줄 모르는 rudeness 무례함 communicate 의사소통하다 suffering 고통 constant 끊임없는 reminder 상기시켜 주는 것 considerate 배려하는, 사려 깊은

구문 풀이

L1 How shameless!
부끄러운 줄 모르다니!
감탄문(How+형용사/부사(+주어+동사)!(cf. What+a/an+형용사+명사+주어+동사!)

L3 Yet / [the wisdom {that comes with age}] / told me / [that
하지만 나이가 들면서 생기는 지혜는   내게 알려 주었다
주어   주격 관계대명사   간접목적어 직접목적어
need to+동사원형: ~할 필요가 있다
the angrier I became, / the more I needed to calm myself
화가 날수록   스스로를 더욱 진정시킬 필요가 있다
the+비교급 ~, the+비교급 …: ~하면 할수록, 더욱더 …하다   동사원형 1 재귀 용법
down / and act carefully].
그리고 주의 깊게 행동할
(to)동사원형 2

지문 해석

나는 단호하게 수화기를 내려놓았다. 부끄러운 줄 모르다니! 나는 그녀의 무례함에 관해 생각하는 것을 멈출 수 없었다. 하지만 나이가 들면서 생기는 지혜는 내게 화가 날수록 더욱 스스로를 진정시키고 주의 깊게 행동할 필요가 있다고 알려 주었다. 갑자기, 나는 선물로 받았지만 사용한 적 없는 슬리퍼 한 켤레가 생각났다. 선물은 서로 소통하는 좋은 수단이 될 수 있다. 그 슬리퍼는 내 고통을 나타내는 동시에 그녀가 걸음 소리를 낮춰야 한다

는 것을 끊임없이 상기시켜 줄 도구의 역할을 할 수 있을 것이다. (나는 그 슬리퍼를 선물 받았던 때를 떠올리며 기뻤다.) 나는 이 조용한 방식으로 배려하는 이웃으로서 다른 사람들과 살아가는 법을 그녀에게 가르쳐 줄 것이다.

© Jinga / shutterstcok

대표 예제 4

주어진 문장은 tradition(전통)은 우리의 판단에 대한 근거가 될 수 없다는 내용으로, ② 앞부분에 언급된 tradition을 가리키며 ② 뒷부분에 이에 대한 부연 설명이 이어지므로, 주어진 문장은 ②에 들어가는 것이 가장 적절하다.

[어휘] logical 논리적인 fallacy 오류 debate 토론 back up 뒷받침하다 guarantee 보장하다 face to face 얼굴을 맞대고 hasty 성급한 generalization 일반화

[구문 풀이]

> **L9** In other words, / [**making friends** face to face,
> 다시 말해서 　서로 얼굴을 맞대고 친구를 사귀는 것이
> 　　　　　　　　주어(동명사구)
> 　　　　　　　　　　　　　　　┌ 동사
> {**which** is the traditional way}], / cannot be *the reason* /
> 전통적인 방식인 　　　　　　　이유가 될 수 없다
> 계속적 용법 관계대명사(선행사: making ~ face)
> [**to reject** social media].
> 소셜 미디어를 거부하는
> 형용사적 용법
> 　　　　　┌ 명사절 접속사 that 생략　　 ┌ 동사
> **L14** She says / [*those* {**who** use social media}] / do **not always**
> 그녀는 말한다 소셜 미디어를 사용하는 사람들이 　　항상 더 가까워지는
> 　　　　　　　 that절의 주어 주격관계대명사 　항상 ~은 아닌(부분 부정)
> become closer / to one another.
> 것은 아니라고 　서로에게

[지문 해석]

당신은 친구를 사귀는 수단으로서의 소셜 미디어에 관한 토론에서 논리적 오류를 찾을 수 있었는가? 연사 A는 그녀의 의견을 뒷받침하기 위해 전통에 호소한다. 하지만, 전통은 우리의 판단에 대한 근거가 될 수 없다. 무엇인가를 오랫동안 하는 것이 그것이 옳다는 것을 보장하지는 않는다. 다시 말해서, 전통적인 방식인 서로 얼굴을 맞대고 친구를 사귀는 것이 소셜 미디어를 거부하는 이유가 될 수 없다. 연사 B의 경우, 그녀는 성급한 일반화를 하고 있다. 그녀는 소셜 미디어를 사용하는 사람들이 항상 서로에게 더 가까워지는 것은 아니라고 말한다.

대표 예제 5

필자가 원하던 자원봉사 활동인 음성 자원봉사에 대해 알게 된

주어진 글 다음에는, 다음 날 주민 센터를 방문하여 테스트를 통과했다는 내용의 (C)가 이어지고, 며칠 후 다시 방문하여 첫 녹음을 마쳤다는 내용의 (B)가 이어지며, 실수를 좀 하긴 했지만 첫 녹음을 성공적으로 마쳤다는 내용의 (A)가 이어지는 것이 글의 흐름상 가장 자연스럽다.

[어휘] volunteer 자원봉사하다 nervous 긴장한 naturally 자연스럽게 community center 주민 센터

[구문 풀이]

> **L1** I **had** always **been interested in** volunteering, / but I did
> 나는 항상 자원봉사에 관심이 있었다 　　　　　　　하지만 나는
> 과거완료 수동태(had been+과거분사: 계속) be interested in: ~에 관심이 있다
> not know / [**what** I could do].
> 알지 못했다 내가 무엇을 할 수 있는지
> 　　　　　　know의 목적어(명사절 간접의문문)
>
> **L11** A few days later, / I came back to *the recording room* /
> 며칠 후 　　　　　　나는 녹음실로 돌아왔다
>
> 　　　┌ 대과거(came보다 이전의 일)
> [**where** I **had taken** the test].
> 테스트를 받았던
> 관계부사

[지문 해석]

나는 항상 자원봉사에 관심이 있었지만, 내가 무엇을 할 수 있는지 알지 못했다. 어느 날, 텔레비전을 보다가, 나는 '음성 자원봉사'에 대해 알게 되었다. 나는 스스로에게 "저게 바로 내가 찾던 거야!"라고 말했다. (C) 다음 날 나는 주민 센터로 갔고, 녹음실에서 간단한 테스트를 받았다. 나는 운 좋게 테스트에 통과했다. (B) 며칠 후, 나는 테스트를 받았던 녹음실로 돌아왔다. 나의 첫 번째 임무는 고등학생들을 위한 역사책을 읽어 주는 것이었다. 많이 긴장했지만 나는 자연스럽게 읽으려고 최선을 다했다. (A) 실수를 좀 하긴 했지만, 나는 첫 녹음을 성공적으로 마쳤다. 녹음 담당자는 내가 잘했다고 말씀하셨다.

대표 예제 6

(1) 주어진 문장은 (고래) 사체가 환경에 훌륭한 역할을 한다는 내용으로 고래 사체의 장점에 해당하는데, 연결어 In addition(게다가)은 앞서 언급한 사실에 추가적으로 덧붙일 때 쓰는 표현이므로, 고래 사체의 첫 번째 장점(해저 물고기의 먹이가 됨)을 설명하는 부분 뒤인 ③에 들어가는 것이 가장 적절하다.

(2) 고래 사체가 생태계에 미치는 긍정적 측면에 대해 설명하고 있는 글이다.

[해석] 생태계에 미치는 고래 사체의 기여

어휘 essential 필수의 nutrient 영양소 sink 가라앉다 harsh 혹독한 carbon 탄소 keep A our of B A를 B에 못 들어오게 하다 atmosphere 대기 annually 매년 equal 같은, 동일한 produce 배출하다

구문 풀이

> **L12** According to marine scientists, / [the amount of *carbon* /
> 해양 과학자들에 따르면   탄소량은
>   주어
>
> {that whales take to the bottom of the sea}] / is *about 190,000*
> 고래가 바다의 깊은 곳으로 가져가는   대략 연간 190,000톤
> 목적격 관계대명사   동사(단수)
>
> *tons* annually, / **which** equals the amount of *carbon* [produced
> 이나 되는데   그것은 탄소량과 같다
>   계속적 용법의 관계대명사   과거분사구
>
> by 80,000 cars].
> 80,000대의 자동차에서 배출되는

지문 해석

고래는 깊은 바다로부터 바다 수면으로 필수 영양소를 가져온다. 고래는 또한 사후에도 정말로 중요하다. 'whale fall'이라 불리는 사체는 바다의 깊은 곳으로 가라앉아 해저의 혹독한 환경 속에서 살고 있는 수많은 물고기 종에게 먹이가 된다. 게다가, (고래) 사체는 환경에 훌륭한 역할을 한다. 그것(사체)은 탄소를 많이 포함하고 있어서, 해저에 가라앉음으로써 탄소가 대기 안에 못 들어게 한다. 해양 과학자들에 따르면, 고래가 바다의 깊은 곳으로 가져가는 탄소량은 대략 연간 190,000톤이나 되는데, 그것은 80,000대의 자동차가 배출하는 탄소량과 같다.

1주 4일 교과서 대표 전략 ②

pp. 30~31

01 ③   02 ③   03 ②   **04** invention of the modern dishwasher

01 필자는 Emma의 부정행위를 보고 자신은 부정행위를 한 적이 없다며 한숨을 쉬고 있으므로 자신의 지난 행동이 옳았다고 결론짓는 것이 자연스럽다. 따라서 빈칸에는 ③ '부정행위자가 되는 것보다는 낙제하는 것이 더 나아.'가 들어가는 것이 가장 적절하다.

해석 ① 나는 왜 시험에서 낙제했을까?
② 나는 어떻게 좋은 점수를 받을 수 있을까?
③ 부정행위자가 되는 것보다는 낙제하는 것이 더 나아.
④ 모두 그녀가 부정행위를 한다는 것을 알 거야.
⑤ 나는 좀더 일찍 시험 준비를 했어야 했어.

구문 풀이

> **L2** [Frustrated], / I looked up / and **saw** Emma sitting in
> 좌절한 채로   고개를 들었다 그랬더니 Emma가 앞줄에 앉아 있는 것이 보였다
> Being 생략 분사구문   see+목적어+목적격보어(능동 현재분사)
>
> the front row.
>
> **L7** I **felt** really **angry** at her / but did not know /
> 나는 그녀에게 매우 화가 났지만   하지만 몰랐다
> feel(2형식 동사)+형용사 보어
>
> ┌ what+to부정사: 무엇을 ~할지
> [**what to do.**]
> 어떻게 해야 할지
> know의 목적어

지문 해석

시험의 마지막 날이었다. 나는 마지막 두 문제의 답을 쓸 수가 없었다. 좌절한 채로, 고개를 드니 Emma가 앞줄에 앉아 있는 것이 보였다. 놀랍게도, 그녀는 책상 아래에 스마트폰을 가지고 있었고, 그것을 재빨리 훔쳐보고 있었다. 저렇게 해서 Emma가 항상 좋은 점수를 받았던 건가? 나는 그녀에게 매우 화가 났지만 어떻게 해야 할지 몰랐다. 선생님께 알릴까 생각했지만 차마 그렇게 할 수가 없었다. '모두 나를 어떻게 생각할까?'라고 나는 생각했다. '이건 불공평해. 나는 결코 부정행위를 한 적이 없었고, 결국 많은 시험에서 낙제했었는데.' 한숨을 쉬며, 나는 나 자신에게 말했다. '부정행위자가 되는 것보다는 낙제하는 것이 더 나아.'

02 주어진 문장은 아파트 관리자와 통화하기 위해 필자가 인터컴을 들었다는 내용으로, 전화 통화를 하는 상황 앞인 ③에 들어가는 것이 가장 적절하다.

구문 풀이

> **L6** I had heard / [**that** some thoughtless, inconsiderate
> 나는 들은 적이 있다 일부 물지각하고 배려심 없는 엄마들이
> 과거완료(경험)   heard의 목적어(명사절)

mothers / **let** their children ride bicycles and skateboards /
아이들에게 자전거와 스케이트보드를 타게 한다는
let+목적어+목적격보어(동사원형)
imagined의 목적어(명사절)
inside their homes / these days], / and I imagined / [**what** was
집안에서   요즘   그리고 나는 상상해 보았다
간접의문문(의문사 주어+동사)
going on up there].
윗집에서는 무슨 일이 벌어지고 있는지

지문 해석

나는 긴 하루를 보내고 소파에서 쉬고 있었다. 갑자기, 아파트 위층에서 끔찍한 소음이 다시 시작되었다. 나는 요즘 일부 몰지각하고 배려심 없는 엄마들이 집안에서 아이들에게 자전거와 스케이트보드를 타게 한다는 이야기를 들은 적이 있었고, 윗집에서는 무슨 일이 벌어지고 있는지 상상해 보았다. <u>나는 아파트 관리자와 다시 통화하기 위해 인터컴 수화기를 들었다.</u> "무엇을 도와드릴까요?"라고 관리자가 말했다. 그의 목소리는 조급해 보였다. "또 위층 소음에 관한 것인가요? 제가 그녀에게 조용히 해달라고 말해주길 원하시나요?" 나는 수화기를 내려놓고 기다렸다.

May I help you?
© Iriskana / shutterstock
© Jinga / shutterstock

03 새로운 식기 세척기를 발명하게 된 과정을 설명하는 글로, 수세미가 그릇을 닦는 과정을 설명하는 가운데 언급된 수세미가 그릇을 닦는 가장 효과적인 도구 중 하나라는 내용의 ②는 글의 흐름상 무관한 문장이다.

04 This example(이 사례)은 앞에 설명한 Cochrane이 현대적인 식기 세척기를 발명한 것을 가리키며, 본문에 invention of the modern dishwasher로 언급되어 있다.

구문 풀이

L3 Before her time, / people **used to** / place dishes in a
그녀의 시대 이전에   사람들은 ~하곤 했다 접시를 식기 세척기 안에 넣고
used to+동사원형: ~하곤 했다(과거의 규칙적 습관) 동사원형 1
┌→ 동사원형 2   ┌→ 동사원형 3
dishwasher, / add water, / and let scrubbers clean the dishes.
물을 넣은 다음에 그리고 수세미가 그 접시를 닦게 했다
(동사원형 병렬 구조) let+목적어+목적격보어(동사원형)

L15 *Her machine*, / [**which** pumped hot, soapy water /
그녀의 기계는   뜨거운 비눗물을 뿜어내었는데
주어   계속적 용법의 관계대명사
onto dishes], / became successful / in restaurants / and, later,
접시에   성공을 거두었다   식당에서   그리고 그 후에는
동사   전치사구 1
in homes.
일반 가정에서
전치사구 2

지문 해석

창의적 사고는 Josephine Cochrane의 현대적인 식기 세척기의 발명 뒤에도 있었다. 그녀의 시대 이전에, 사람들은 접시를 식기 세척기 안에 넣고, 물을 넣은 다음에, 수세미가 그 접시를 닦게 하곤 했다. (수세미는 그릇을 닦는 가장 효과적인 도구 중 하나이다.) 그러나 문제가 하나 있었다. 수세미는 가끔 접시를 심하게 손상시켰다. Cochrane은 식기 세척 과정에 다르게 접근했다. 그녀는 수세미 대신에 물 자체, 즉 수압을 이용했다. 그녀는 높은 수압이 수세미의 역할을 하고 접시를 덜 손상시킬 것이라고 생각했다. 그녀의 기계는 뜨거운 비눗물을 접시에 뿜어내었는데, 이는 식당에서, 그 후에는 일반 가정에서 성공을 거두었다. <u>이 사례는 창의성이 다르게 사고하기의 결과라는 점을 다시 보여준다.</u>

1주 **누구나 합격 전략**
pp. 32~33

01 ①   **02** ③   **03** ③   **04** ②

01 오늘날 기자들은 통신 기술의 발전으로 기사를 작성하는 환경이 과거와는 달라졌다는 내용의 글이다. 빈칸 뒤에 기자들이 자신의 스마트폰이나 태블릿을 이용해서 즉각적으로 기사를 작성하고 촬영하며 전 세계에서 보는 것이 가능해졌다는 내용이 이어지고 있으므로, 빈칸에 들어갈 말로 가장 적절한 것은 ① '기동성'이다.

해석 ① 기동성 ② 감수성 ③ 창의성
④ 정확성 ⑤ 책임감

어휘 journalist 기자 submit 제출하다 post 올리다, 게시하다 shoot 촬영하다 instantly 즉석에서 contact 접촉하다 source 원천 edit 편집하다 instantaneously 즉각적으로 entire 전체의

구문 풀이

L3 [Newspaper stories, television reports, and even early
신문 기사, 텔레비전 보도, 그리고 심지어 초기의 온라인 보도는
주어

online reporting / (**prior to** *communication technology* /
통신 기술 이전의
~이전의

such as tablets and smartphones)] / *required one central place*
태블릿과 스마트폰 같은   하나의 중심지가 필요했다
~와 같은   동사

/ [**to which** a reporter would submit his or her news story /
기자가 자신의 뉴스 기사를 제출할
전치사+관계대명사(= where)

for printing, broadcast, or posting].
인쇄, 방송, 또는 게시를 위해

지문 해석

기동성은 기자들의 환경에 있어 변화를 제공한다. 신문 기사, 텔레비전 보도, 그리고 심지어 초기의 온라인 보도(태블릿과 스마트폰 같은 통신 기술 이전의)는 기자가 인쇄, 방송, 또는 게시를 위해 자신의 뉴스 기사를 제출할 하나의 중심지가 필요했다. 하지만 이제, 기자는 자신의 스마트폰이나 태블릿으로 비디오를 촬영하고, 오디오를 녹음하며, 직접 타이핑해서 즉석에서 뉴스 기사를 올릴 수 있다. 기자들은 자신들 모두가 정보의 원천과 접촉하거나, 타이핑거나, 또는 비디오를 편집하는 중심지에 보고할 필요가 없다. 기사는 즉각적으로 작성되고, 촬영되고, 전 세계에서 보는 것이 가능해질 수 있다.

02 오늘날의 뮤지션들은 음반사나 언론사 등 외부의 도움 없이 자신들의 음악을 직접 청취자들이나 팬들에게 전달한다는 내용의 글이다. 따라서 어린이 뮤지션들을 마케팅하는 것에 대한 우려가 증가하고 있다는 내용의 ③은 글의 흐름상 무관한 문장이다.

어휘 take matters into one's own hands 직접 행동에 나서다 gatekeeper 문지기, 정보 관리[통제]자 label 음반사 spotlight 주목 permission 허락, 허가 fanbase 팬층 concern 우려, 염려

구문 풀이

L3 Gone are *the days* of musicians / [**waiting** for a
뮤지션들의 시대는 지났다   문지기가 기다리던
도치 구문(보어+동사+주어)   현재분사구 to say의 의미상 주어

                          ┌주격 관계대명사
gatekeeper (*someone* {**who holds** power / and **prevents** you
                 권력을 쥐고   그리고 사람들이 들어가는 것을 막는 사람
          a gatekeeper 부연 설명 동사 1   동사 2

from being let in}) / at a label or TV show / **to say** / {they are
음반사나 TV 프로그램의   말해 주기를
prevent+A+from+-ing: A가 ~하는 것을 막다 명사적 용법ㅡ   ㄴ say의 목적어
                      (목적어)   (명사절 접속사 that 생략)

worthy of the spotlight}].
그들이 주목받을 만하다고

지문 해석

오늘날의 음악 사업은 뮤지션들이 직접 일을 할 수 있게 해 주었다. 뮤지션들은 자신들이 주목받을 만하다고 음반사나 TV 프로그램의 문지기(권력을 쥐고 사람들이 들어가는 것을 막는 사람)가 말해 주기를 기다리던 시대는 지났다. 오늘날의 음악 사업에서는, 팬층을 만들기 위해 허락을 요청할 필요가 없다. (TV 오디션을 이용하여 어린이 뮤지션들을 마케팅하는 것에 대한 우려가 증가하고 있다.) 매일, 뮤지션들은 어떤 외부의 도움 없이 자신들의 음악을 수천 명의 청취자들에게 내놓고 있다. 그들은 허가나 외부 도움을 요청하지 않고, 그저 자신들의 음악을 팬들에게 직접 전달한다.

© Poznyakov / shutterstock

03 다른 사람의 감정을 알기 위한 두 가지 단서를 소개하는 글이다. 주어진 문장은 얼굴 표정을 보는 것이 다른 한 가지라는 내용으로, ③ 앞에서 목소리 단서에 대해 언급하고 있고 ③ 다음에 얼굴 표정을 만드는 얼굴 근육에 대한 내용이 이어지고 있으므로, 주어진 문장이 들어가기에 가장 적절한 곳은 ③이다.

어휘 clue 단서 facial expression 얼굴 표정 mood 기분, 분위기 tone 어조 muscle 근육 spontaneously 자발적으로 particular 특정한

구문 풀이

L6 Sometimes, / friends might **tell** you / [**that** they are
가끔은   친구들이 여러분에게 말한다
                        간접목적어 직접목적어

                          ┌ your friends
feeling happy or sad] / but, [**even if** they do not tell you], /
자신들이 행복하거나 슬프다고   하지만 여러분에게 말하지 않는다고 해도
feel(2형식 동사)+형용사 보어   양보 부사절

you would be able to guess / about [**what** *kind* of mood
여러분은 추측할 수 있을 것이다   그들이 어떤 기분을 느끼고 있는지에 대해
　　　　　　　　　　　　↑ 의문형용사
　　　　　　　　　　　about의 목적어(간접의문문: 의문사구+주어+동사)

they are in].

지문 해석

다른 누군가가 어떻게 느끼고 있는지를 여러분이 어떻게 알 수 있을지에 대해 생각해 본 적이 있는가? 가끔은, 친구들이 여러분에게 자신들이 행복하거나 슬프다고 말하겠지만, 여러분에게 말하지 않는다고 해도, 여러분은 그들이 어떤 기분을 느끼고 있는지에 대해 추측할 수 있을 것이다. 여러분은 그들이 사용하는 목소리의 어조로부터 단서를 얻을지도 모른다. 친구가 어떻게 느끼고 있는지를 알기 위해 여러분이 사용할 다른 주요한 단서는 그 또는 그녀의 얼굴 표정을 보는 것일 것이다. 우리는 얼굴에 우리의 얼굴을 많은 다른 위치로 움직일 수 있게 하는 많은 근육이 있다. 이것은 우리가 특정한 감정을 느낄 때 자발적으로 발생한다.

04 우리 주변에 많은 박테리아가 존재지만 걱정하지 말라는 내용의 주어진 글 다음에는, 대부분의 박테리아가 우리 몸에 좋은 역할을 한다는 내용의 (B)가 이어지고, 반대로 우리를 아프게 하는 경우가 있는데 그때 의사를 찾아가서 약을 처방받아야 한다는 내용의 (A)가 이어지며, 그 약은 '항생제'라는 것으로 그 역할에 대해 언급한 (C)가 이어지는 것이 글의 흐름상 가장 자연스럽다.

어휘 bacterium 박테리아 (*pl.* bacteria) creature 생명체, 생물   prescribe 처방하다   medicine 약   infection 감염 digestive system 소화 기관 digest 소화시키다 oxygen 산소 antibiotic 항생제, 항생 물질

L10 Some live in our digestive systems / and help us digest
어떤 것은 우리의 소화 기관에 살면서   그리고 우리가 음식을
　주어　　동사 1　　　　　　　　　　　　　　help+목적어+목적격보어(동사원형)
　　　　　　　　　　　　　　　　　↑ 동사 2

our food, / and some live in the environment / and produce
소화시키도록 도와주고 그리고 어떤 것은 주변 환경 안에 살면서   그리고 산소를 만들어
　　　　　　　　　주어　　동사 1　　　　　　　　　　동사 2

oxygen / **so that** we **can** breathe and live on Earth.
낸다　　　우리가 지구에서 호흡하며 살 수 있도록
　　　so that+주어+can ...: ~가 …할 수 있도록

지문 해석

우리는 주변에 항상 많은 박테리아가 있는데, 그것들이 거의 모든 곳, 심지어 우리가 먹는 몇몇 음식에까지 살고 있기 때문이다. 하지만 걱정하지 마라! (B) 대부분의 박테리아는 우리에게 좋다. 어떤 것은 우리의 소화 기관에 살면서 우리가 음식을 소화시키도록 도와주고, 어떤 것은 주변 환경 안에 살면서 우리가 지구에서 호흡하며 살 수 있도록 산소를 만들어 낸다. (A) 하지만 불행하게도, 이런 훌륭한 몇몇 생명체들이 가끔 우리를 아프게 할 수 있다. 이때가 우리가 의사를 찾아가야 할 때이며, 그는 감염을 통제하는 약을 처방해 줄 수도 있다. (C) 그러나 이 약은 정확히 무엇이고 그것들이 어떻게 박테리아와 싸울까? 이 약은 '항생제'라고 불리며, 이는 '박테리아의 생명에 맞서는 것'을 의미한다.

1주 창의·융합·코딩 전략
pp. 34~37

A developed language for economic reasons

B (1) 1. hair[머리카락]   2. special spritual significance / hair

　　3. ③ People had the opportunity to socialize while styling each other's hair.

　(2) rests on the highest point on the body

C (1) ~ tree. ∨ Word ~   (2) ⓒ

D (1) 명희 → 수지 → 재훈   (2) (C)ommitment

A 거래에 있어 언어의 중요성에 대해 설명하는 글이다. 빈칸 뒤에 거래가 이루어지기 위해서는 상호 간에 신뢰가 필요하며 몸짓과 시끄러운 소리만으로는 합의와 규칙을 정하는 데 어려움이 있었다는 내용이 이어지므로, 빈칸에 들어갈 말로 가장 적절한 것은 '경제적인 이유로 언어를 발달시켰다'이다.

해석 몸짓 언어를 사용했다 / 본능적으로 알았다 / 종종 규칙을 바꿨다 / 독립적으로 살았다 / 언어를 발달시켰다
의사 소통을 위해 / 누구를 믿을지 / 자신들만의 필요를 위해 / 경제적인 이유로 / 자신들만의 생존을 위해

어휘 evolutionary 진화의 biologist 생물학자 argue 주장하다 trade 거래하다; 거래, 교역 establish 확고히 하다 handy 유용한 conduct 행하다 deal 거래, (사업상의) 합의 confusing 헷갈리게 하는 term 조건 bond 유대, 결속 specific 구체적인

L4 That business deal would have been nearly impossible /
그 매매 거래는 거의 불가능했을 것이다
주어   동사(~했을 것이다)

using only gestures and confusing noises, / and [carrying
몸짓과 헷갈리게 하는 시끄러운 소리만 사용해서는   그리고 그것을 실행하는
분사구문   주어(동명사구)

it out / according to *terms* {**agreed** upon}] / creates a bond
것은   합의가 이루어진 조건에 따라   신뢰라고 하는 유대를
= that business deal   과거분사구   동사(단수)

of trust.
만들어 낸다

지문 해석

많은 진화 생물학자는 인간이 경제적인 이유로 언어를 발달시켰다고 주장한다. 우리는 거래를 할 필요가 있었고, 거래하기 위해서는 신뢰를 확고히 해야 했다. 언어는 누군가와 거래하려고 할 때 매우 유용하다. 초기 인류 두 사람은 나무로 만든 그릇 세 개를 여섯 다발의 바나나와 거래하기로 합의할 수 있었을 뿐만 아니라 규칙을 정할 수도 있었다. 그 매매 거래는 몸짓과 헷갈리게 하는 시끄러운 소리만 사용해서는 거의 불가능했을 것이고, 합의가 이루어진 조건에 따라 그것을 실행하는 것은 신뢰라고 하는 유대를 만들어 낸다. 언어는 우리를 구체적이게 해 주며, 이것이 대화가 중요한 역할을 하는 그 지점이다.

© Monkey Business Images / shutterstock

B (1) hair(머리카락)을 소재로 아프리카에서 머리카락이 가진 영적인 중요성에 대해 설명하는 글이다. ③ People had the opportunity to socialize while styling each other's hair.는 사람들이 사회화하는 데 머리카락이 도움이 되었다는 내용으로, 소재는 같지만 글의 흐름상 무관한 문장이다.

(2) 머리카락이 신성한 신령들과 소통할 수 있는 수단일 수 있었던 이유는 신체의 가장 높은 곳에 얹혀 있기 때문이었을 것이라고 추측할 수 있으므로, 빈칸에는 it rests on the highest point on the body가 들어가는 것이 가장 적절하다.

어휘 spiritual 영적인, 종교적인 significance 중요성 rest on ~에 얹혀 있다 divine 신성한 spirit 신령 evil 악 socialize 사회화하다 attach 붙이다, 첨부하다 enhance 향상시키다 effectiveness 효력, 유효성

접속사(~이므로)
L1 [Since it rests on the highest point on the body], /
신체의 가장 높은 곳에 얹혀 있기 때문에
이유 부사절 = hair

hair *itself* / *was a means* [to communicate with divine spirits] /
머리카락은 그 자체로 신성한 신령들과 소통할 수 있는 수단이었다
강조 용법   형용사적 용법

and it was treated / in *ways* [**that** were thought to bring good
그리고 그것은 여겨졌다   행운을 가져온다고 생각되는 방법들로
= hair   주격 관계대명사   동사원형 1
                                                         5형식 동사 think의 수동태
          (to)
luck / or protect against evil].   (be thought+to부정사)
또는 악으로부터 지켜 준다고
동사원형 2

L5 In Cameroon, / for example, / medicine men attached
Cameroon에서는   예를 들어   치료 주술사들이

hair to *containers* / [**that** held their healing potions] / in order
머리카락을 용기에 붙였다   자신의 치료 물약을 담은
                    주격 관계대명사 in order to+동사원형: ~하기 위해(목적)

to protect the potions and enhance their effectiveness.
(마법의) 물약을 보호하고 그 효력을 향상시키기 위해
동사원형 1   (to) 동사원형 2

지문 해석

아프리카에서 머리카락은 특별한 영적인 중요성을 가졌다. 신체의 가장 높은 곳에 놓여 있기 때문에, 머리카락은 그 자체로 신성한 신령들과 소통할 수 있는 수단이었고, 그것은 행운을 가져오거나 악으로부터 지켜준다고 생각되는 방법들로 여겨졌다. (사람들은 서로의 머리카락을 유행 스타일에 맞춰 만들어 주면서 사회화하는 기회를 가졌다.) 신과 신령들로부터의 의사소통이 머리카락을 통과하여 영혼에 도달한다고 여겨졌다. 예를 들어,

Cameroon에서는 치료 주술사들이 (마법의) 물약을 보호하고 그 효력을 향상시키기 위해 머리카락을 자신의 치료 물약을 담은 용기에 붙였다.

C (1) 커피의 유래 및 처음 발견한 사람을 소개하는 글이다. 마지막 문장의 the awakening effects and the pleasant taste는 주어진 문장의 its flavor and alerting effect와 연결되므로 주어진 문장은 마지막 문장 앞에 들어가는 것이 가장 적절하다.

(2) ⓒ의 it은 진주어 that절을 대신하는 가주어로 쓰였다.

어휘 originate 유래하다 goatherd 염소지기 highland 고산지 awakening 깨우는 spread 널리 퍼지다 monastery 수도원 observation 관찰 brew 끓이다 flavor 풍미 alerting 각성의

구문 풀이

L3 Kaldi, the goatherd, noticed / [**that** his goats did not
염소지기인 Kaldi가 알아냈다   그의 염소들이 밤에 잠을
  └ 동격 ┘   noticed의 목적어(명사절)

sleep at night / **after** eating *berries* {from <**what** would later
자지 않았다는 것을   열매를 먹은 후   나중에 알려진 것으로부터 나온
                  전치사(~ 후에)   선행사 포함 관계대명사(~한 것)

┌ ~로 알려지다
be known / **as** a coffee tree>}].
나온   커피나무라고

지문 해석

수 세기 동안 사람들은 커피를 마셔왔지만, 단지 어디서 커피가 유래했는지 혹은 누가 그것을 처음 발견했는지는 분명하지 않다. 그러나, 한 염소지기가 에티오피아 고산지에서 커피를 발견했다고들 한다. 염소지기인 Kaldi가 그의 염소들이 나중에 커피나무라고 알려진 것으로부터 나온 열매를 먹은 후 밤에 잠을 자지 않았다는 것을 알아냈다. Kaldi가 그 지역 수도원에 그의 관찰 내용을 보고했을 때, 그 수도원장은 한 주전자의 커피를 끓이고 그것의 풍미와 각성 효과를 알아차린 첫 번째 사람이 되었다. 이 새로운 음료의 잠을 깨우는 효과와 좋은 풍미에 대한 소문은 이내 수도원 너머로 널리 퍼졌다.

D (1) 자원봉사자로 가장한 한 연구원이 '운전 조심'이라는 큰 표지판을 세워 두는 것을 허락할지에 관한 설문 조사를 했다는 주어진 글 다음에는, 그 큰 표지판이 얼마나 큰지를 설명하면서 대부분의 사람들이 거절했지만 특정 그룹에서는 76퍼센트의 사람들이 승낙했다는 내용의 명희의 말이 이어지고, 그 이유에 대해 설명하는 수지의 말이 이어진 뒤, 설문 조사의 놀라운 결과에 대해 설명하는 재훈의 말로 이어지는 것이 글의 흐름상 가장 자연스럽다.

(2) 작은 표지판을 창문에 놓는다는 서약을 했다는 의미이고, 그 작은 서약이 다른 요청을 받아들이는 데 영향을 끼쳤다는 의미이므로, 빈칸에는 commitment(서약)가 들어가는 것이 가장 적절하다.

해석 서약[약속]은 어떤 일을 하거나 특정한 방식으로 행동하겠다는 약속이다.

어휘 pretend ~인 척하다 volunteer 자원봉사자 survey 설문 조사하다 resident 주민 sign 표지판 display 전시하다 request 요청 astonishing 놀라운 initial 처음의, 초기의 willingness 기꺼이 하는 마음 participant 참가자 block 막다 incredible 믿을 수 없는 approve 승낙하다

구문 풀이

L1 In a study, / [*a researcher* {**pretending** to be a volunteer}]
한 연구에서   자원봉사자로 가장한 한 연구원이
            주어   현재분사구

/ surveyed a California neighborhood, / [**asking** residents /
어느 캘리포니아 동네에서 설문 조사를 했다   주민들에게 묻는
동사   분사구문(동시 동작)

            asking의 목적어(의문사 없는 간접의문문):
      ┌ if/whether+주어+동사   ┌ 현재분사구
{**if** they would **allow** *a large sign* <**reading** "Drive Carefully">
'운전 조심'이라고 쓰인 큰 표지판을 세워 두는 것을 허락할지를
            allow+A+to부정사: A가 ~하는 것을 허락하다

to be displayed / on their front lawns}].
그들의 앞마당에
to부정사 수동태(to be+과거분사)

                                        understand의 목적어(명사절)
L8 **To help** them understand / [what it would look like], /
그들의 이해를 돕기 위해   그것이 어떻게 보일지에 대한
부사적 용법(목적) help+목적어+목적격보어(동사원형)

the volunteer **showed** his participants / [a picture of *the large*
그 자원봉사자는 참가자들에게 보여 주었다   큰 표지판 사진을
            수여동사   간접목적어   직접목적어
        ┌ 현재분사구
sign / {**blocking** the view of a beautiful house}].
        아름다운 집의 전망을 막는

한 연구에서, 자원봉사자로 가장한 한 연구원이 어느 캘리포니아 동네의 주민들에게 그들의 앞마당에 '운전 조심'이라고 쓰인 큰 표지판을 세워 두는 것을 허락할지를 묻는 설문 조사를 했어.

명희: 그것이 어떻게 보일지에 대한 그들의 이해를 돕기 위해, 그 자원봉사자는 참여자들에게 아름다운 집의 전망을 막는 큰 표지판 사진을 보여 주었어. 당연히, 대부분의 사람들은 거절했지만, 한 특정 그룹에서 놀랍게도 76퍼센트가 실제로 승낙했어.

수지: 그들이 동의한 이유는 이것이었는데, 즉 2주 전에, 이 주민들이 다른 자원봉사자로부터 '안전한 운전자가 되세요'라고 쓰인 아주 작은 표지판을 그들의 창문에 놓는다는 작은 서약을 하도록 요청받은 적이 있었기 때문이었어.

재훈: 그것은 아주 작고 간단한 요청이었기 때문에, 그들 거의 모두가 동의했어. 놀라운 결과는, 그들이 한 처음의 작은 서약이 2주 후의 훨씬 더 큰 요청을 기꺼이 받아들이는 데 큰 영향을 끼쳤다는 거야.

정답과 해설

2주 – 세부 내용 파악하기

2주 1일 개념 돌파 전략 ①

pp. 40~43

1-1 mathematics
1-2 ⓑ
2-1 2015년과 2017년 지역별 건강 관광의 여행 수와 경비
2-2 in both 2015 and 2017 → in 2015

3-1 2019년 지속 가능한 교통수단 행사
3-2 ⓒ
4-1 the farmer, the hunter
4-2 (d)

1-1
영국의 수학자 George Boole를 소개하는 글이다.

1-2
수학으로 금메달을 받았다(he was awarded a gold medal for mathematics)고 했으므로 글의 내용과 일치하지 않는 것은 ⓑ이다.

구문 풀이

> **L5** For those contributions, / in 1844, / he **was awarded** a
> 그러한 기여로 　　1884년에　　그는 수학에 대한 금메달을
> 　　　　　　　　　　　　　　　　수동태(be동사+과거분사+by ~)
> gold medal for mathematics / **by** the Royal Society.
> 수여받았다　　　　　　　　　왕립 협회(영국 학술원)로부터

지문 해석

George Boole은 수학, 자연 철학과 다양한 언어들을 독학했다. 그는 독창적인 수학 연구 결과를 만들어 내기 시작했고 수학 분야에 중요한 기여를 했다. 1884년에, 그러한 기여로 그는 왕립 협회(영국 학술원)로부터 수학에 대한 금메달을 수여받았다.

2-1
2015년과 2017년의 지역별 건강과 웰빙을 위한 여행인 건강 관광의 여행 수와 경비를 나타낸 도표이다.

2-2
중동–북아프리카에서의 경비는 2015년에 83억 달러, 2017년에 107억 달러이고 아프리카에서의 경비는 2015년에 42억 달러, 2017년에 48억 달러로, 2017년 중동–북아프리카에서의 경비는 100억 달러를 초과했다. 따라서 in both 2015 and 2017을 in 2015로 고쳐야 한다.

구문 풀이

> **L1** The table above shows / **the number of** trips and
> 위 표는 보여 준다　　　　　여행 수와 경비를
> 　　　　　　　　　　　　　　　~의 수
> expenditures / for wellness tourism, / travel for health and
> 　　　　　　　건강 관광의　　　　　　건강과 웰빙을 위한 여행인
> 　　　　　　　　　　　　　　　　　　└ 동격 ┘
> well-being, / in 2015 and 2017.
> 　　　　　　　2015년과 2017년의
>
> **L3** Of the six **listed** *regions*, / *Europe* was **the most visited**
> 나열된 여섯 개 지역 중에서　　유럽이 가장 많이 방문된 장소였으며
> 　　　　　　과거분사　　　　　　　　　　　최상급
> *place* / for wellness tourism / in both 2015 and 2017, /
> 　　　건강 관광을 위해　　　　　2015년과 2017년 두 해 모두
> 　　　　　be followed by: ~이 뒤를 따르다
> [**followed by** Asia-Pacific].
> 아시아–태평양이 그 뒤를 따랐다
> being 생략 분사구문(Europe 부연 설명)

© Getty Images Bank

지문 해석

위 표는 2015년과 2017년의 건강과 웰빙을 위한 여행인 건강 관광의 여행 수와 경비를 보여 준다. 나열된 여섯 개 지역 중에서, 유럽이 2015년과 2017년 두 해 모두 건강 관광을 위해 가장 많이 방문된 장소였으며, 아시아–태평양이 그 뒤를 따랐다. 중동–북아프리카와 아프리카에서의 경비는 2015년과 2017년 두 해 모두(→ 2015년에) 각각 100억 달러 미만이었다.

3-1
2019년 환경을 파괴하지 않고 지속될 수 있는 교통수단 행사에 관한 안내문이다.

3-2

안내문의 후반부에서 두 가지 활동을 모두 완료한 참가자들은 '지속 가능한 이동 주간 상'에 지원할 자격이 있다(Participants who complete both activities are qualified to apply for the Sustainable Mobility Week Awards.)고 했으므로 안내문의 내용과 일치하지 않는 것은 ⓒ이다.

> **L12** [Participants / {who complete both activities}] /
> 　　　　 참가자들은　　　 두 가지 활동을 모두 완료한
> 　　　　 주어　　　　　　 주격 관계대명사
>
> are qualified to **apply for** the Sustainable Mobility Week
> '지속 가능한 이동 주간 상'에 지원할 자격이 있습니다
> 동사　　　　　　　　 ~에 지원하다
>
> Awards.

2019년 지속 가능한 이동 주간

깨끗하고 지속 가능한 교통수단을 위한 이번 연례 행사는 11월 25일부터 12월 1일까지 진행합니다. 여러분은 아래의 활동들에 참여할 수 있습니다.

걷기 도전:

깨끗한 환경을 홍보하기 위해 행사의 주말 동안 2만 보 이상 걷도록 노력하세요.

지속 가능한 이동 선택하기:

여러분 자신의 차 대신에 대중교통이나 자전거를 이용하세요.

• 두 가지 활동을 모두 완료한 참가자들은 '지속 가능한 이동 주간 상'에 지원할 자격이 있습니다.

• 참가자들은 온라인으로 등록해야 합니다.

www.sustainablemobilityweek.org

4-1

농부가 이웃 사냥꾼의 세 아들들에게 자신이 기르는 양 세 마리를 선물한 이야기로, 주요 인물로 농부와 사냥꾼이 등장한다.

4-2

(a), (b), (c), (e)는 사냥꾼을 가리키고, (d)는 농부를 가리킨다.

> **L8** In turn, / the farmer **offered** him lamb meat /
> 　　　 답례로　　 농부는 그에게 양고기를 제공했다
> 　　　　　　　　　　　　　　 간접목적어 직접목적어
> 　　　┌ 목적격 관계대명사 that[which] 생략
> and *cheese* [he **had made**].
> 그리고 그가 만든 치즈를
> 　　　　 대과거(offered보다 이전의 일)

농부는 사냥꾼의 세 아들들에게 세 마리의 양을 선물로 주었다. 그의 아들들이 새로 얻은 놀이 친구들을 보호하기 위해서, 사냥꾼은 (a) 그의 개들을 위한 튼튼한 개집을 만들었다. 개들은 다시는 농부의 새끼 양들을 괴롭히지 않았다. (b) 자신의 아이들에 대한 농부의 너그러움에 대한 고마움으로, 사냥꾼은 종종 농부를 잔치에 초대했다. 답례로, 농부는 (c) 그에게 양고기와 (d) 그가 만든 치즈를 제공했다. 농부는 곧 (e) 그와 강한 우애를 발전시켰다.

© Getty Images Bank

2 1일 개념 돌파 전략 ②

pp. 44~45

1 ③	3 ③
2 ③	4 ②

1

Lithops는 작은 식물로 토양 표면 위로 거의 1인치 이상 자라지 않는다(rarely getting more than an inch above the soil surface)고 했으므로 글의 내용과 일치하지 않는 것은 ③이다.

> **L5** Lithops are small plants, / [**rarely getting** more than
> 　　　 Lithops는 작은 식물이고　　 토양 표면 위로 거의 1인치 이상
> 　　　　　　　　　　　　　　　　 거의 ~하지 않는 분사구문 1
>
> an inch above the soil surface] / and [usually **with** only two
> 자라지 않고　　　　　　　　　 그리고 보통 두 개의 잎만 있다
> 　　　　　　　　　　　　　　　　　 being 생략 분사구문 2
>
> leaves].

Lithops는 독특한 바위 같은 겉모습 때문에 종종 '살아 있는 돌'로 불리는 식물이다. 그것은 원산지가 남아프리카 사막이지만 화원과 묘목장에서 흔히 판매된다. Lithops는 수분이 거의 없는 빡빡한 모래 토양과 극도의 높은 온도에서 잘 자란다. Lithops는 작은 식물이고, 토양 표면 위로 거의 1인치 이상 자라지 않으며 보통 두 개의 잎만 있다.

2

영국과 그리스의 건강 관련 지출 GDP 점유율은 각각 9.8%, 7.8%이므로 2퍼센트 포인트 차이가 있다. 따라서 도표의 내용과 일치하지 않는 것은 ③이다.

구문 풀이

> **L4** Among the **given** countries above, / *the US* had the
> 위 국가들 중   미국은 가장 높은
>   과거분사
> highest share, / with 16.9 percent, / [**followed** by Switzerland /
> 점유율을 보였고   16.9퍼센트로   ┌ being 생략
>   이어 스위스가 그 뒤를 따랐다
>   분사구문(the US 부연 설명)
> at 12.2 percent].
> 12.2퍼센트로

지문 해석

위 도표는 선별된 OECD 국가들의 2018년 건강 관련 지출을 GDP 점유율로 보여 준다. ① 평균적으로, OECD 국가들은 건강 관리에 GDP의 8.8퍼센트를 지출한 것으로 추정되었다. ② 위 국가들 중 미국은 16.9퍼센트로 가장 높은 점유율을 보였고, 이어 스위스가 12.2퍼센트로 그 뒤를 따랐다. ③ 영국과 그리스 사이의 건강 관리에 지출된 GDP의 점유율에는 3퍼센트 포인트 (→ 2퍼센트 포인트) 차이가 있었다.

3

환경 보호 글쓰기 대회에 관한 안내문이다. 안내문의 후반부에서 수상자는 웹사이트에서만 공지되고 개별 연락은 없다(No personal contact will be made.)고 했으므로 안내문의 내용과 일치하지 않는 것은 ③이다.

구문 풀이

> **L11** The winners **will be announced** / only on the website /
> 수상자는 공지될 것입니다   웹사이트에서만
>   미래 수동태(will be+과거분사)
> on July 15th, 2021.
> 2021년 7월 15일에

지문 해석

'Go Green' 글쓰기 대회
□ 주제: 환경을 보호하라
□ 글쓰기 부문
 • 슬로건 • 시 • 에세이
□ 요구 사항:
 • 참가자: 고등학생
 • 위 글쓰기 부문 중 하나에 참가하세요.
 (참가자 일 인당 한 작품)
□ 마감 기한: 2021년 7월 5일
 • apply@gogreen.com으로 작품을 보내세요.
□ 수상자는 2021년 7월 15일에 웹사이트에서만 공지될 것입니다. 개별 연락은 없을 것입니다.
□ 추가 정보를 원한다면, www.gogreen.com을 방문하세요.

4

(a), (c), (d), (e)는 필자의 아버지를 가리키고, (b)는 필자를 가리킨다.

구문 풀이

> **L3** I marvelled, / [**proud** of him], / and wondered / [**how**, /
> 나는 놀라워했고 그를 자랑스럽게 여기면서 그리고 궁금했다 어떻게
>   ┌ 삽입구   being 생략 분사구문   동사 1   being 생략 분사구문 동사 2
> {(in 1920), / so young, so white, / and in *the deep South*,
> 1920년에   그렇게 어리고 백인이었던   그리고 최남부 지역에서
> wondered의 목적어(간접의문문: 의문사+수식어구{ }+주어+동사)
> <**where** the law still separated black from white>}, /
> 법으로 흑인과 백인을 여전히 분리시켰던
> 관계부사
> he had had *the courage* <**to deliver** it>].
> 그가 그것을 할 용기가 있었는지
> 주어 동사(대과거 had+p.p.)   형용사적 용법 = the speech

지문 해석

그것은 나의 아버지가 Tennessee 주에서 1920년에 썼던 연설문이었다. 당시 (a) 아버지는 겨우 17살에 고등학교를 졸업했을 때인데, 그는 아프리카계 미국인들을 위한 평등을 요구했다. 그를 자랑스럽게 여기면서 (b) 나는 놀라워했고, 1920년에 법으로 흑인과 백인을 여전히 분리시켰던 최남부 지역에서, 그렇게 어리고 백인이었던 (c) 그가 어떻게 그것(연설)을 할 용기가 있었는지 궁금했다. 나는 (d) 그에게 그것에 대해 물었다. 그가 말했다. "나는 허락을 구하지 않았어. (e) 나는 그저 나 자신에게 물었어. '우리 세대가 직면한 가장 중요한 도전 과제는 무엇인가?'"

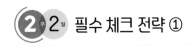
| 필수 예제 | **1** ⑤ | 확인 문제 | **1-1** ⑤ | 확인 문제 | **1-2** (A) spent   (B) majored   (C) graduating |
| 필수 예제 | **2** ④ | 확인 문제 | **2-1** ③ | 확인 문제 | **2-2** that |

필수 예제 1

마지막 문장에서 Dunbar가 표준 영어로 쓴 시들이 방언으로 쓴 시들보다 많지만, 가장 큰 주목을 가져온 것은 방언의 시들이었다(it was the dialect poems that brought Dunbar the most attention)고 했으므로 글의 내용과 일치하지 않는 것은 ⑤이다.

구문 풀이

> **L4** **Despite** being a fine student, / Dunbar was financially
> 훌륭한 학생이었음에도 불구하고   Dunbar는 재정상 대학에 다닐 수
> 양보 전치사(+ 동명사)   동사 1
>
> unable to attend college / and took a job / as an elevator
> 없었다   그래서 취직을 했다   엘리베이터 기사로
>   동사 2   ~로서(자격)
>
> operator.
>
> **L12** [**Although** {the "major" poems / in standard English} /
> 비록 '장조' 시들이   표준 영어의
> 양보 부사절(+주어+동사)   주어
>
> outnumber *those* <**written** in dialect>], / **it was** the dialect
> 방언으로 쓰인 것들보다 많지만   바로 방언의 시들이었다
> 동사   = poems 과거분사구   it is[was] ~ that ... 강조 구문
>
> poems / **that** brought Dunbar the most attention.
>   Dunbar에게 가장 큰 주목을 가져온 것은

지문 해석

아프리카계 미국인인 Paul Laurence Dunbar는 1872년 6월 27일에 태어났다. 14세가 되자, Dunbar는 〈Dayton Herald〉에 시를 발표했다. 고등학교에 다니는 동안 그는 그의 고등학교 신문을 편집했다. 훌륭한 학생이었음에도 불구하고, Dunbar는 재정상 대학에 다닐 수 없어서 엘리베이터 기사로 취직을 했다. 1893년에, Dunbar는 그의 첫 번째 책인 〈떡갈나무와 담쟁이덩굴〉을 자비로 출간했다. 1895년에, 그는 두 번째 책인 〈장조와 단조〉를 출간했는데, 그것은 그에게 국내외적 인정을 가져왔다. 표준 영어로 쓰인 시는 '장조'로 불렸고, 방언으로 쓴 시는 '단조'라고 불렸다. 비록 표준 영어의 '장조' 시들이 방언으로 쓰인 것(시)들보다 많지만, Dunbar에게 가장 큰 주목을 가져온 것은 바로 방언의 시들이었다.

확인 문제 1-1

마지막 문장에서 Shirley Chisholm은 미국의 베트남 전쟁 개입에 반대했다(Shirley Chisholm was against the American involvement in the Vietnam War)고 했으므로 글의 내용과 일치하지 않는 것은 ⑤이다.

확인 문제 1-2

(A) spend＋시간＋in＋장소: ~에서 시간을 보내다(과거시제이므로 과거형으로 써야 한다.)

(B) major in: ~을 전공하다(과거 시제이므로 과거형으로 써야 한다.)

(C) graduate from: ~을 졸업하다(전치사 After 뒤이므로 동명사 형태로 써야 한다.)

© Jon Chica / shutterstock

구문 풀이

> **L5** After graduating from Brooklyn College / in 1946, /
> Brooklyn 대학을 졸업한 후   1946년에
>
> she began her career / as a teacher / and went on **to earn** a
> 그녀는 직장 생활을 시작했다   교사로   그리고 계속하여 석사 학위를
>   동사 1   동사 2   부사적 용법(결과)
>
> master's degree / in elementary education / from Columbia
> 받았다   초등 교육   Columbia 대학에서
>
> University.

지문 해석

Shirley Chisholm은 1924년에 New York의 Brooklyn에서 태어났다. Chisholm은 어린 시절의 일부를 그녀의 할머니와 Barbados에서 보냈다. Shirley는 Brooklyn 대학에 다녔고 사회학을 전공했다. 1946년에 Brooklyn 대학을 졸업한 후, 그녀는 교사로 직장 생활을 시작했고 계속하여 Columbia 대학에서 초등 교육 석사 학위를 받았다. 1968년에, Shirley Chisholm은 미국 최초의 아프리카계 미국인 여성 하원 의원이 되었다. 그녀는 시민권, 여성 권리, 그리고 빈민에 대해 목소리를 내었다. Shirley Chisholm은 미국의 베트남 전쟁 개입과 무기 개발의 확대에 반대했다.

필수 예제 2

웹 기반 발명 분야에서 여성과 남성 응답자의 비율은 각각 14퍼센트, 26퍼센트로 여성 응답자의 비율이 남성 응답자의 비율의 절반인 13퍼센트 이상이었다. 따라서 도표의 내용과 일치하지 않는 것은 ④이다.

구문 풀이

L7 [The percentage point gap / between males and females]
퍼센트 포인트 차이가 .... 남성과 여성 간의
주어(단수)

/ was **the smallest** / in environmental invention.
가장 작았다 .... 환경 관련 발명 분야에서
동사(단수) the+최상급+in+단수 명사: …에서 가장 ~한

L9 For web-based invention, / the percentage of female
웹 기반 발명 분야에서 .... 여성 응답자의 비율은

respondents / was **less than** half / **that** of male respondents.
.... 절반 이하였다 .... 남성 응답자의 그것의
~ 이하의(↔ more than) = the percentage

지문 해석

위 도표는 2011년에 실시한 16세부터 25세까지 청소년들의 발명 흥미 분야에 관한 조사의 결과를 보여 준다. ① 다섯 개 범주의 발명 분야 중에서, 가장 높은 비율의 남성 응답자가 소비재를 발명하는 것에 대해 흥미를 나타냈다. ② 건강 과학 발명 분야에서, 여성 응답자의 비율은 남성 응답자의 그것(비율)보다 2배만큼 높았다. ③ 환경 관련 발명 분야에서 남성과 여성 간의 퍼센트 포인트 차이가 가장 작았다. ④ 웹 기반 발명 분야에서, 여성 응답자의 비율은 남성 응답자의 그것(비율)의 절반 이하였다(→ 이상이었다). ⑤ 기타 발명 분야의 범주에서, 각 성별 집단의 응답자 비율은 10퍼센트 이하였다.

확인 문제 2-1

프랑스에서 주로 뉴스 사이트를 통해 뉴스 영상을 시청하는 사람들의 비율은 35퍼센트이고 독일 역시 35퍼센트로 같다. 따라서 도표의 내용과 일치하지 않는 것은 ③이다.

확인 문제 2-2

(A)에는 the percentage를 대신하는 지시대명사 that이 적절하다. 첫 번째 빈칸에는 「It is[was] ~ that ….」 강조 구문의 that, 두 번째 빈칸에는 가주어 It을 대신하는 진주어를 이끄는 접속사 that이 적절하다.

해석 · 그녀가 목걸이를 잃어버린 것은 바로 어제였다.

· 그가 복권에 당첨된 것은 사실이 아니다.

구문 풀이

L9 As for *people* / [**who** mostly watch news videos /
.... 사람들에 있어서는 ..... 주로 뉴스 영상을 시청하는
.... 주격 관계대명사

via social networks], / Japan shows / **the lowest** percentage /
소셜 네트워크를 통해 ..... 일본이 보여 준다 ...... 가장 낮은 비율을
.... the+최상급+among+복수 명사: …중에서 가장 ~한

among the countries.
다섯 개 국가 중에서

지문 해석

위 도표는 다섯 개 국가에서 사람들이 뉴스 영상을 소비하는 방식을 보여 주는데, 뉴스 사이트에서의 뉴스 영상 소비 대 소셜 네트워크를 통한 뉴스 영상 소비이다. ① 뉴스 사이트에서 뉴스 영상을 소비하는 것은 소셜 네트워크를 통해서보다 더 인기가 있다. ② 주로 뉴스 사이트에서 뉴스 영상을 시청하는 사람들에 있어서는, 핀란드가 다섯 개 국가 중에서 가장 높은 비율을 보여 준다. ③ 프랑스에서 주로 뉴스 사이트를 통해 뉴스 영상을 시청하는 사람들의 비율은 독일에서의 그것(비율)보다 더 높다(→ 그것과 같다). ④ 주로 소셜 네트워크를 통해 뉴스 영상을 시청하는 사람들에 있어서는, 다섯 개 국가 중에서 일본이 가장 낮은 비율을 보여 준다. ⑤ 브라질은 다섯 개 국가 중에서 주로 소셜 네트워크를 통해 뉴스 영상을 시청하는 사람들의 가장 높은 비율을 보여 준다.

> 도표에 자주 등장하는 원급·비교급·최상급 주요
> 구문은 정확히 해석해야 해.
> - as+원급+as: …만큼 ~한
> - 비교급(-er / more ~)+than: …보다 더 ~한
> - the+최상급+in+단수 명사 /
>   the+최상급+among / of+복수 명사:
>   … 중에서 가장 ~한

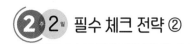

1 ⑤　　**2** many young soldiers came to the studio to have their pictures taken　　**3** ④　　**4** were → was

1 글의 후반부에서 1969년의 전시회가 국제적인 인정을 가져왔다(In 1969, the exhibition, *Harlem On My Mind*, brought him international recognition.)고 했으므로 글의 내용과 일치하지 않는 것은 ⑤이다.

2 주어는 '많은 젊은 군인들'이므로 many young soldiers, 동사는 '왔다'이므로 came을 쓴다. '사진을 찍기 위하여'는 목적을 나타내는 to부정사의 부사적 용법으로 써서 to have their pictures taken으로 쓰면 된다. '찍히게 하다'의 피동의 사역동사 「have+목적어+과거분사」로 쓰인 것에 유의한다.

```
World War I had begun / and many young soldiers came to
제1차 세계대전이 시작되었고      그리고 많은 젊은 군인들이 스튜디오로 왔다
대과거(came보다 이전의 일)
              ┌ 부사적 용법(목적)
the studio / [to have their pictures taken].
            그들의 사진을 찍기 위해
            have(사역동사)+목적어+목적격보어(수동 과거분사)
```

구문 풀이

L5 By 1906, / he had moved to New York, / married, /
　　1906년쯤에는　New York으로 이사해　　　결혼했고
　　　　　　　　　　　　동사 1　　　　　　　　동사 2
and was taking jobs / **to support** his growing family.
그리고 여러가지 일들을 했다　늘어나는 가족을 부양하기 위해
　　　동사 3　　　　　　　　부사적 용법(목적)

지문 해석

James Van Der Zee는 Massachusetts 주 Lenox에서 1886년 6월 29일에 태어났다. 여섯 아이들 중 둘째인 James는 창의적인 가족들의 가정에서 성장했다. 14세 때 그는 첫 번째 카메라를 받았고 그의 가족과 마을 사진을 수백 장 찍었다. 1906년쯤에는, New York으로 이사해 결혼했고 늘어나는 가족을 부양하기 위해 여러가지 일들을 했다. 1907년에, 그는 Virginia 주 Phoetus로 이사했고, 그곳에서 그는 Chamberlin 호텔의 식당에서 일했다. 이 시간 동안 그는 또한 시간제 사진사로 일했다. 그는 1916년에 자신만의 스튜디오를 열었다. 제1차 세계대전이 시작되었고 많은 젊은 군인들이 그들의 사진을 찍기 위해 스튜디오로 왔다. 1969년에는, 전시회 〈내 마음속의 할렘〉이 그에게 국제적인 인정을 가져왔다. 그는 1983년에 사망했다.

3 2013년부터 중국의 스마트폰 평균 가격은 상승했고 인도는 하락했으므로 도표의 내용과 일치하지 않는 것은 ④이다.

4 주어는 The gap ~ in China인데, 핵심 주어는 The gap으로 단수이므로 동사 were를 단수형인 was로 고쳐야 한다.

```
[The gap / {between the global smartphone average price /
차이는        전 세계 스마트폰 평균 가격과
주어(단수)    수식어구 between A and B: A와 B 사이의
and the smartphone average price in China}] / was the smallest
중국의 스마트폰 평균 가격의                          가장 적었다
                                              동사(단수)
/ in 2015.
  2015년에
```

구문 풀이

L7 From 2013, / China and India took opposite paths, /
　　2013년부터　　　중국과 인도는 상반된 모습을 보였다
┌ with+명사(구)+현재분사: ~이 …하면서(동시 동작)
with China's smartphone average price going down /
중국의 스마트폰 평균 가격은 하락했고
　　　명사(구) 1　　　　　　　현재분사 1
(┌ with)
and India's going up.
인도의 스마트폰 평균 가격은 상승하는
　명사(구) 2　현재분사 2

지문 해석

위 도표는 2010년에서 2015년 사이의 중국과 인도의 스마트폰 평균 가격을, 같은 기간 동안의 전 세계 스마트폰 평균 가격과 비교하여 보여 준다. ① 전 세계 스마트폰 평균 가격은 2010년부터 2015년까지 하락했다. ② 중국의 스마트폰 평균 가격은 2010년에서 2013년 사이에 떨어졌다. ③ 인도의 스마트폰 평균 가격은 2011년에 최고점에 도달했다. ④ 2013년부터, 중국의 스마트폰 평균 가격은 하락(→ 상승)했고 인도의 스마트폰 평균 가격은 상승(→ 하락)하는, 상반된 모습을 보였다. ⑤ 전 세계 스마트폰 평균 가격과 중국의 스마트폰 평균 가격의 차이는 2015년에 가장 적었다.

2주 3일 필수 체크 전략 ①

필수 예제 **3** ②	확인 문제 **3-1** ②	확인 문제 **3-2** certificate
필수 예제 **4** ③	확인 문제 **4-1** ③	확인 문제 **4-2** (A) giving (B) if (C) thinking

필수 예제 3

책 읽기 행사에 관한 안내문이다. 날짜(Dates)는 6월 1일부터 12월 31일까지(From June 1st to December 31st)로 7개월간 진행되므로 안내문의 내용과 일치하지 않는 것은 ②이다.

구문 풀이

L2 This is **not** a competition, / **but** rather a challenge /
이 행사는 (경쟁) 시합이 아니라   도전입니다
　　　　 not A but B: A가 아니라 B이다
to inspire students **with** the love of reading.
학생들에게 책 읽기 사랑을 붙어넣는
부사적 용법(목적) inspire A with B: A에게 B를 붙어넣다

지문 해석

최고의 읽기 도전
이 행사는 (경쟁) 시합이 아니라, 학생들에게 책 읽기 사랑을 붙어넣는 도전입니다.
• 참가자
　– 6학년부터 9학년까지의 학생
• 날짜
　– 6월 1일부터 12월 31일까지
• 도전
　– 6학년과 7학년의 개별 학생은 15권의 책을 읽어야 합니다.
　– 8학년과 9학년의 개별 학생은 20권의 책을 읽어야 합니다.
• 포상
　– 모든 참가자에게 책갈피
　– 도전 과제를 완료한 학생에게 '성취 증명서'
• 등록
　– 온라인으로만 — www.edu.prc.com
※ 더 많은 정보를 원하시면, 학교 사서 교사를 만나거나 위의 웹사이트를 방문하세요.

확인 문제 3-1

친선 체스 선수권 대회에 관한 안내문이다. 참가 신청 마감(Entry Deadline)은 3월 22일 오후 4시(March 22, 4 p.m.)이고, 3월 23일 오전 10시는 체스 경기가 열리는 일시이다. 따라서 안내문의 내용과 일치하지 않는 것은 ②이다.

확인 문제 3-2

모든 참가자는 참가 증명서를 받을 것이라는는 의미이므로, 빈칸에는 certificate(증명서)가 들어가는 것이 가장 적절하다.

해석 학업 과정을 완료했거나 시험에 통과했음을 말해 주는 공식적인 문서

구문 풀이

L9 Every participant / will receive / a certificate for entry!
모든 참가자는　　　　　받을 것입니다　참가 증명서를
every+단수 명사+단수 동사

지문 해석

Waverly 고등학교
친선 체스 선수권 대회
3월 23일 토요일 오전 10시
• 장소: Waverly 고등학교 강당
• 참가 신청 마감: 3월 22일 오후 4시
• 연령별 부문: 7~12세, 13~15세, 16~18세
• 상: 각 부문별 금상, 은상, 동상
　– 수상식: 오후 3시
　– 모든 참가자는 참가 증명서를 받을 것입니다!
관심이 있다면, http://www. waverly.org.에서 온라인으로 등록하세요.
더 많은 정보를 원하시면, 저희 웹사이트를 방문하세요.

© spixel / shutterstock

필수 예제 4

(a), (b), (d), (e)는 도둑을 가리키고, (c)는 상인을 가리킨다.

L6 Then / he **replaced** the new white sheet / **with** *a similar*
그러고 나서 그는 새로운 흰색 천을 바꾸었는데　　　　비슷하게 보이는
　　　　　　replace A with B: A를 B로 바꾸다[교체하다]

looking white sheet, / **which** was **much** *weaker* and **much**
흰색 천으로　　　　그것은 훨씬 더 약하고 값이 훨씬 더 저렴했다
　　　　　　계속적 용법의 관계대명사　　　　비교급 수식어

cheaper / **than** the thief's *one*.
　　　　도둑의 것보다
비교 구문　　　　= white sheet

L13 [**Leaving** the goods behind in the house], / he ran away
그 집에 물건을 남겨두고 떠나면서　　　　　　그는 서둘러
분사구문(동시 동작)

in a hurry / [**saying** under his breath: / "He has stolen from a
도망치며　　숨죽여 말했다　　　　그는 도둑에게서 훔쳤다!
　　　　분사구문(동시 동작)　　숨죽여

thief! / He has **not only** managed to save his valuables / **but**
그는 그의 귀중품들을 지켜냈을 뿐만 아니라
　　　　not only A but also B: A뿐만 아니라 B도

has **also** taken away my new sheet."]
나의 새로운 천도 가져갔다

도둑이 한 부유한 상인의 집에 들어왔을 때, 그는 침대에 누워 도둑의 행동을 지켜봤다. 그 도둑은 훔친 물건을 가져가 버리기 위해 새로운 흰색 천을 (a) 그와 함께 가져왔다. (b) 그가 비싸 보이는 물건들을 모으느라 바쁜 동안, 상인은 재빨리 침대 밖으로 나왔다. 그러고 나서 그는 (도둑의) 새로운 흰색 천을 비슷하게 보이는 흰색 천으로 바꾸었는데, 그것은 도둑의 것보다 훨씬 더 약하고 값이 훨씬 더 저렴했다. 그러고 나서 (c) 그는 누워 자는 척했다. 도둑이 가능한 한 많은 귀중품들을 모으는 것을 마쳤을 때, 상인은 정원으로 뛰어나가 외쳤다. "도둑이야! 도둑이야!" (d) 그가 놀랍게도, 훔친 물건으로 가득했던 얇은 흰색 천은 찢어졌다. 그 집에 물건을 남겨두고 떠나면서, 그는 서둘러 도망치며 숨죽여 말했다. "그는 도둑에게서 훔쳤다! 그는 그의 귀중품들을 지켜냈을 뿐만 아니라 (e) 내 새로운 천도 가져갔다."

확인 문제 4-1

(a), (b), (d), (e)는 Toby를 가리키고, (c)는 자원봉사를 간 에티오피아의 한 소년을 가리킨다.

확인 문제 4-2

(A) while he was giving에서 he was가 생략된 형태이므로 giving이 적절하다.

(B) 의문사가 없는 간접의문문이므로 '~인지 아닌지'라는 의미의 접속사 if가 적절하다.

(C) '생각하는 것을 멈추다'라는 의미이므로 동명사 thinking이 적절하다. (*cf.* stop+to부정사: ~하기 위해 하던 일을 멈추다)

© wavebreakmedia / shutterstock

L1 [**Feeling** a tap on his shoulder / **while giving** away food
그의 어깨를 가볍게 두드리는 것을 느낀　　음식과 보급품을 나누어 주는 동안
분사구문(동시 동작)　　　　　　　　　↳ he was 생략

and supplies / to people], / eighteen-year-old Toby Long
　　사람들에게　　　　18살의 Toby Long은 몸을 돌려

turned around / **to find an Ethiopian boy standing** /
　　　　에티오피아 소년이 서 있는 것을 발견했다
　　　　부사적 용법(결과) find+목적어+목적격보어(능동 현재분사)

behind him.
그의 뒤로
　　　　　　　　what+to부정사: 무엇을 ~해야 할지
　　　　　　　　(= what+주어+should+동사원형)

L8 Toby didn't know / [**what to** say / to the little boy /
Toby는 몰랐다　　무슨 말을 해야 할지　　어린 소년에게
　　　　　　　　　　know의 목적어(명사절)
　　　　　　　┌ the shirt
other than, / "I need it, too."]
외에　　나도 그것이 필요해

사람들에게 음식과 보급품을 나누어 주는 동안 (a) 그의 어깨를 가볍게 두드리는 것을 느낀, 18살의 Toby Long은 몸을 돌려 (b) 그의 뒤로 한 에티오피아 소년이 서 있는 것을 발견했다. 그 어린 소년은 자신의 낡은 셔츠를 먼저 본 뒤, Toby의 옷을 보았다. 다음으로, (c) 그는 Toby의 셔츠를 가질 수 있는지 물었다. Toby는 국제 자선단체와 2주 반 동안 자원봉사를 하려고 아프리카로 여행을 떠났다. Toby는 "(d) 나도 그것(셔츠)이 필요해." 외에 그 어린 소년에게 무슨 말을 해야 할지 몰랐다. Toby가 그날 저녁에 캠프로 돌아왔을 때 (e) 그는 커다란 슬픈 눈의 어린 소년에 대한 생각을 멈출 수 없었다.

pp. 56~57

1 ④ **2** $32 → $28 / 10 hours → 9 hours
3 ⑤ **4** he didn't look like he could have enough money to even ride the bus

1 Grand Park 동물원에 관한 안내문이다. 동물원에서(At the Zoo)는 어떤 애완동물도 허용되지 않는다(No pets are allowed.)고 했다. 따라서 안내문의 내용과 일치하지 않는 것은 ④이다.

2 입장료가 성인은 12달러, 3세~15세는 4달러, 2살 이하는 무료이므로, 성인 2명(12×2=24), 5세 아들 1명(4달러), 2세 딸 1명(무료) 가족은 28달러를 지불해야 한다. 공원 개장 시간은 오전 9시, 폐장 시간은 오후 6시이므로 9시간 동안 즐길 수 있다.

[해석] 우리는 지난 추수감사절에 Madison Valley에 있는 Grand Park 동물원을 방문했다. 우리는 성인 2명, 5살 아들과 2살 딸로 이루어진 한 가족이므로 입장료로 32달러를 냈다. 우리는 그곳에서 10시간 동안 즐거운 시간을 보냈다.

[구문 풀이]

L2 Grand Park Zoo offers / **to explore** the amazing
Grand Park 동물원은 제공합니다 놀라운 동물 왕국을 탐험할 기회를
　　　　　　　　　　　　　　명사적 용법(목적어)　현재분사
animal kingdom!　　　　　　　　　　　(*cf.* amazed 놀란)

[지문 해석]

Grand Park 동물원에 오신 것을 환영합니다
Grand Park 동물원은 놀라운 동물 왕국을 탐험할 기회를 제공합니다!
시간
– 1년 365일, 오전 9시 개장
– 오후 6시 폐장
위치
– Madison Valley
– 시청에서 차로 20분이 걸립니다.
입장료
– 성인 12달러, 3세~15세 4달러
– 2세 이하 무료
동물원에서는
– 어떤 애완동물도 허용되지 않습니다.
– 휠체어 대여소와 응급 처치소가 있습니다.
◆ 현재 가이드 투어 예약을 받고 있습니다.

◆ 더 많은 정보나 예약을 원하시면, 사무실을 방문하시거나 (912) 132-0371로 전화 주세요.

3 (a), (b), (c), (d)는 노인을 가리키고, (e)는 Kevin을 가리킨다.

4 '그는 ~처럼 보이지 않았다'는 동사 look like를 사용하여 he didn't look like로 쓴다. '~하기에 충분한 돈'은 「enough+to부정사」를 사용하여 enough money to ride로 쓸 수 있다.

He came / and sat on the bench / in front of the bus stop //
그는 와서　　그리고 버스 정류장 앞 벤치에 앉았다
　　　　　　　　　　　　　　　　　┌─ 형용사
but he didn't **look** / **like** [he could have **enough** *money* /
하지만 그는 보이지 않았다 충분한 돈을 갖고 있을 것처럼
　　　　　　　　~처럼 보이다 └ 명사절 접속사 that 생략
{**to** even **ride** the bus}].
버스를 타기에도
enough+명사+to부정사: ~하기에 충분한 …

[구문 풀이]

L2 [*An old man* / {**whom** society would **consider** a beggar}] /
한 노인이　　　　사회가 거지라고 여길 만한
주어　　　　　　목적격 관계대명사　　　consider의 목적격보어
was coming toward him / from across the parking lot.
그를 향해 오고 있었다　　주차장 건너편에서
동사

[지문 해석]

Kevin은 자신의 차를 닦으며 쇼핑몰 앞에 있었다. 그는 세차장에서 방금 나왔고 그의 아내를 기다리고 있었다. 사회가 거지라고 여길 만한 한 노인이 주차장 건너편에서 그를 향해 오고 있었다. (a) 그의 모습으로는, 그는 집도 돈도 없는 것 같았다. '나는 (b) 그가 내게 돈을 요구하지 않으면 좋겠어.'라고 그는 생각했다. 그 남자는 그러지(요구하지) 않았다. (c) 그는 와서 버스 정류장 앞 벤치에 앉았지만 그는 버스를 타기에도 충분한 돈을 갖고 있을 것처럼 보이지 않았다. Kevin은 물었다. "도움이 필요하세요?" (d) 그는 Kevin이 절대로 잊지 못할 단순하지만 심오한 세 단어로 대답했다. "우리 모두 그렇지 않나요?" 그 세 단어들이 (e) 그를 놀라게 할 때까지 Kevin은 (자신이) 성공하고 중요하다고 느끼고 있었다. 우리 모두 그렇지 않나요?

 **4** 교과서 대표 전략 ①

pp. 58~61

대표 예제 1 ②	대표 예제 2 ③

대표 예제 3 (1) ④　(2) students who[that] chose romance / as high as that of students / chose fantasy

대표 예제 4 ①　대표 예제 5 무료 교육을 제공하는 음악 학교 설립을 돕는 것

대표 예제 6 (1) ⑤　(2) ④

대표 예제 1

연의 꼬리는 안정감을 증가시키는 역할을 한다(It can help make a kite fly more stably)고 했으므로 글의 내용과 일치하는 것은 ②이다.

어휘 add 더하다　stably 안정적으로　weight 무게, 중력 drag 항력　spin 빙빙 돌다　roll 돌다　ancestor 선조, 조상

구문 풀이

> **L1** It can **help make** a kite fly more stably / **by** adding /
> 이는 연이 좀 더 안정적으로 날 수 있게 도와준다　　더해 줌으로써
> help+목적어(동사원형)　make+목적어+목적격보어(동사원형)　by+-ing: ~함으로써
>
> **not just** some weight / **but also** drag / to its lower end.
> 중력뿐만 아니라　　　　항력을　　　연의 하단부에
> not just[only] A but also B: A뿐만 아니라 B도
>
> **L8** [**Adding** a longer tail, / such as a 100 cm tail] / can
> 긴 꼬리를 다는 것은　　　　100센티미터 정도의
> 주어(동명사구)　　　　　수식어구　　　　　동사(조동사+동사원형)
> ┌ help+목적어+목적격보어(동사원형)　┌ 동사원형 2　┌ without+ing: ~하지 않고
> **help** the kite fly well, / **allow** it to go high / **without** rolling
> 연이 잘 날게 도와주고　　　높이 올라갈 수 있게 해 줄 수 있다
> 동사원형 1　　　　　　allow+A+to부정사: A가 ~하는 것을 허락하다
>
> very much.
> 많이 돌지 않고

지문 해석

때때로 연에는 꼬리가 달리기도 한다. 이는 연의 하단부에 중력 뿐만 아니라 항력을 더해 줌으로써 연이 좀 더 안정적으로 날 수 있게 도와준다. 그러나 꼬리의 길이는 적당해야 한다. 예를 들어, 10센티미터 정도의 짧은 꼬리를 달게 되면, 연은 상하좌우로 빙빙 돌 것이다. 100센티미터 정도의 긴 꼬리를 다는 것은 연이 잘 날게 도와주고, 많이 돌지 않고 높이 올라갈 수 있게 해 줄 수 있다. 우리 선조들은 이 모든 것을 알았고, 꼬리를 적당한 길이로 만들었다.

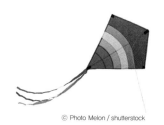

© Photo Melon / shutterstock

대표 예제 2

에너지 공급에서 원유는 27.3%, 천연 가스는 22.6%로 이 두 가지를 합친 양은 49.9%로 전체의 절반 이하이므로 도표의 내용과 일치하지 않는 것은 ③이다.

어휘 supply 공급, 공급원　nuclear 핵의　natural gas 천연 가스　renewable 재생 가능한　oil 원유　coal 석유　source 공급원, 원천　depend on ~에 의존하다　be followed by ~이 뒤를 따르다　combined 합친　total 전체　make up 차지하다, 구성하다　remarkable 주목할 만한

구문 풀이

> **L8** [The fact / {that renewables make up 13.5% /
> 사실은　　재생 에너지가 13.5퍼센트를 차지한다는
> 주어 └ 동격 ┘ 동격 접속사
>
> of the energy supply}] / is remarkable.
> 에너지 공급에 있어　　　　주목할 만하다
> 　　　　　　　　　　동사

지문 해석

이 도표는 세계가 의존하는 에너지의 공급원이 무엇인지를 보여 준다. ① 이 도표에 의하면, 가장 많은 양의 에너지는 석탄에서 온다. ② 원유가 두 번째 온다. 천연 가스가 22.6퍼센트로 뒤를 따른다. ③ 놀랍게도, 이 두 가지 공급원을 합친 양은 전체의 절반 이상이다(→ 이하이다). ④ 재생 에너지가 에너지 공급에 있어 13.5퍼센트를 차지한다는 사실은 주목할 만하다. ⑤ 도표 상에서 핵 에너지는 두 번째로 가장 적은 에너지 공급원이다.

대표 예제 3

(1) 목록에서 가장 인기 없는 장르의 책은 과학, 모험 소설, 여행 세 가지로 모험 소설은 그 중 하나이므로, ④는 도표의 내용과 일치하지 않는다.

(2) '~만큼 높았다'는 원급 비교구문 as high as로 쓰고, 명사 '비율(the percentage)'은 반복을 피하기 위해 단수 대명사 that으로 쓸 수 있다.

interestingly, / [the percentage of *students* {who[that]
흥미롭게도   연애 소설을 선택한 학생들의 비율은
주어   주격 관계대명사

┌ the percentage
chose romance}] / was as high as / that of *students* {who
~만큼 높았다   공상 소설을 선택한 학생들의 그것
동사(단수) as+원급+as: ~만큼 …한(동등 비교)   주격 관계대명사

chose fantasy}].

어휘 prefer 선호하다 genre 장르 mystery 미스터리, 추리 소설 romance 로맨스, 연애 소설 fantasy 판타지, 공상 소설 adventure 모험 (소설) account for 차지하다 popular 인기 있는

구문 풀이

L3 It was mystery / that most students liked to read //
바로 추리 소설로   가장 많은 학생들이 읽기를 좋아하는 것은
it is[was] ~ that … 강조 구문

┌ mystery
and it accounted for 34 % / of the total.
그것은 34%를 차지했다   전체의
차지하다

지문 해석

이 도표는 한국 고등학교 학생들이 선호하는 장르의 책이 무엇인지 보여 준다. ① 가장 많은 학생들이 읽기를 좋아하는 것은 바로 추리 소설로, 그것은 전체의 34%를 차지했다. ② 연애 소설과 공상 소설이 그 뒤를 따랐다. 흥미롭게도 연애 소설을 선택한 학생들의 비율은 공상 소설을 선택한 학생들의 그것(비율)만큼 높았다. ③ 역사는 다른 세 개의 장르의 책보다 더 인기 있었다. ④ 모험 소설은 과학을 제외하면(→ 과학 및 여행을 제외하면 / 과학과 여행과 더불어) 가장 인기 없는 장르의 책이었다. ⑤ 과학 및 여행은 같은 비율의 학생들에게 선호되었다.

대표 예제 4

종이 반대쪽 가장자리에는 맨 처음 0.5cm 위치에 점을 찍은 뒤 거기서부터 1cm 간격으로 점을 찍어 나가라(On the opposite side, mark the first 0.5 cm. Then continue to mark every 1 cm starting from there.)고 했으므로 ① 은 안내문의 내용과 일치하지 않는다.

어휘 bead 구슬 bracelet 팔찌 opposite 반대쪽(의) connect 연결하다 cut along ~을 따라 자르다 triangle 삼각형 straw 빨대 wrap 감다 thread 꿰다 stretchy 신축성 있는 string 끈 tie 묶다

구문 풀이

L7 Draw lines / by connecting the marks / on both sides.
선을 그려 주세요 점들을 이어서   양쪽의
명령문   by+-ing: ~함으로써

L9 Cut along the lines / to get long triangles.
선을 따라 잘라   긴 삼각형들을 만드세요
부사적 용법(결과)

지문 해석

종이 구슬 팔찌를 만들어 봅시다.

1. 종이 한쪽 가장자리를 따라서 1cm 간격으로 점을 찍으세요.
2. 종이 반대쪽 가장자리에는 맨 처음 0.5cm 위치에 점을 찍으세요. 그런 다음 거기서부터 계속하여 1cm 간격으로 점을 찍어 나가세요.
3. 양쪽의 점들을 이어서 선을 그려 주세요.
4. 선을 따라 잘라 긴 삼각형들을 만드세요.
5. 한 삼각형의 밑면을 테이프로 빨대에 붙이세요.
6. 삼각형의 안쪽 면에 풀을 바른 후 빨대 둘레에 단단히 감아 주세요.
7. 빨대 양쪽 끝을 잘라 내세요.
8. 신축성 있는 끈을 사용하여 구슬들을 꿰어 주세요. 끈의 양 끝을 묶어 주세요.

대표 예제 5

this가 가리키는 것은 앞 문장의 They help set up music schools that offer free lessons.이다.

어휘 offer 제공하다 resource 자원 instrument 악기 developing world 개발 도상국 break down 부수다, 해체하다 barrier 장벽 inspire 영감을 불어넣다

구문 풀이

L5   ┌ 주어(동명사구)
They do this / because they know / [that {learning to
그들은 이 일을 한다 알기 때문이다   음악 제작을 배우는 데는
know의 목적어(명사절)

make music} / takes resources, teachers, and instruments, /
자원, 교사, 악기가 필요한데
동사(단수)

┌ 계속적 용법의 관계대명사   ┌ 부사적 용법(형용사 수식)
which are not always easy to find / in the developing world].
이것들은 구하기가 항상 쉽지는 않다는 것을   개발 도상국에서는
항상 ~인 것은 아닌(부분부정)

L10 Even *more importantly*, / they help break down barriers
훨씬 더 중요한 점은   그들이 장벽을 없애는 데 도움을 준다는 것이다
even, much, still, far+비교급 강조   help+목적어(동사원형)

/ between people / **by** inspiring and connecting the world /
사람들 사이의　　세계에 영감을 불어넣고 연결함으로써
by+동명사 1　　　동명사 2
through music.
음악을 통해

- MAV(화성 상승선): 우주 비행사들이 화성 표면을 떠나 궤도에 있는 헤르메스로 갈 때 사용하는 이동 수단
- MDV(화성 하강선): 우주 비행사들이 화성에 착륙할 때 사용하는 이동 수단

지문 해석

Johnson과 Kroenke는 '변화를 위한 연주'가 음악을 통해 세상을 더 살기 좋은 장소로 만들 수 있기를 희망한다. 그들은 무료 교습을 제공하는 음악 학교를 세우는 것을 돕는다. 그들은 음악 제작을 배우는 데는 자원, 교사, 악기가 필요한데, 이것들은 개발 도상국에서는 구하기가 항상 쉽지는 않다는 것을 알기 때문에 이 일을 한다. 훨씬 더 중요한 점은, 그들이 음악을 통해 세계에 영감을 불어넣고 연결 함으로써 사람들 사이의 장벽을 없애는 데 도움을 준다는 것이다.

© Getty Images Bank

구문 풀이

> **L17** Whatever I do, / I will have plenty of electric power.
> 　　　내가 무엇을 하든　　　전력은 충분할 것이다
> 　복합관계대명사(무엇을 ~하든(= Anything that))
>
> 　　　　　　　　　　　　　　┌ 동사(단수)
> **L18** [What I have to do] / is sweep them off /
> 　　　내가 해야 할 일은　　　그것들을 쓸어 내는 것뿐이다
> 　　주어(what 강조 구문)　　동사+대명사 목적어+부사
> every few days.
> 며칠에 한 번씩
> (서수·기수, other, few 앞에서) 매 ~

지문 해석

그렇지만, 거주용 막사 밖으로 나와 보니, 밖의 상황은 그리 낙관적이지 않다. 위성 안테나 접시가 보이지 않는다. 몇 킬로미터쯤 날아간 모양이다. MAV는 사라졌다. 나의 동료들이 그것을 타고 궤도에 있는 'Hermes'로 갔다. MDV는 남아 있으며, 선체에 손상이 있다. 두 대의 탐사선이 있다. (a) 그것들 둘 다 거의 완전히 모래에 묻혀 있지만, (b) 그것들은 상태가 좋아 보인다. 하루쯤 일을 하면 (c) 그것들을 파낼 수 있을 것이다. 오늘 그렇게 한다면, 나는 내일 이 시간쯤이면 (d) 그것들 중 적어도 한 대는 운전하고 있을 것이다. 태양광 전지들은 모래를 뒤집어쓴 채 있었지만, (e) 그것들의 모래를 쓸어 주자 완벽하게 제 기능을 회복했다. 내가 무엇을 하든, 전력은 충분할 것이다. 내가 해야 할 일은 며칠에 한 번씩 그것들의 모래를 쓸어 주는 것뿐이다.

© Jurik Peter / shutterstock

대표 예제 6

(1) (a), (b), (c), (d)는 two rovers를 가리키고, (e)는 the solar cells를 가리킨다.

(2) 탐사선 두 대는 모래에 묻혀 있었지만 상태가 좋아 보인다(Both of them are almost completely buried in sand, but they seem okay.)고 했으므로 ④는 글의 내용과 일치하지 않는다.

어휘 optimistic 낙관적인　satellite 위성　be gone 사라지다　orbit 궤도　rover 탐사선　or so ~쯤　sweep off (먼지 등을) 쓸다　efficiency 기능, 효능

참고 • Hab(거주용 막사): 우주 비행사들이 우주복을 입지 않고 쉴 수 있는 쉼터
- Hermes(헤르메스): 아레스(Ares) 프로그램을 위해 고안된 화성 궤도 선회 우주선

2주 4일 교과서 대표 전략 ②

pp. 62~63

01 ④	02 ⑤	03 ③	04 stacked

01 마을에 따라 두 개의 팀, 즉 북쪽 지역인 '수상'팀과 남쪽 지역인 '수하'팀으로 나뉜다(participants are divided into two teams by township: one team from susang, the northern area, and the other from suha, the southern area)고 했으므로 ④는 글의 내용과 일치한다.

L5 Thousands of people / gathered / and pulled the
수천 명의 사람들이　　　모여서　　그리고 그 '지네' 밧줄을
수천의 ~　　　　　　　동사 1　　동사 2

"centipede" rope / to win.
끌어당겨　　　이기려고 했습니다
　　　　　　부사적 용법(목적)

L12 They say / [**that** the country will be peaceful /
사람들은 말합니다　나라가 평화로울 것이라고
　　　　　　　say의 목적어 1

　　　　　　　　　　　　　　　┌ the country
if the former team wins], / and [**that** it will have a good harvest
전자의 팀이 이기면　　　그리고 풍년이 들 것이라고
= susang　　　　　　　　목적어 2

/ if the latter wins].
후자의 팀이 이기면
= suha

지문 해석

지난 4월에, 저는 충청남도 당진에서 열린 '기지시 줄다리기 축제'에 참가했습니다. 밧줄의 크기는 길이가 약 200미터, 두께는 1미터이고, 무게는 40톤이 넘었습니다. 수천 명의 사람들이 모여서 그 '지네' 밧줄을 끌어당겨 이기려고 했습니다. 사실, 어느 팀이 이기느냐는 그리 중요하지 않습니다. 전통에 의해, 참가자들은 마을에 따라 두 개의 팀, 즉 북쪽 지역인 '수상'팀과 남쪽 지역인 '수하'팀으로 나뉩니다. 사람들은 전자의 팀이 이기면 나라가 평화로울 것이고, 후자의 팀이 이기면 풍년이 들 것이라고 말합니다.

02 신청 방법(How to Apply)은 신청서를 작성해서 과학 선생님에게 제출하라(Please fill out the application form and submit it to your science teacher.)고 했다. 따라서 안내문의 내용과 일치하지 않는 것은 ⑤이다.

L5 Contestants will have to make a 10-minute presentation
참가자들은 10분 동안 발표를 해야 할 것이다
주어 1　　　　동사 1

/ **on** their research topic/ and the judges will evaluate /
자신들의 연구 주제에 관해　　　그리고 심사위원들이 평가할 것이다
(주제·관계) ~에 대하여, ~에 관하여　주어 2　　동사 2

each group.
각 모둠을
each+단수 명사

지문 해석

과학 발표 대회

과학에 관심이 있다면 과학 발표 대회에 참가하세요! 3명 혹은 4명의 학생들이 한 모둠을 이루어 팀으로 참가하세요. 참가자들은 자신들의 연구 주제에 관해 10분 동안 발표를 해야 하고 심사위원들이 각 모둠을 평가할 것입니다. 우승 팀에게는 상품권이 수여됩니다.

- 신청 마감일: 4월 7일 금요일
- 대회일: 4월 13일 목요일
- 장소: 학교 과학실
- 신청 방법: 신청서를 작성해서 과학 선생님에게 제출하세요. 의문 나는 점이 있으면, scicom@mr.hs.kr로 언제든지 연락 주세요.

03 (a), (b), (d), (e)는 〈조선왕조실록〉을 가리키고, (c)는 가주어로서 진주어인 to read all of the *Sillok*(실록을 다 읽는 것)을 가리킨다.

04 stack은 '쌓다'라는 의미의 타동사로 When it(= the *Sillok*) is stacked in a pile의 수동태로 써야 하며, 부사절에서 주절과 같은 주어와 be동사인 it is는 생략할 수 있으므로 stacked가 알맞다.

해석 〈실록〉은 한 더미로 쌓여 있을 때, 그 높이가 12층 건물에 달한다.

L7 That is almost **the same** / **as** the height of a 12-story
그것은 거의 같다　　　　　12층 건물의 높이와
　　　　　　~와 같은

building.

L8 [**If** you read 100 pages / per day], / **it will take** four years
만약 당신이 100페이지를 읽는다면　하루에　4년 3개월이 걸릴 것이다
조건 부사절　　　　　　it takes+시간+to부정사: ~하는 데 …의 시간이 걸리다

and three months / **to** read all of the *Sillok*.
〈실록〉을 다 읽는 데

지문 해석

〈조선왕조실록〉은 세계에서 가장 긴 단일 왕조의 역사적 기록이다. (a) 그것은 시조인 태조에서 철종까지 25명의 왕이 통치했던 472년을 다루고 있다. (b) 그것은 888권의 책으로 이루어져 있다. 당신이 그 책들을 모두 쌓으면, 그 높이는 32미터에 이른다. 그것은 12층 건물의 높이와 거의 같다. 만약 당신이 하루에 100페이지를 읽는다면, (c) 〈실록〉을 다 읽는 데 4년 3개월이 걸릴 것이다. (d) 그것이 왕들과 그들의 가족들의 일상적인 일들만 다루는 것은 아니다. (e) 그것은 정치, 경제, 문화, 지리, 그리고 이웃 나라들과의 외교적 관계도 다루고 있다. 예를 들면, 〈세종실록〉의 지리 부속서(〈지리지〉)는 독도의 예전 이름인 '우산도'에 관한 정보를 수록하고 있다.

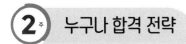
01 Mary Cassatt는 자기 자녀가 없었음(she never had her children of her own)에도 그녀의 친구와 가족의 자녀의 초상화를 그렸다고 했다. 따라서 글의 내용과 일치하지 않는 것은 ④이다.

어휘 well-to-do 유복한 approve 찬성하다 desire 바람, 열망 admire 감탄하다, 존경하다 inspiration 영감(을 주는 것) portrait 초상화 sight 시력

구문 풀이

L8 She admired the work of Edgar Degas / and was able to
그녀는 Edgar Degas의 작품을 감탄했다   그리고 파리에서
　　　동사 1   　동사 2

meet him in Paris, / which was a great inspiration.
그를 만날 수 있었는데   이는 대단한 영감을 주는 것이었다
　　　　　　　계속적 용법의 관계대명사(선행사: was ~ Paris)

지문 해석

Mary Cassatt는 유복한 가정의 다섯 아이들 중 넷째로 펜실베이니아에서 태어났다. Mary Cassatt와 그녀의 가족은 그녀의 어린 시절에 유럽 전역을 여행했다. 그녀의 가족은 그녀가 예술가가 되겠다고 결심했을 때 찬성하지 않았지만, 그녀의 바람이 너무 강해서 그녀는 그림을 공부했다. 그녀는 Edgar Degas의 작품을 감탄했고 파리에서 그를 만날 수 있었는데, 이는 대단히 영감을 주는 것이었다. 그녀는 자녀가 없었음에도, 아이들을 사랑했고 친구와 가족의 자녀의 초상화를 그렸다. Cassatt는 70세에 시력을 잃었다.

02 텔레비전 광고로부터의 정보를 신뢰한다고 말한 사람은 23퍼센트이므로 5분의 1(20%)보다 더 많다. 따라서 도표의 내용과 일치하지 않는 것은 ④이다.

어휘 consumer 소비자 trust 신뢰; 신뢰하다 distrust 불신; 불신하다 source 출처 review 상품평 advertising 광고 influencer 영향력 있는 사람

구문 풀이

L10 [The smallest gap / {between the levels of trust and
가장 적은 차이는   신뢰와 불신 정도 사이의
　　주어   수식어구   between A and B: A와 B 사이의

distrust / among the four different types of information
불신 /   네 가지 다른 종류의 정보 출처들 중에서

sources}] / is shown / in the companies or brands' graph.
　　　　　　보인다   회사나 상표의 도표에서
　　　　　 동사(단수 수동태)
　　　　　　　　　　　　　　　┌ 명사절 접속사 that 생략
L16 Only 15% of adults say / [they trust *the information* /
미국 성인의 15퍼센트만 말한다   정보를 신뢰한다고
표현(비율) 부분+of+복수 명사+ 복수 동사 say의 목적어

{provided by influencers}], // while more than **three times**
영향력 있는 사람에 의해 제공되는   반면 이보다 세 배 이상 많은 수치의
과거분사구   배수사+as+원급(+as ...): …의 몇 배로 ~한
　　　　　　　　　　　　　　　　　　┌ 명사절 접속사 that 생략
as many adults say / [they distrust the same source of
미국 성인들이 말한다   같은 정보 출처를 불신한다고
　　　　　　　　　　　　　say의 목적어

information].

지문 해석

위 도표는 2020년 미국 성인들을 대상으로 한 설문조사에 기반하여 네 가지 다른 종류의 정보 출처들에 대한 소비자의 신뢰 정도를 보여 준다. ① 미국 성인의 절반 정도가 다른 사용자들이나 고객들로부터의 상품평에서 얻은 정보를 신뢰한다고 말한다. ② 이것은 다른 사용자들이나 고객들로부터의 상품평에 대해 불신을 갖는다고 말한 미국 성인들의 두 배 이상이다. ③ 네 가지 다른 종류의 정보 출처들 중에서 신뢰와 불신 정도 사이의 가장 적은 차이는 회사나 상표의 도표에서 보인다. ④ 미국 성인의 5분의 1보다 적은(→ 많은) 수치가 텔레비전 광고로부터의 정보를 신뢰한다고 말한다. ⑤ 미국 성인의 15퍼센트만 영향력 있는 사람이 제공하는 정보를 신뢰한다고 말하는 반면, 이보다 세 배 이상 많은 수치의 미국 성인들이 같은 정보 출처를 불신한다고 말한다.

03 봄 농장 캠프에 관한 안내문이다. 안내문 후반부에 비가 오든 날이 개든 운영한다(We are open rain or shine.)고 했으므로 안내문의 내용과 일치하지 않는 것은 ⑤이다.

어휘 hands-on 직접 해 보는 participation 참가, 참여 fee 요금 make A from B B로 A를 만들다

구문 풀이

L2 Our one-day spring farm camp **gives** / your kids /
우리의 일일 봄 농장 캠프는 제공합니다   여러분의 자녀에게
　　　　　　　　　　　　　　수여동사   간접목적어

true, hands-on farm experience.
진짜로 직접 해 보는 농장 경험을
직접목적어

지문 해석

봄 농장 캠프

우리의 일일 봄 농장 캠프는 여러분의 자녀에게 진짜로 직접 해 보는 농장 경험을 제공합니다.

기간: 4월 19일 월요일~5월 14일 금요일

시간: 오전 9시~오후 4시

나이: 6세~10세

참가비: 개인당 70달러(점심과 간식 포함)

활동: • 염소젖으로 치즈 만들기

　　　• 딸기 따기

　　　• 집으로 가져갈 딸기잼 만들기

우리는 비가 오든 날이 개든 운영합니다.

더 많은 정보를 원하시면, www.b_orchard.com에 접속하세요.

04 (a), (c), (d), (e)는 쉬운 길을 선택한 첫 번째 제자를 가리키고, (b)는 힘든 길을 선택한 두 번째 제자를 가리킨다.

어휘 track 길　　instruction 지시　　path 길 preparation 준비　split 나뉘다　log 통나무　obstacle 장애물　tackle 맞서다　battle 싸우다　challenge 어려움, 도전

주요 등장 인물 Two students와 their teacher 중 누구를 가리키는지 확인해 보자.

구문 풀이

L10　The second student / chose to tackle the obstacles, /
두 번째 제자는　　　　　장애물들과 맞서기를 선택해

[**battling** through every challenge / in his path].
모든 어려움을 통과하며 싸웠다　　　　그의 길에 있는
분사구문(연속 동작)

L13　[*The student* / {**who** chose the easy path}] /
　　　제자는　　　　쉬운 길을 선택했던
　　　주어　　　　　주격 관계대명사

finished first / and felt proud of **himself**.
먼저 끝냈다　　그리고 자신을 자랑스럽게 느꼈다
동사 1　　　　　　　동사 2　　　　재귀 용법

지문 해석

두 제자들이 숲을 가로지르는 길의 출발점에서 그들의 스승을 만났다. 그는 그들에게 그 주의 후반에 있을 시험을 위한 준비로, 그 길을 끝까지 따라가라는 지시를 내렸다. 그 길은 두 갈래로 나뉘었다. 하나는 깨끗하고 평탄했고, 다른 하나는 가는 길에 쓰러진 통나무와 다른 장애물들이 있었다. 한 제자는 그 장애물들을 피하는 것을 선택해, 더 쉬운 길을 끝까지 갔다. (a) 그는 멈추지 않고 달려가면서 영리하다고 느꼈다. 두 번째 제자는 장애물들과 맞서기를 선택해, (b) 그의 길에 있는 모든 어려움을 통과하며 싸웠다. 쉬운 길을 선택했던 제자는 먼저 끝냈고 (c) 자신을 자랑스럽게 느꼈다. "나는 바위들과 통나무들을 피하기로 선택해서 기뻐. 그것들은 (d) 나를 늦추기 위해 그곳에 있었을 뿐이야."라고 (e) 그는 혼자 생각했다.

2주　창의·융합·코딩 전략　　　　　　　　pp. 66~69

A (1) ⓐ T　ⓑ T　ⓒ F　ⓓ T　ⓔ T　(2) support

B (1) ⓒ → The percentage point gap between 2014 and 2016 was largest in drama and was smallest in sports.
　(2) was less than half that of the people choosing comedy

C 미주

D (1) ⓑ　(2) (a) Rebecca　(b) Rebecca　(c) Linda　(d) Linda　(e) Rebecca

A (1) 직원들이 여성으로만 구성된(the staff consisted only of women) 여성을 위한 병원을 설립했다고 했으므로 ⓒ는 글의 내용과 일치하지 않는다.

(2) 아버지의 도움으로 의사로서의 훈련을 시작했다는 의미이므로 빈칸에는 support(지원, 도움)가 들어가는 것이 가장 적절하다.

해석 이 단어는 사람, 아이디어, 계획 등에 대한 승인, 격려, 그리고 도움을 표현하기 위해 사용됩니다. 이것은 무엇일까요?

어휘 enlightened 깨어 있는　found 설립하다　consist of ~로 구성되다　engage in ~에 참여하다　politics 정치　voting right 투표권

L1 She had enlightened *parents* / [**who** considered the
그녀는 깨어있는 부모를 두었다   딸의 교육을 ~로 여기는
                                  주격 관계대명사

                              ┌ the education
education of a daughter / **as** important **as** that of a son].
아들의 그것만큼 중요하다고
          as+원급+as: ~만큼 ...한(동등 비교)

                                        ┌ 동사 2
L5 Inglis became ill in Russia / and was forced to return to
Inglis는 러시아에서 병에 걸려   그리고 영국으로 돌아와야만 했고
        동사 1   be forced to+부정사: ~하도록 강요 받다

Britain, / **where** she died in 1917.
그곳에서 1917년에 사망했다
계속적 용법의 관계부사(=and there)

지문 해석

Elsie Inglis는 John Inglis의 둘째 딸로 1864년 8월 16일에 인도에서 태어났다. 그녀는 딸의 교육도 아들의 그것(교육)만큼 중요하다고 여기는 깨어 있는 부모를 두었다. 아버지의 지원으로, 그녀는 의사로서 훈련을 시작했다. 그녀는 Edinburgh에 직원들이 여성으로만 구성된 여성을 위한 병원을 설립했다. 또한 그녀는 정치에 적극적으로 참여했고 여성의 투표권을 위해 일했다. Inglis는 러시아에서 병에 걸려 영국으로 돌아와야만 했고, 그곳에서 1917년에 사망했다.

B (1) 2014년과 2016년 사이의 퍼센트 포인트 차이는 드라마에서 8퍼센트 포인트 차이로 가장 컸고, 스포츠에서 2퍼센트 포인트 차이로 가장 작았다. 따라서 도표의 내용과 일치하지 않는 것은 ⓒ이다. sports를 drama로, daytime talk shows를 sports로 고친다.

(2) '절반보다 적었다'는 비교급을 사용하여 less than half 로 쓴다. '코미디를 선택한 사람들의 그것(비율)'은 명사 the percentage를 반복 사용하지 않도록 대명사 that 을 사용하여 that of people choosing comedy로 쓰면 된다.

[The percentage of *people* / {**selecting** daytime talk shows
사람들의 비율은   낮 시간대 토크쇼를 선택한
주어   현재분사구

/ in 2016}] / was **less than** half / that of *the people* /
2016년에   절반보다 더 적었다   사람들의 그것(비율)의
           동사 열등 비교   = the percentage

[**choosing** comedy / in the same year].
코미디를 선택한   같은 해에
현재분사구

어휘 favorite 가장 좋아하는 (것) select 선택하다 up to ~까지 prefer 선호하다 reverse 뒤바뀌다 gap 차이

L3 In both years, / [the percentage of *people* /
두 해 모두   사람들의 비율은
                   주어
                                              ┌ 동사
{**selecting** comedy / **as** their favorite}] / was **the highest** /
코미디를 선택한   그들의 가장 좋아하는 세 개의 TV 장르로 가장 높았다
현재분사구   ~로서(자격) the+최상급+of+복수 명사: ···중에서 가장 ~한

of all the genres.
모든 장르 가운데

지문 해석

위 도표는 2014년과 2016년에 이집트, 레바논, 카타르, 사우디아라비아, 튀니지, 그리고 아랍 에미리트 연합국의 사람들이 3개의 선택까지 고르도록 허용되었을 때 선택했던 좋아하는 TV 장르를 보여 준다. ⓐ 두 해 모두, 그들의 가장 좋아하는 세 개의 TV 장르로 코미디를 선택한 사람들의 비율은 모든 장르 가운데 가장 높았다. ⓑ 2014년에는 뉴스가 드라마보다 더 큰 비율로 선호되었지만, 2016년에는 상황이 뒤바뀌었다. ⓒ 2014년과 2016년 사이의 퍼센트 포인트 차이는 스포츠(→ 드라마)에서 가장 컸고 낮 시간대 토크쇼(→ 스포츠)에서 가장 작았다. 2016년에 낮 시간대 토크쇼를 선택한 사람들의 비율은 같은 해에 코미디를 선택한 사람들의 그것의 절반보다 더 적었다.

C 세부 사항(Details)에서 취소 시 환불이 되지 않는다(No refund will be made for cancellations.)고 했으므로 미주의 말은 안내문의 내용과 일치하지 않는다.

어휘 foundation 재단 in support of ~을 돕기 위해 registration 등록 fee 등록비 donate 기부하다 local 지역의, 현지의 charity 자선 단체 detail 세부 사항 complete 완료하다 refund 환불 cancellation 취소

L15 [Each *participant* / {**who** completes the course}] /
각각의 참가자는   코스를 완주한
주어(each+단수 명사) 주격 관계대명사 단수 동사(선행사 수 일치)

will receive a T-shirt.
티셔츠를 받을 것입니다
동사

지문 해석

Bright Future Walkathon
Sunny Side 재단은 어려운 사람들을 돕기 위해 연례 Bright Future Walkathon을 개최합니다.
날짜 & 장소
• 날짜: 9월 25일 토요일 (시작 시간: 오전 9시)

• 장소: Green Brook 공원

등록

• 등록비: $10
• 모든 등록비는 지역 자선 단체에 기부될 것입니다.
• www.ssfwalkathon.com에서 온라인으로 등록하세요.

코스 (한 개 선택)

• A 코스: 3 km (모든 연령 환영)
• B 코스: 5 km (15세 이상)

세부 사항

• 코스를 완주한 각 참가자는 티셔츠를 받을 것입니다.
• 취소 시 환불이 되지 않습니다.

D (1) 주절의 주어는 a sign-up sheet for the Madison Talent Contest로 동작을 받는 대상이 되므로 동사는 수동태인 was passed로 고쳐야 한다.

(2) (a), (b), (e)는 Rebecca를 가리키고, (c), (d)는 Linda를 가리킨다.

어휘 junior 2학년 sign-up sheet 참가 신청서 sign up 신청하다 type [구어] ~타입의 사람

구문 풀이

L3 [Linda, {who sat next to her}], / passed the sheet /
그녀 옆에 앉아 있었던 Linda는   신청서를 넘겼다
주어   주격 관계대명사   동사
            ┌ sign-up sheet
without signing it.
참가 신청을 하지 않고
without+-ing: ~하지 않고

지문 해석

나의 아내, Rebecca가 아이다호의 매디슨 고등학교 2학년이었을 때, Madison Talent Contest의 참가 신청서가 교실에 돌았다. 많은 다른 학생들과 함께, (a) 그녀도 참가 신청을 했다. (b) 그녀 옆에 앉아 있었던 Linda는 참가 신청을 하지 않고 신청서를 넘겼다. "Linda, 신청해." 라고 Rebecca가 주장했다. "오, 아니. (c) 난 할 수 없어." "어서. 재밌을 거야." "정말, 안 돼. 난 그럴 수 있는 사람이 아니야." "(d) 넌 물론 할 수 있어. (e) 난 네가 잘 할 거라고 생각해!" Rebecca가 말했다.

© mejnak / shutterstock

신유형·신경향·서술형 전략

pp. 72~75

1 ⑤ **2** flexibility

3 ② **4** (a) collaborate (b) descriptions (c) collaboration (d) discovery

5 ④ **6** (A) those (B) is (C) lay

7 ⑤ **8** (1) inform / how to use (2) press B for a long time (3) press C for a long time

---

1 식습관 변화에 관한 글로, 음식 선호에 있어 유연성을 보여 준 예로 베를린 장벽이 무너진 후의 동독과 서독의 주부들을 들고 있다. 주어진 문장은 Equally(똑같이)로 시작하며 서독 주부의 사례를 들고 있으므로, 동독 주부의 사례 뒤인 ⑤에 들어가는 것이 가장 적절하다.

2 동독의 주부들이 자신의 요구르트보다 서독의 요구르트를 선호한다는 것을 깨닫고, 서독의 주부들이 동독의 꿀과 바닐라 웨이퍼 비스킷을 좋아한다는 것을 깨달은 것은 선호도에 있어 유연성을 보여 준 것이므로, 빈칸에는 flexibility(유연성, 융통성)가 들어가는 것이 가장 적절하다.

해석 다른 상황에 맞추기 위해 쉽게 바꾸거나 바뀌는 능력

어휘 desired 원하는, 바라던 preference 선호, 더 좋아함 adjust 조정[조절]하다 completely 완전히 launch 출시하다 housewife 주부 try 시도하다 decade 10년 prefer 선호하다, ~을 더 좋아하다 surprising 놀랄 만한 equally 똑같이, 유사하게

구문 풀이

L1 [Changing our food habits] / is one of the hardest
                                    ┌ 동사(단수)
우리의 식습관을 바꾸는 것은   가장 어려운 일들 중 하나이다
주어(동명사구)   one of the+최상급+복수 명사: 가장 ~한 것들 중 하나
        ┌ 목적격 관계대명사 that 생략
things / [we can do].
        우리가 할 수 있는

L8 It didn't **take** long / ┌ to부정사의 의미상 주어 / those = housewives
오래 걸리지 않았다 [for those from the East {**to realize** /
동독의 주부들이 깨닫는 것은
It takes + 시간(+ for + 의미상 주어) + to부정사 ~: …가 ~하는 데 (시간)이 걸리다

<**that** they **preferred** Western yogurt / **to their own**>}].
서독의 요구르트를 선호한다는 것을   자신의 요구르트보다
realize의 목적어(명사절)   prefer A to B: A를 B보다 선호하다

지문 해석

우리의 식습관을 바꾸는 것은 우리가 할 수 있는 가장 어려운 일들 중 하나이다. 이는 우리가 원하는 선호를 지배하는 욕구가 우리 자신에게 숨어 있기 때문이다. 하지만 여러분이 무엇을 먹는지를 조정하는 것은 완전히 가능하다. 우리는 항상 그렇게 한다. 그렇지 않다면, 매년 새로운 제품을 출시하는 식품 회사들은 그들의 돈을 낭비하고 있는 셈일 것이다. 베를린 장벽이 무너진 후에, 동독과 서독의 주부들은 수십 년 만에 처음으로 서로의 식품을 먹어 보았다. 동독의 주부들이 자신의 요구르트보다 서독의 요구르트를 선호한다는 것을 깨닫는 것은 오래 걸리지 않았다. 똑같이, 서독의 주부들은 동독의 꿀과 바닐라 웨이퍼 비스킷을 좋아한다는 것을 깨달았다. 베를린 장벽의 양쪽에서, 이 독일 주부들은 그들의 음식 선호에 있어서 놀랄 만한 유연성을 보여 주었다.

© artpritsadee / shutterstock

3 공동 작업이 대부분의 기초 예술과 과학의 기반이라는 내용의 주어진 글 다음에는, 셰익스피어와 레오나르도 다빈치의 공동 작업에 대해 차례대로 언급한 (B)가 이어지고, 레오나르도 다빈치의 공동 작업에 대한 부연 설명으로 인체 해부학적 구조를 그린 스케치가 해부학자와의 공동 작업으로 만들어진 것이라는 내용의 (A)가 이어지며, 또 다른 사례로 마리 퀴리 부부의 공동 작업에 관해 언급한 (C)가 이어지는 것이 글의 흐름상 가장 자연스럽다.

4 해석 대부분의 기초적인 예술가들과 과학자들은 공동 작업을 한다. 예를 들어, 셰익스피어는 다른 작가들의 도움을 받아 글을 썼다. 그리고 레오나르도 다빈치는 더 세밀한 묘사를 더하기 위해 공동 작업을 했다. 마리 퀴리와 그의 남편은 공동 작업으로 라듐을 발견했는데, 그것은 물리학과 화학에서 위대한 발견이었다.
어휘 collaboration 공동 작업(물) basis 기반, 토대 foundational 기초적인 anatomist 해부학자 marry

결합하다 playwright 극작가 period 시대 original 최초의, 독자적인 composition 창작 individually 개별적으로 fine 섬세한, 세밀한 radium 라듐 overturn 뒤집다 physics 물리학 chemistry 화학 detailed 세밀한

구문 풀이

┌ believe가 이끄는 that절의 수동태 문장 It ~ that …
L7 It is often **believed** / [**that** Shakespeare, / like most
흔히 믿어지며   셰익스피어는
동사(수동태 / ~라고 흔히 믿어지다)
playwrights of his period, / did **not always** write alone, //
당대 대부분의 극작가들처럼   항상 혼자 글을 썼던 것은 아니라고
항상 ~은 아닌(부분 부정)
┌ 동사 1
and many of his plays / are considered collaborative / or
그리고 그의 희곡 중 많은 것이   공동 작업한 것으로 여겨지거나
주어(many of+복수 명사+복수 동사)
were rewritten after their original composition].
혹은 최초의 창작을 한 후에 다시 쓰였다
동사 2

L14 They went on / **to collaboratively discover** radium, /
그들은 나아가   공동 작업하여 라듐을 발견했는데
부사적 용법(결과)
which overturned old ideas / in physics and chemistry.
그것은 이전 개념들을 뒤집었다   물리학과 화학에서의
계속적 용법의 관계대명사(= and it)

지문 해석

공동 작업은 대부분의 기초 예술과 과학의 기반이다. (B) 셰익스피어는 당대 대부분의 극작가들처럼 항상 혼자 글을 썼던 것은 아니라고 흔히 믿어지며, 그의 희곡 중 많은 것이 공동 작업한 것으로 여겨지거나 최초의 창작을 한 후에 다시 쓰였다. 레오나르도 다빈치는 개별적으로 스케치를 했지만, 더 섬세한 세부 묘사를 더하기 위해서 다른 사람들과 공동 작업했다. (A) 예를 들어, 인체의 해부학적 구조를 그린 그의 스케치는 Pavia 대학의 해부학자인 Marcantonio della Torre와의 공동 작업물이었다. 그들의 공동 작업은 그것이 예술가와 과학자가 결합한 것이기 때문에 중요하다. (C) 마찬가지로, 마리 퀴리의 남편은 그의 독자적인 연구를 중단하고 마리의 연구에 합류했다. 그들은 나아가 공동 작업하여 라듐을 발견했는데, 그것은 물리학과 화학에서의 이전 개념들을 뒤집었다.

5 암컷은 알을 낳아 모래가 아닌 자신의 몸 안에서 부화시킨다(female leopard sharks lay eggs and hatch them inside their bodies)고 했으므로 ④는 글의 내용과 일치하지 않는다.

6 (A) 앞의 명사를 that이나 those로 대신할 수 있는데, 여기

서는 markings를 대신하므로 those가 적절하다.

(B) one of the+최상급+복수 명사+단수 동사: 가장 ~한 것들 중 하나

(C) lie ㉔ (사람·동물 따위가) 눕다 / lay ㉺ (새·곤충 등이) 알을 낳다; 눕히다

어휘 sandy 모래의 bay 만(灣) generate 생성하다 suction force 흡입력 expand 팽창시키다 hatch 부화 시키다 live birth 정상 출산 pup 새끼 threat 위협

구문 풀이

L1 The leopard shark got its name / **because of** its *dark*
leopard shark는 이 이름을 갖게 되었다   흑갈색 무늬 때문에
because of+명사(구)(*cf.* because+주어+동사)

brown markings / [similar to *those* / {**found** in leopards}].
그것들과 유사한   표범들에게서 발견되는
형용사구 = markings 과거분사구

L6 The leopard shark catches its prey / **by** generating a
leopard shark는 먹이를 잡는다   흡입력을 생성하여
by+-ing: ~함으로써

suction force / [**as** it expands its buccal cavity].
입속을 팽창시키면서
접속사 부사절(~하면서)

지문 해석

leopard shark는 표범들에게서 발견되는 것과 유사한 흑갈색 무늬 때문에 이 이름을 갖게 되었다. 그들의 크기는 길이가 단지 5에서 6피트 정도로 다소 평균적이다. 이 상어들은 동태평양 지역의 따뜻한 바다에서 서식한다. 그들은 또한 모래가 있는 만에서 발견될 수도 있다. 그들이 가장 좋아하는 먹이에는 새우와 게가 있다. 하지만 그들은 물고기 알을 먹기도 한다. leopard shark는 입속을 팽창시키면서 흡입력을 생성하여 먹이를 잡는다. 그러고 나서 이빨을 이용하여 먹이를 단단하게 잡아둘 것이다. leopard shark의 가장 흥미로운 특징들 중 하나는 세 개의 뾰족한 끝이 있는 이빨들이다. 다른 상어들과 마찬가지로, 암컷 leopard shark는 알을 낳고 나서 그들의 몸 안에서 그것들을 부화시킨다. 그들은 정상 출산이 이루어질 때까지 12개월 동안 새끼를 품는다. 그들은 한 번의 출산으로 33마리의 새끼를 낳을 수 있다. 그들은 인간에게 위협으로 여겨지지 않는 상어들 중 하나이다.

© Getty Images Bank

7 L-19 Smart Watch 사용법에 관한 사용 설명서이다. 주의사항(CAUTION)에서 업그레이드 오류를 피하기 위해 배터리 잔량이 최소 두 칸인지 확인하라(Make sure ~ an upgrading error.)고 했으므로 ⑤는 안내문의 내용과 일치한다.

8 **해석** (1) Q: 이 설명서의 목적은 무엇인가?

   A: L-19 Smart Watch 사용자들에게 그것을 <u>사용하는 법을 알려 주기</u> 위한 것이다.

(2) Q: 구조 요청 위치 정보를 보내려면 무엇을 해야 하는가?

   A: B를 길게 눌러야 한다.

(3) Q: 시계를 켜려면 무엇을 해야 하는가?

   A: C를 길게 눌러야 한다.

어휘 key 중요한, 기본적인 function 기능 press 누르다 location 위치 setting 설정 increase 올리다 value 값 decrease 내리다 caution 주의 사항 avoid 방지하다 error 오류

구문 풀이

명사절 접속사 that 생략
L15 Make sure / [the battery level of your watch / has
반드시 ~하십시오 시계의 배터리 잔량 표시가
Make sure의 목적어

at least two bars, / **in order to** avoid an upgrading error].
최소 두 칸은 되도록   업그레이드 오류를 피하기 위하여
적어도   in order to+동사원형: ~하기 위해(목적)

지문 해석

L-19 Smart Watch
사용 설명서

주요 기능

A 설정값을 확정하려면 짧게 누르시오; <u>스포츠 모드로 들어가려면</u> 길게 누르시오.

B '홈' 메뉴로 돌아가려면 짧게 누르시오; 구조 요청 위치 정보를 보내려면 길게 누르시오.

C 배경 화면의 불빛을 켜거나 끄려면 짧게 누르시오; 시계를 켜거나 끄려면 길게 누르시오.

D 설정값을 올리려면 누르시오. (시간, 날짜, 혹은 다른 설정에서 값을 올리려면 키를 누르시오.)

E 설정값을 내리려면 누르시오. (시간, 날짜, 혹은 다른 설정에서 값을 내리려면 키를 누르시오.)

주의 사항

업그레이드 오류를 피하기 위하여, 반드시 시계의 배터리 잔량 표시가 최소 두 칸은 되도록 하십시오.

01 ①　02 ③　03 ④　04 ②　05 ③　06 ⓔ differently → the same
07 (a) Herd behavior (b) decision-making　08 ⓔ need → to need　09 increase their *effective* freedom
10 depends on / having / to do what they choose

01 개구리의 탈바꿈을 설명하는 글로, 빈칸 뒤에 물고기 같은 조상에서 시작해 점차 육지에서 사는 능력을 얻었지만 여전히 호흡이나 번식 등의 이유로 물을 필요로 한다는 내용이 이어지고 있으므로, 빈칸에 들어갈 말로 가장 적절한 것은 ① '여전히 물과의 여러 인연을 유지했다'이다.

〔해석〕 ① 여전히 물과의 여러 인연을 유지했다
② 필요한 기관을 거의 모두 가지고 있었다
③ 새로운 먹이에 대한 식욕을 키워야 했다
④ 종종 육지에 사는 종들과 경쟁했다
⑤ 급격한 온도 변화로 고통받았다

〔어휘〕 ancestor 조상, 선조　water-dwelling 물에 사는　relative 친척　opportunity 기회, 가능성　shelter 거처, 은신처　lung 폐　moist 촉촉한　take a dip (몸을) 잠깐 담그다, 잠깐 수영을 하다　dry out 건조해지다　land-dwelling 육지에 사는　adult 성체

〔구문 풀이〕

L11 And so the frog must remain near *the water* / [**where it** ←관계부사
그래서 개구리는 물의 근처에 있어야 한다
= the frog
can take a dip every now and then / **to keep from** dry**ing** out].
이따금 몸을 잠깐 담글 수 있는　　건조해지는 것을 막기 위해
부사적 용법(목적) keep from+-ing: ~하는 것을 막다

〔지문 해석〕

과학자들은 개구리의 조상이 물에 사는 물고기 같은 동물이었다고 믿는다. 최초의 개구리와 그들의 친척은 육지로 나와 그곳에서 먹이와 거처에 대한 기회를 누릴 수 있는 능력을 얻었다. 하지만 그들은 여전히 물과의 여러 인연을 유지했다. 개구리의 폐는 그다지 잘 기능하지 않고, 그것은 피부를 통해 호흡함으로써 산소를 일부 얻는다. 하지만 이런 종류의 '호흡'이 제대로 이뤄지기 위해서는, 개구리의 피부가 촉촉하게 유지되어야 한다. 그래서 개구리는 건조해지는 것을 막기 위해 이따금 몸을 잠깐 담글 수 있는 물

의 근처에 있어야 한다. 따라서, 개구리에게 있어서 탈바꿈은 물에 사는 어린 형체와 육지에 사는 성체를 이어주는 다리를 제공한다.

02 문화는 우리가 생각하고, 느끼고, 행동하는 방식을 형성하므로 우리가 우리인 것은 우리의 문화 때문이라는 내용의 글로, 문화적 보편성을 언급하고 있다. 따라서 문화적 다양성에 관한 질문에 대한 대답이 문화의 옳고 그름과 관련된 것은 아니라는 내용의 ③은 글의 흐름상 무관한 문장이다.

〔어휘〕 examine 고찰하다, 검토하다　habitually 습관적으로　behave 행동하다　belong 속하다　compel 강요하다　diversity 다양성　inhabit 살다　shape 형성하다　precisely 정확히

〔구문 풀이〕

L5 **If pressed** to answer such questions, / we may
만약 (우리가) 그런 질문들에 대해 대답할 것을 강요받는다면
└ we are 생략
respond / by saying / [**because that's** {**what** people like us do}.]
우리는 대답할지도 모른다 말함으로써 "그것이 우리 같은 사람들이 하는 것이기 때문이다."라고
by+-ing: ~함으로써　이유 부사절　　보어(명사절)　전 ~와 같은

L15 **It is not** in spite of our culture / **that** we are [who we are],
바로 우리의 문화에도 불구하고가 아니라　우리가 우리인 것은
「It is ~ that ...」강조 구문(…한 것은 바로 ~이다)　보어(명사절)
/ **but** precisely because of it.
정확히 그것 때문이다
not A but B: A가 아니라 B인　= our culture

〔지문 해석〕

우리들 중 많은 사람들은 우리가 왜 습관적으로 하는 것을 하고 생각한 것을 생각하는지에 대해 고찰하지 않고 인생을 살아간다. 왜 우리는 하루 중 그렇게 많은 시간을 일하면서 보낼까? 왜 우리는 돈을 저축할까? 만약 (우리가) 그런 질문들에 대해 대답할 것을 강요받는다면, 우리는 "그것이 우리 같은 사람들이 하는 것이기 때문이다."라고 말함으로써 대답할지도 모른다. 우리는 우리가 속해 있는 문화가 우리에게 그렇게 하도록 강요하기 때문에 이와 같이 행동한다. (우리가 문화적 다양성에 관한 질문들에 답을 찾으려고 노력할 때, 우리는 문화가 옳거나 틀린 것에 대

한 것이 아니라는 것을 깨닫는다.) 우리가 살고 있는 문화는 우리가 생각하고, 느끼고, 행동하는 방식을 가장 널리 스며 있는 방식으로 형성한다. 우리가 우리인 것은 바로 우리의 문화에도 불구하고가 아니라, 정확히 그것(우리의 문화) 때문이다.

03 첫 번째 문장이 주제문으로 인류의 지속적인 생존은 환경에 적응하는 능력에 달려 있음을 설명하는 글이다. 주어진 문장은 떠나기 전에 그곳 토착민들이 어떻게 입고 일하며 먹는지 조사하라는 내용으로 ④ 앞에서 미지의 영역으로 향한다는 내용이 나오고 ④ 뒤에서 그곳 토착민들과 관련된 언급이 나오므로(they = the native inhabitants), 주어진 문장이 들어가기에 가장 적절한 곳은 ④이다.

어휘 native 토착의, 지방 고유의 human race 인류 adapt 적응하다 ancient 고대의 ancestor 조상 gap 간극, 격차 head off ~로 향하다 wilderness 미지의 땅 crucial 매우 중요한 arise 발생하다, 일어나다

구문 풀이

> **L13** [**How** they have adapted to their way of life] / will
> 그들이 자신들의 생활 방식에 적응한 방식은
> 주어(의문사절)   동사
>
> **help** you to understand the environment.
> 여러분이 그 환경을 이해하도록 도와줄 것이다
> help+목적어+목적격보어(to부정사)
>
> **L16** This is crucial / [**because** most survival situations arise /
> 이는 매우 중요하다   대부분의 생존 상황이 발생하기 때문에
>   이유 부사절
>
> as a result of a series of *events* / {**that** could have been
> 일련의 사건의 결과로   피할 수도 있었던
> ~의 결과로   주격 관계대명사 could have+과거분사:
>   ~했을 수도 있다(과거의 약한 추측)
> avoided"}].
> have been+과거분사: 현재완료 수동태

지문 해석

인류의 지속적인 생존은 우리가 처한 환경에 적응하는 우리의 능력으로 설명될 수 있다. 우리가 고대 조상들의 생존 기술 중 일부를 잃어버렸을지는 모르지만, 우리는 새로운 기술이 필요해짐에 따라 그것을 터득했다. 오늘날, 한때 우리가 가졌던 기술과 현재 우리가 가진 기술 사이의 간극이 점점 더 커진다. 따라서, 미지의 영역으로 향할 때는, 그 환경에 대해 준비하는 것이 중요하다. 떠나기 전에, 토착민들이 어떻게 옷을 입고, 일하며, 먹는지 조사하라. 그들이 자신들의 생활 방식에 적응한 방식은 여러분이 그 환경을 이해하도록 도와줄 것이다. 이는 대부분의 생존 상황이 피해질 수도 있었던 일련의 사건의 결과로 발생하기 때문에 매우 중요하다.

04 거의 모든 주요 스포츠 활동이 공으로 이루어진다는 주어진 글 다음에는, 경기 규칙에 항상 공의 유형에 관한 규칙이 포함되어 있고, 공이 어느 정도 단단해야 한다는 내용의 (B)가 이어지고, 단단함의 정도는 공의 재질에 따라 다르다는 내용의 (A)가 이어지며, 공의 단단함과 더불어 공은 적절히 튀어야 하는데 공의 재질에 따라 튐의 정도가 다르다는 내용의 (C)가 이어지는 것이 글의 흐름상 가장 자연스럽다.

어휘 hollow 속이 빈 stiff 단단한 light 가벼운 foam rubber 발포 고무 include 포함하다 certain 어느 정도의 bounce 튀다 properly 적절히 solid 순수한(다른 물질이 섞이지 않은), 고체의 bouncy (공이) 잘 튀는, 탄력성 있는 clay 점토

구문 풀이

> **L8** The rules of the game always include / rules about
> 경기의 규칙들은 항상 포함하고 있다   공의 유형에 대한
>
> the type of *ball* / [**that** is allowed, / {**starting** with the size and
> 규칙들을   허용되는   공의 크기와 무게부터 시작하여
>   주격 관계대명사   분사구문(동시 동작)
> weight of the ball}].
>
> **L14** A solid rubber ball / would be too bouncy /
> 순전히 고무로만 된 공은   지나치게 잘 튈 것이고
>
> for most sports, // and [*a solid ball* {**made** of clay}] / would
> 대부분의 스포츠에서   그리고 순전히 점토로만 만들어진 공은   would
>   주어   과거분사구   동사
> **not** bounce **at all**.
> 전혀 튀지 않을 것이다
> not ~ at all: 전혀 ~않다

지문 해석

거의 모든 주요 스포츠 활동은 공으로 한다. (B) 경기의 규칙들은 항상 공의 크기와 무게부터 시작하여 허용되는 공의 유형에 대한 규칙들을 포함하고 있다. 공은 또한 어느 정도 단단함이 있어야 한다. (A) 공이 적절한 크기와 무게를 가질 수 있지만 속이 빈 강철 공으로 만들어지면 그 공은 너무 단단할 것이고, 무거운 중심부를 가진 가벼운 발포 고무로 만들어지면 그 공은 너무 물렁할 것이다. (C) 마찬가지로, 공은 단단함과 더불어 적절히 튀어야 한다. 순전히 고무로만 된 공은 대부분의 스포츠에서 지나치게 잘 튈 것이고, 순전히 점토로만 만든 공은 전혀 튀지 않을 것이다.

[05~07]

05 주어진 문장은 갑자기 여섯 명의 한 무리가 둘 중 하나의 식당으로 들어가는 것을 보게 된다는 내용으로 ③ 앞에서 두 개의 비어 있는 식당 중 어느 식당에 들어가야 할지 모

르는 상황을 제시하고 있고 ③ 다음에서 여러분은 비어 있는 식당 또는 다른 식당 중 어느 곳에 들어갈 가능성이 더 크겠는가라고 묻고 있으므로, 주어진 문장은 ③에 들어가는 것이 가장 적절하다.

06 ⓔ를 포함한 문장은 텅 빈 식당과 여덟 명이 있는 식당을 보게 되는 사람들은 무리 행동에 영향을 받아 다른 여덟 명과 같은 행동을 하기로 결정할 것이라는 의미가 적절하므로 ⓔ differently(다르게)는 the same(같게)으로 고쳐야 한다.

07 무리 행동이 개인의 의사 결정에 영향을 미친다는 내용을 텅 빈 식당과 사람이 있는 식당을 예로 들어 설명하는 글로, 두 번째 문장이 주제문이다.

> **해석** 무리 행동이 우리의 <u>의사 결정</u> 과정에 영향을 미친다.

> **어휘** behavior 행동 decision-making 의사 결정 suppose 가정하다 empty 텅 빈

구문 풀이

L1 We **are** more **likely to** eat in a restaurant / [**if** we know /
우리는 그 식당에서 식사할 가능성이 더 크다   우리가 알게 되면
be likely to+동사원형: ~할 가능성이 있다   조건 부사절
{**that** it is usually busy}].
어떤 식당이 대체로 붐빈다는 것을
know의 목적어(명사절)

지문 해석

어떤 식당이 대체로 붐빈다는 것을 알게 되면 우리는 그 식당에서 식사할 가능성이 더 크다. 아무도 우리에게 어떤 식당이 좋다고 말하지 않을 때조차도, 우리의 무리 행동은 우리의 의사를 결정한다. 여러분이 두 개의 텅 빈 식당 쪽으로 걸어간다고 가정하자. 여러분은 어느 곳에 들어가야 할지 모른다. 하지만, 갑자기 <u>여섯 명의 한 무리가 그것들 중 하나로 들어가는 것을 보게 된다.</u> 여러분은 비어 있는 식당 또는 다른 식당 중 어느 곳에 들어갈 가능성이 더 크겠는가? 대부분의 사람들은 그 안에 사람들이 있는 식당에 들어갈 것이다. 여러분과 친구가 그 식당에 들어간다고 가정하자. 이제, 그 식당 안에는 여덟 명이 있다. 다른 사람들은 한 식당은 텅 비어 있고 다른 식당에는 그 안에 여덟 명이 있는 것을 보게 된다. 그래서, 그들은 다른 여덟 명과 다르게(→ 같게) 행동하기로 결정한다.

[08~10]

08 ⓔ를 포함한 문장에서 「either A or B(A 또는 B)」 구문의 A와 B는 병렬 구조를 이루어야 하므로 ⓔ need는 to need로 고쳐야 한다.

> 상관접속사 병렬 구조
> - both A and B
> - either[neither] A or[nor] B
> - not A but B
> - not only A but also B

09 모든 사람이 2분 안에 1마일(1,609미터)을 달릴 수 있도록 허용하는 법이 통과될 수도 있지만 물리적으로 그렇게 할 수 없기 때문에 그것이 그들의 자유를 증가시키지는 않을 것이라는 의미가 되는 것이 자연스러우므로, 빈칸에는 increase their *effective* freedom이 들어가는 것이 가장 적절하다.

10 '~에 달려 있다'는 depend on을, '그들이 선택하는 것'은 관계대명사 what을 사용하여 what they choose로 쓰면 된다. 전치사 on 뒤에 동사가 올 때 동명사 형태를 취하므로 have를 having으로 쓴다는 것에 주의한다.

> Their effective freedom / depends on / actually / having
> 그들의 실질적 자유는   ~에 달려 있다   사실
>   ┌→ 선행사 포함 관계대명사
> *the means and ability* / **to do** / [**what** they choose].
> 수단과 능력을 갖추는 것   할 수 있는 그들이 선택하는 것을
>   형용사적 용법 do의 목적어(명사절)

> **어휘** distinguish 구별하다, 구분하다 legally 법적으로 physically 물리적으로 incapable 할 수 없는 minimum 최소한 restriction 제약 maximum 최대한 possibility 가능성 restrain 저지하다, 억제하다 effective 실질적인, 효과적인 freedom 자유 depend on ~에 달려 있다, ~에 의존하다

구문 풀이

L2 *A law* could be passed / [**allowing** everyone, (if they so
법이 통과될 수도 있다   모든 사람이 허용하는   원한다면
                    현재분사구(A law 수식)   삽입절
wish), / **to run** a mile / in two minutes].
1마일을 달릴 수 있도록   2분 안에
allow+A+to부정사: A가 ~하도록 허용하다

L5 But / in the real world / most people will never have *the*
하지만 현실 세계에서　　대부분의 사람에게는 결코 가능성이 없고

┌ 형용사적 용법 1
opportunity / **either to become** *all* / [**that** they are allowed to
모든 것이 될　　자신이 되도록 허용된
either A or B: A 또는 B　　보격 관계대명사

become], / **or to need to be restrained from doing** *everything* /
모든 것을 하는 것을 저지당해야 할
형용사적 용법 2

┌ 부사적 용법(형용사 수식)
[**that** is *possible* for them **to do**].
그들이 할 수 있는
주격 관계대명사　　to부정사의 의미상 주어

지문 해석

어떤 일을 할 수 있도록 법적으로 허용되는 것과 실제로 그것을 해 버릴 수 있는 것을 구별하는 것은 중요하다. 원한다면, 모든 사람이 2분 안에 1마일(1,609미터)을 달릴 수 있도록 허용하는 법이 통과될 수도 있다. 그러나 그렇게 하는 것이 허용되더라도, 물리적으로 그렇게 할 수 없기 때문에, 그것이 그들의 '실질적인' 자유를 증가시키지는 않을 것이다. 최소한의 제약과 최대한의 가능성을 두는 것은 괜찮다. 하지만 현실 세계에서, 대부분의 사람에게는 결코 자신이 되도록 허용된 모든 것이 될 가능성이 없고, 할 수 있는 모든 것을 하는 것을 저지당해야 할 가능성도 없을 것이다. 그들의 실질적 자유는 사실 그들이 선택하는 것을 할 수 있는 수단과 능력을 갖추는 것에 달려 있다.

적중 예상 전략 2회

pp. 80~83

01 ⑤　**02** ③　**03** ③　**04** ⑤　**05** (A) need　(B) get paid　(C) because　**06** didn't build up / they'd never want to leave　**07** falling out of love with the adults who look after　**08** (e) / 발레 강사
09 was asked to keep an eye on the class so that they wouldn't roam around the school
10 ⓐ (B)etter　ⓑ (n)ever

01 1962년에 멕시코 시민권을 받았다(she took Mexican citizenship in 1962)고 했으므로 글의 내용과 일치하지 않는 것은 ⑤이다.
어휘 slave 노예　disallow 허가하지 않다, 금하다　entrance 입학　fine arts 순수 예술　represent 대변하다, 대표하다　injustice 불평등　recognize 인정하다　honor 훈장　citizenship 시민권

구문 풀이

L4 [**After being disallowed** entrance / from the Carnegie
입학이 허락되지 않고 나서　　Carnegie Institute of
접속사+수동태 분사구문(being+과거분사)

Institute of Technology / {**because** she was black}], / Catlett
Technology로부터　　그녀가 흑인이었기 때문에　　Catlett은
　　　　이유 부사절

studied design and drawing / at Howard University.
디자인과 소묘를 공부했다　　Howard 대학교에서

L11 Throughout her life, / she created *art* / [**representing**
평생　　그녀는 예술 작품을 창작했다
　　　　　　　현재분사구

the voices of *people* / {**suffering** from social injustice}].
사람들의 목소리를 대변하는　　사회적 불평등으로 고통 받는
　　　　　　　현재분사구

지문 해석

Elizabeth Catlett은 1915년에 Washington, D.C.에서 태어났다. 노예의 손녀로서, Catlett은 그녀의 할머니로부터 노예 이야기를 들었다. 그녀가 흑인이었기 때문에 Carnegie Institute of Technology로부터 입학이 허락되지 않고 나서, Catlett은 Howard 대학교에서 디자인과 소묘를 공부했다. 그녀는 Iowa 대학교에서 순수 미술 석사 학위를 받은 첫 번째 세 학생들 중 한 명이 되었다. 평생, 그녀는 사회적 불평등으로 고통 받는 사람들의 목소리를 대변하는 예술 작품을 창작했다. 그녀는 미국과 멕시코에서 모두 많은 상과 훈장으로 인정받았다. 그녀는 멕시코에서 50년 넘게 세월을 보냈고, 1962년에는 멕시코 시민권을 받았다. Catlett은 2012년에 멕시코에 있는 자택에서 사망했다.

02 데스크톱 사용 비율은 2016년에 49퍼센트, 2019년에 34퍼센트이므로 2016년에는 절반(50퍼센트)에 미치지 못했다. 따라서 도표의 내용과 일치하지 않는 것은 ③이다.
어휘 device 기기, 장치　access 접속하다, 접근하다　laptop 노트북 (컴퓨터)　e-reader 전자책 단말기

kindergarten 유치원 a third 3분의 1 rank 순위를 차지하다

L1 The above graph shows / the percentage of *students* /
위 도표는 보여 준다   학생들의 비율을

[**from** kindergarten **to** 12th grade / {**who** used devices /
유치원에서 12학년까지의   기기를 사용한
from A to B: A에서 B까지   주격 관계대명사

to access digital educational content / in 2016 and in 2019}].
교육용 디지털 콘텐츠에 접속하기 위해   2016년과 2019년에
부사적 용법(목적)

L11 [The percentage of smartphones in 2016] / was
2016년의 스마트폰의 비율은
주어   동사(단수)

the same / as that in 2019.
같았다   2019년 그것과
~와 같은   = the percentage of smartphones

지문 해석

위 도표는 2016년과 2019년에 교육용 디지털 콘텐츠에 접속하기 위해 기기를 사용한 유치원에서 12학년까지의 학생들의 비율을 보여 준다. ① 두 해 모두 노트북은 디지털 콘텐츠에 접속하기 위해 학생들이 가장 많이 사용한 기기였다. ② 2016년과 2019년 모두, 10명 중 6명이 넘는 학생들이 태블릿을 사용했다. ③ 2016년에는 절반이 넘는(→ 안 되는) 학생들이 데스크톱을 사용하여 디지털 콘텐츠에 접속했고, 2019년에는 3분의 1이 넘는 학생들이 데스크톱을 사용했다. ④ 2016년의 스마트폰의 비율은 2019년의 그것(스마트폰의 비율)과 같았다. ⑤ 전자책 단말기는 두 해 모두 가장 낮은 순위를 차지했는데, 2016년에는 11퍼센트였고 2019년에는 5퍼센트였다.

© Getty Images Korea

03 Photography Walks 프로그램에 관한 안내문이다. 티켓 가격(Ticket Price)에서 포토 앨범을 포함하여 1인당 30달러($30 per person (including a photo album))라고 했으므로 안내문의 내용과 일치하지 않는 것은 ③이다.
어휘 photography 사진 촬영 take photographs 사진 찍다 welcome 환영하다 including ~을 포함하여 comfortable 편안한 for free 무료로 registration 등록

L2 Have you ever wanted **to learn** / [**how to** take ┌ learn의 목적어(명사절)
여러분은 배우고 싶은 적이 있었나요   사진 찍는 법을
현재완료(경험)   명사적 용법(목적어) how+to부정사: ~하는 방법

photographs / using your smartphone or tablet]?
                스마트폰이나 태블릿을 이용하여

지문 해석

사진 촬영 걷기 프로그램

여러분은 스마트폰이나 태블릿을 이용하여 사진 찍는 법을 배우고 싶은 적이 있었나요? 그러면 오셔서 흥미진진한 '사진 촬영 걷기 프로그램'에 가입하세요. 모든 연령과 기술 수준을 환영합니다!

◆ 날짜: 9월 21일부터 9월 23일까지
◆ 시간: 오후 2시~오후 5시
◆ 장소: Evergreen 주립공원
◆ 티켓 가격: 1인당 30달러(포토 앨범 포함)
◆ 공지사항:
  • 편안한 옷과 운동화를 착용하세요.
  • 물과 간식은 무료로 제공됩니다.

등록은 프로그램 시작 최소 2일 전에 이루어져야 합니다. 더 많은 정보를 원하시면 저희 웹사이트를 방문하세요.

04 (a), (b), (c), (d)는 왕을 가리키고, (e)는 나이 든 신하를 가리킨다.
어휘 preparation 준비 set out for ~을 향해 나서다 deerskin 사슴 가죽 round up 몰다 doe (사슴·토끼 등의) 암컷 fearlessly 두려움 없이 lick 핥다 servant 하인 mate 짝 mourn 애도하다

L8 The proud hunter / **ordered** a hunting drum
그 의기양양한 사냥꾼은   사냥용 북을 만들라고 명령했다
              order+A+to부정사: A가 ~하도록 명령하다

to be made / out of the skin of the deer.
                그 사슴의 가죽으로
to부정사 수동태(목적어와 수동 관계)

L18 [The deerskin / {**used** to make this drum}] / belonged to
사슴 가죽은   이 북을 만드는 데 사용된   암사슴의 짝입니다
주어   과거분사구   동사

her mate, / [the deer {**who** we hunted last year}].
              우리가 작년에 사냥한 그 사슴
└ 동격 ┘   목적격 관계대명사

지문 해석

해마다. 젊은 왕은 근처의 숲으로 사냥을 하러 가곤 했다. (a) 그는 필요한 모든 준비를 한 다음, 자신의 사냥 여행을 떠나곤 했다. 다른 모든 해처럼, 그 왕은 (b) 그의 사냥 여행을 준비했다. 그는 단지 한 발의 화살로 사슴을 잡았고, 그 왕은 의기양양했다. (c) 그 의기양양한 사냥꾼은 그 사슴의 가죽으로 사냥용 북을 만들라고 명령했다. 1년이 지나갔다. 그 왕은 작년과 같은 숲으로 갔다. (d) 그는 동물을 몰기 위해 사슴 가죽으로 만든 북을 사용했다. 모든 동물이 안전한 곳으로 달아났는데, 한 마리 암사슴은 예외였다. 갑자기, 그 암사슴은 두려움 없이 사슴 가죽으로 만든 북을 핥기 시작했다. 그 왕은 이 광경에 놀랐다. 한 나이 든 신하가 이 행동의 답을 갖고 있었다. "이 북을 만드는 데 사용된 사슴 가죽은 암사슴의 짝, 우리가 작년에 사냥한 그 사슴입니다. 이 암사슴은 짝의 죽음을 애도하고 있습니다."라고 (e) 그 남자가 말했다.

[05~07]

05 (A) 「all+명사」는 명사의 수에 일치시킨다.

　　all+단수 명사+단수 동사/all+복수 명사+복수 동사

　(B) pay 지불하다 / get paid 지불되다, 돈을 받다

　(C) because+주어+동사 /

　　because of+명사(구): ~ 때문에

06 현재의 사실을 반대로 가정·상상해 보거나 현재나 미래에 실현 가능성이 희박한 일을 가정·상상할 때는 가정법 과거로 나타낼 수 있다.

　　가정법 과거: if+주어+동사의 과거형 / were ~, 주어+조동사의 과거형+동사원형 ...

> 　　　　　　　　　　　　　build up의 목적어 1
> **If teenagers didn't** build up / a fairly major disrespect *for* and
> 십 대 아이들이 키우지 않는다면　　아주 심각한 무례함과 갈등을
> 가정법 과거: if+주어+동사의 과거형/were ~, 주어+조동사의 과거형+동사원형 ..
>
> conflict *with* / their parents or carers, / they'd never **want** to
> 　　　　　　　그들의 부모나 보호자에 대해　　그들은 절대 떠나고 싶어 하지
> 목적어 2 　　전치사 for, with의 공통 목적어
>
> leave.
> 않을 것이다

07 '보살피다'는 look after, '정을 떼다'는 fall out love로 쓸 수 있다. 주어로 쓰였으므로 동명사 falling이 와야 한다. 그러므로, falling out of love with the adults who look after you로 쓴다.

어휘 mammal 포유동물　set up 자립하다　existence 생활, 실재　at regular intervals 일정한 기간마다　bill 청구서　electricity 전기　run out (물자·돈 따위가) 끊기다, 떨어지다　build up ~을 키우다, 쌓다　major 심각한, 중요한　disrespect 무례함, 불손　conflict 갈등　carer 보호자　independently 독립적으로　fall out of love with ~와 정을 떼다　look after 돌보다　take after 닮다

구문 풀이

> **L2** But human adults generally provide a comfortable
> 　　하지만 성인은 대부분 안락한 생활을 제공하는데
>
> 　　　　　　　　┌→ enough+명사
> existence / ― **enough** *food* arrives on the table, / money
> 　　　즉 충분한 음식이 식탁 위에 놓이고
> 　　　대쉬(부연 설명) 절 4개 병렬 구조
>
> **is given** at regular intervals, / the bills **get paid** / and the
> 정기적으로 돈을 받으며　　　　　청구서가 지불되고　　그리고
> 수동태　　　　　　　　　　　　　수동 표현(get+p.p.)
>
> electricity for the TV doesn't **usually** run out.
> TV를 보는 전기가 대개 끊기지 않는다
> 　　　　　　　　　　빈도부사(일반동사 앞 위치)

지문 해석

모든 포유동물은 어느 시점이 되면 부모를 떠나 그들 스스로 자립해야 한다. 하지만 성인은 대부분 안락한 생활을 제공하는데, 즉 충분한 음식이 식탁 위에 놓이고, 정기적으로 돈을 받으며, 청구서가 지불되고, TV를 보는 전기가 대개 끊기지 않는다. 십 대 아이들이 그들의 부모나 보호자에 대해 아주 심각한 무례함과 갈등을 키우기 때문에, 그들은 떠나고 싶어 한다.(만약 십 대 아이들이 그들의 부모나 보호자에 대해 아주 심각한 무례함과 갈등을 키우지 않는다면, 그들은 절대 떠나고 싶어 하지 않을 것이다.) 사실, 여러분을 보살펴 주는 어른들과의 정을 떼는 것은 아마도 성장의 필수적인 일부분일 것이다. 나중에, 여러분이 그들과 떨어져서 독립적으로 생활하게 되면, 그들에게서 벗어나기 위해 싸울 필요가 없을 것이기 때문에 그들을 다시 사랑하기 시작할 수 있을 것이다. 그리고 여러분은 가끔 집에서 요리한 밥을 먹기 위해 돌아올 수도 있다.

© Monkey Business Images / shutterstock

[08~10]

08 (a), (b), (c), (d)는 Melanie를 가리키고, (e)는 Melanie에게 자기와 함께 발레 교습소로 가자고 초대한 발레 강사를 가리킨다.

09 '요청을 받았다'는 수동태를 써서 was asked to로 쓸 수 있다. '배회하지 않도록'은 접속사 so that ~ not을 써서 so that they wouldn't roam으로 쓰면 된다.

> 5형식 동사 ask의 수동태(be asked+to부정사)
> Melanie **was asked** / to keep an eye on the class / **so that** they
> Melanie는 요청을 받았다   학생들을 지켜봐 달라는   그들이
> 　　　　　　　　　　　　 ~을 지켜보다   so that+주어+동사: ~하도록(목적)
>
> wouldn't roam around the school.
> 학교 주변을 배회하지 않도록
> 　　　　　주변을 배회하다

10 어릴적 발레 무용수가 되고 싶었던 Melanie가 재능이 없다는 발레 교사의 말을 듣고 춤을 포기했지만 나중에 학교 교사가 된 후 우연히 좋은 발레 강사를 만나 발레에 대한 열정을 되찾고 성공을 거두게 되었다는 내용으로, 어떤 일에 있어 행동과 도전의 중요함을 일깨워주는 글이다. 따라서 '안 하는 것보다는 늦게라도 하는 게 낫다.'는 의미의 Better late than never.라는 속담으로 표현할 수 있다.

어휘 local 지역의 institute 학원 average 평균의, 평범한 aspire 열망하다 confidence 자신감 ego 자아, 자부심 instructor 강사 incredible 굉장한, 놀라운 performance 공연 accompany ~와 함께 가다 renowned 유명한 keep an eye on ~을 지켜보다 roam 배회하다

구문 풀이

L2 [With her confidence and ego **hurt**], / Melanie never
　　　자신감과 자아가 상처받은 채　　　　　　　Melanie는 결코 다시는
　　　with+목적어+과거분사: ~가 …된 채로
danced again.
춤을 추지 않았다

L6 [**Unaware** of / the people around her], / she was lost /
　　　인식하지 못한 채　그녀를 둘러싼 사람들을　　그녀는 빠져 있었다
　　　Being 생략 분사구문(동시 동작)
in her own little world of dancing.
그녀만의 작은 춤의 세계에

지문 해석

Melanie는 발레 무용수가 되고 싶었지만 지역 무용 학원의 교사는 "이 소녀는 평범합니다. 무용수가 되겠다고 열망하며 그녀가 시간을 낭비하게 하지 마세요."라고 말했다. 자신감과 자아가 상처받은 채, Melanie는 결코 다시는 춤을 추지 않았다. (a) 그녀는 학업을 마치고 학교 교사가 되었다. 어느 날, 그녀가 근무하는 학교의 발레 강사가 늦게 오는 중이었고, Melanie는 학생들이 학교 주변을 배회하지 않도록 지켜봐 달라는 요청을 받았다. 발레실 안으로 들어가자마자, 그녀는 자신을 통제할 수 없었다. 그녀를 둘러싼 사람들을 인식하지 못한 채, (b) 그녀는 그녀만의 작은 춤의 세계에 빠져 있었다. 바로 그때, 발레 강사가 교실로 들어와 (c) 그녀의 굉장한 기술을 보고 놀랐다. "대단한 공연이에요!"라고 그 강사는 말했다. "죄송해요. 강사님!"이라고 그녀는 말했다. "(d) 당신은 진정한 발레리나예요!" 그 강사는 발레 교습소로 (e) 그녀와 함께 가자고 Melanie를 초대했고, Melanie는 그 이후로 결코 춤을 그만두지 않았다. 오늘날, 그녀는 세계적으로 유명한 발레 무용수이다.

© Ayakovlev / shutterstock

Memo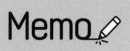

핵심 개념부터 실전까지, 고품격 수능 대비서

고등 수능전략

전과목 시리즈

체계적인 수능 대비

하루 6쪽, 주 3일 학습으로
핵심 개념과 유형, 실전까지
빠르고 확실하게 준비 완료!

신유형 문제까지 정복

수능에 자주 나오는 유형부터
신유형·신경향 문제까지
다양한 유형의 문제를 마스터!

실전 감각 익히기

수능과 모의평가 유형의 구성으로
단기간에 실전 감각을 익혀
실제 수능에 완벽하게 대비!

개념과 유형, 실전을 한 번에!

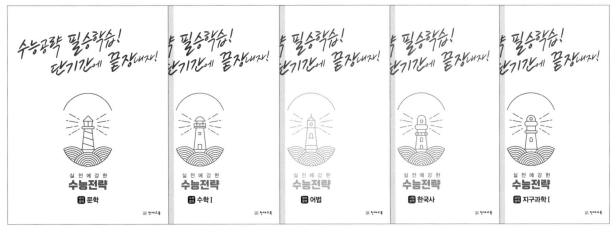

국어: 고2~3(문학/독서/언어와 매체/화법과 작문)
수학: 고2~3(수학Ⅰ/수학Ⅱ/확률과 통계/미적분)
영어: 고2~3(어법/독해 150/독해 300/어휘/듣기)

사회: 고2~3(한국사/사회·문화/생활과 윤리/한국지리)
과학: 고2~3(물리학Ⅰ/화학Ⅰ/생명과학Ⅰ/지구과학Ⅰ)

정답은
이안에
있어!

시험적중

내신전략

고등 영어 독해

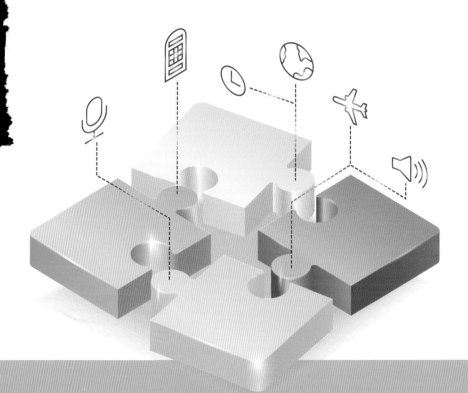

시험에 잘 나오는

개념BOOK 1

천재교육

시험적중
내신전략
고등 영어 독해

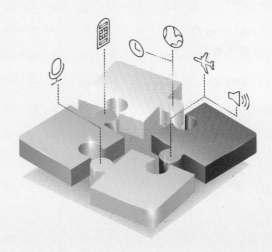

개념 BOOK 하나면
영어 공부 끝!

Week ❶

차례

Week ❷

01-1 필자의 주장 추론하기 ①

- 지시문 다음 글에서 필자가 주장하는 바로 가장 적절한 것은?
- 필자가 글을 통해 내세우는 [❶]을 파악하는 유형이다.
- 1문항 출제되고 배점은 2점이다.

Change is always uncomfortable, // but it is key to doing things differently / in order to find / that magical formula for success.

© CoraMax / shutterstcok

➡ 변화는 항상 불편하지만, 성공을 위한 마법의 공식을 찾기 위해 일을 색다르게 하려면 그것이 [❷]이다.

답 ❶ 의견 ❷ 핵심[키]

개념 CHECK

위 문장에 드러난 필자의 주장은?

ⓐ 불편한 상태를 피하려면 성공적인 삶을 추구해야 한다.

ⓑ 불편할지라도 성공을 위해서는 새로운 것을 시도해야 한다.

답 | ⓑ

01-2 필자의 주장 추론하기 ②

- 글의 형식은 주로 [①   ]이 제시되며, 필자의 주장은 명령문이나 청유문 등을 통해 제시된다.
  - 명령문·청유문: Please do ~. / Why not ~? / Make sure ~.
  - 최상급: It is best to ~.

Before you hit the Send key, / make sure / that you read your document carefully / one last time.

➡ 당신이 '보내기' 키를 누르기 전에, [②   ] 마지막으로 한 번 문서를 주의 깊게 읽도록 하라.

답 ① 논설문 ② 반드시

개념 CHECK

위 문장에 드러난 필자의 주장은?

ⓐ 이메일을 쓸 때에는 반복해서 수정해야 완벽해진다.

ⓑ 이메일을 전송하기 전에 반드시 검토해야 한다.

답 | ⓑ

- ① [　　　　]을 강조하는 표현이나, 필자의 주장을 강하게 드러내는 표현에 집중한다.
  - 조동사: You should [must / have to / need to] ~.
  - 1인칭 주어: I think [bet / believe / suppose] ~.
- 당위(necessary), 강조(important), 필자의 견해(I insist ~ / I suggest ~)를 나타내는 표현에도 유의한다.

You have to cultivate **happiness;** / **you cannot buy it at a store.**

➔ 당신은 행복을 가꿔 나가야 한다. 왜냐하면 상점에서 그것을 살 수 ② [　　　　] 때문이다.

© Konstantin Chagin / shutterstock

답 ❶ 당위성 **❷** 없기

개념 CHECK

위 문장에 드러난 필자의 주장은?

ⓐ 행복은 노력을 통해 길러 가야 한다.

ⓑ 행복은 가까이에 있으므로, 농사를 지으며 찾을 수 있다.

답 | ⓐ

02-1 글의 요지 파악하기 ①

- 지시문 다음 글의 요지로 가장 적절한 것은?
- 필자가 궁극적으로 전달하고자 하는 ❶ _____ 을 추론하는 유형이다.
- 1문항 출제되고 배점은 2점이다.

It's not the pressure to perform / that creates your stress. // Rather, it's the self-doubt / that bothers you.

© VIACHESLAV KRYLOV / shutterstock

➔ 여러분의 스트레스를 야기하는 것은 결코 수행에 대한 압박이 아니다. ❷ _____ 여러분을 괴롭히는 것은 바로 자기 의심이다.

답 ❶ 핵심 내용 ❷ 오히려

개념 CHECK

위 문장에 드러난 요지는?

ⓐ 자기 의심은 스트레스를 유발하고, 객관적 판단을 흐린다.

ⓑ 적절한 수준의 스트레스는 과제 수행의 효율을 높인다.

답 | ⓐ

글의 요지 파악하기 ②

- 필자의 주장을 추론하는 유형과 유사하며, 글에 흔히 반복되는 **①** [　　　　]가 포함된다.
- 핵심 소재는 글 전체를 통해 반복되면서 공통적인 개념을 가진 어구를 통해 드러난다.

Teachers can better motivate students / by considering **their work as** incomplete / **and then** requiring additional effort.

➜ 교사는 학생들의 과제가 미완성이라고 생각하고 **②** [　　　　]
노력을 요구함으로써 학생에게 동기 부여를 더 잘할 수 있다.

답 ① 핵심 어구 **②** 추가적인

개념 CHECK

위 문장에 드러난 요지는?

ⓐ 학생에게 평가 결과를 공개하는 것은 학습 동기를 떨어뜨린다.

ⓑ 학생의 과제가 일정 수준에 도달하도록 개선 기회를 주면 동기 부여에 도움이 된다.

답 | ⓑ

- 반론을 제기하거나 의견을 정리하는 표현 뒤에 제시되는 내용에 집중한다.
  - 반론 제기: but, however, nevertheless 등
  - 의견 정리: thus, [❶   ], that is 등

So keep in mind / that you must not fly kites near power lines. // Basic science will help you stay safe near electricity.

➡ 그러므로 여러분은 전깃줄 주변에서 연을 날리면 안 된다는 사실을 명심하라. [❷   ]은 전기 근처에서 여러분이 안전하도록 도와줄 것이다.

답 | ❶ so ❷ 기초 과학

개념 CHECK

윗글에 드러난 요지는?

ⓐ 감전 사고시 대처 방법을 알아야 한다.

ⓑ 기초 과학을 통해 우리는 안전을 지킬 수 있다.

답 | ⓑ

03-1 글의 주제 파악하기 ①

● **지시문** 다음 글의 주제로 가장 적절한 것은?

● 글이 ❶ [　　　　] 으로 다루고 있는 문제가 무엇인지 찾는 유형이다.

● 1문항 출제되고 배점은 2점이다.

When one person lies, / their responses will come more slowly // because the brain needs more time to process the details of a new invention / than to recall stored facts.

© Den Rozhnovsky / shutterstock

➔ 한 사람이 ❷ [　　　　] 을 하면, 그들의 반응은 더 느리게 나올 것인데, 왜냐하면 뇌는 저장된 사실을 기억해 내는 것보다 새로 꾸며낸 이야기의 세부 사항을 처리하는 데 더 많은 시간이 필요하기 때문이다.

답 ❶ 중점적 **❷** 거짓말

개념 CHECK

위 문장에 드러난 글의 주제는?

ⓐ delayed responses as a sign of lying

ⓑ necessity of white lies in social settings

답 | ⓐ

03-2 글의 주제 파악하기 ②

- 보통 글의 주제는 핵심어(구)를 포함한 [❶]의 형태로 제시된다.
- 영어로 제시된 명사구 선택지를 통해 글의 내용을 미리 예측해 본다.

These rings can tell us / how old the tree is, // and what the weather was like / during each year of the tree's life.

➔ 이 나이테는 그 나무가 몇 살인지, 그리고 그 나무가 살아 온 매해 동안에 [❷]가 어떠했는지를 우리에 게 말해 줄 수 있다.

답 ❶ 명사구 ❷ 날씨

개념 CHECK

위 문장에 드러난 글의 주제는?

ⓐ tree rings suggesting the past climate
ⓑ traditional ways to predict weather

답 | ⓐ

● 결론, 대조, 예시를 나타내는 연결어의 앞뒤 내용이 주제문일 가능성이 높다.

– 결론: therefore, in short, in conclusion 등

– 대조: but, [**❶**], while, on the contrary, in contrast 등

– 예시: for example, for instance 등

Many metaphors are almost universal.
// In many cultures, / for example, /
life is often compared to a journey.

➜ 많은 은유는 거의 **❷** 이다. 예를 들어, 많은
문화권에서 인생은 흔히 여행에 비유된다

© takasu / shutterstock

답 ❶ however **❷** 보편적

개념 CHECK

윗글에 드러난 글의 주제는?

ⓐ the life as a long journey

ⓑ the universality of metaphors

답 | ⓑ

04-1 글의 제목 추론하기 ①

- 지시문 **다음 글의 제목으로 가장 적절한 것은?**

- 글의 주제를 ❶ ⬚ 으로 나타낸 이름인 제목을 고르는 유형이다.

- 1지문 2문항 유형을 포함하여 총 2문항 출제되고 배점은 각각 2점이다.

All the things / we buy that then / just sit there / gathering dust are waste — / a waste of money, / a waste of time, / and waste in the sense of pure rubbish.

© Africa Studio / shutterstock

➡ 우리가 구입 후에 단지 그 자리에서 먼지만 모을 뿐인 모든 물건은 ❷ ⬚ 인데, 돈 낭비, 시간 낭비, 그리고 순전히 쓸모없는 물건이라는 의미에서 낭비이다.

답 ❶ 함축적 ❷ 낭비

개념 CHECK

윗글의 제목으로 알맞은 것은?

ⓐ Too Much Shopping: A Sign of Loneliness

ⓑ What You Buy Is Waste Unless You Use It

답 | ⓑ

- 글에서 반복되는 핵심 어구를 중심으로 글 전체를 [① ____] 제목을 찾는다.
- 글의 핵심어(구)가 제목의 중요한 단서이다.

Each day, / more than 7 billion elevator journeys / are taken in tall buildings / all over the world. // Efficient vertical transportation can expand our ability / to build taller and taller skyscrapers.

➡ 매일 70억 회 이상의 [② ____] 이동이 전 세계의 고층 건물에서 일어난다. 효율적인 수직 운송 수단은 점점 더 높은 고층 건물을 지을 수 있는 우리의 능력을 확장시킬 수 있다.

답 ① 아우르는[포괄하는] ② 엘리베이터

개념 CHECK

윗글에 제목으로 알맞은 것은?

ⓐ Elevators Bring Buildings Closer to the Sky

ⓑ The Higher You Climb, the Better the View

답 | ⓐ

- 글의 첫 문장이나 마지막 문장에 핵심 내용이 드러나 있는 경우가 많다.
- 제목은 간접적, **①** 인 표현으로도 제시되기 때문에 글의 핵심 내용을 포괄할 수 있는지의 여부를 반드시 확인한다.

During all the weeks / in which eyes were displayed / bigger contributions were made / than during the weeks / when flowers were displayed.

➔ 꽃 이미지가 전시되었던 주보다 눈 이미지가 전시되었던 모든 주에 **②** 기부가 이루어졌다.

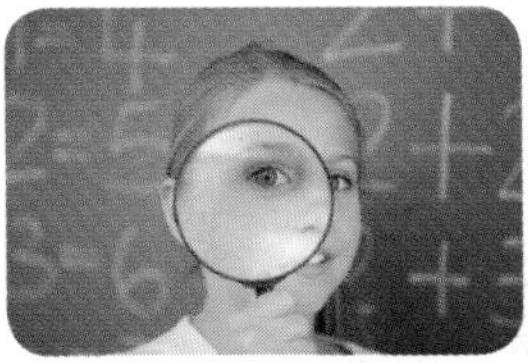

Getty Images Bank

답 ① 비유적 **②** 더 많은

개념 CHECK

윗글에 제목으로 알맞은 것은?

ⓐ The More Watched, The Less Cooperative
ⓑ Eyes: Secret Helper to Make Society Better

답 | ⓑ

05-1 글의 목적 추측하기 ①

- 지시문 다음 글의 목적으로 가장 적절한 것은?
- 필자가 글을 쓴 ❶ _____를 파악하는 유형이다.
- 1문항 출제되고 배점은 2점이다.

> I'd like to request your permission / for the absence of the players / from your school / during this event.
>
> ➡ 이 행사 기간 동안 귀하의 학교 선수들의 결석에 대한 귀하의 허락을 ❷ _____하고 싶습니다.

답 | ❶ 의도[이유] ❷ 요청

개념 CHECK

위 문장을 쓴 목적으로 알맞은 것은?

ⓐ 선수들의 학력 향상 프로그램을 홍보하려고

ⓑ 선수들의 대회 참가를 위한 결석 허락을 요청하려고

답 | ⓑ

- 글감으로 주로 **❶ [   ]** 나 이메일 등의 실용문이 제시된다.
- 목적에 해당하는 표현에 집중한다.

advise(조언) / advertise(광고) / apologize(사과) / appreciate(감사) /
request(요청) 등

We request you to create a logo / that best suits our company's core vision, / 'To inspire humanity.'

© Getty Images Korea

➡ 당사의 가장 중요한 비전인 '인류애를 고취하자'를 가장 잘 반영한 로고를 **❷ [   ]** 해 주실 것을 요청합니다.

답 ❶ 편지 **❷** 제작

개념 CHECK

위 문장을 쓴 목적으로 알맞은 것은?

ⓐ 회사 로고 제작을 의뢰하려고

ⓑ 변경된 회사 로고를 홍보하려고

답 | ⓐ

05-3 글의 목적 추측하기 ③

- 목적에 해당하는 표현에 집중한다.

complain(불평) / consult(상담) / invite(❶) /
persuade(설득) / recommend(추천) / reject(거절) 등

We at G&D Restaurant / would be more than grateful / if you can be part of our celebration. // We look forward to seeing you. // Thank you so much.

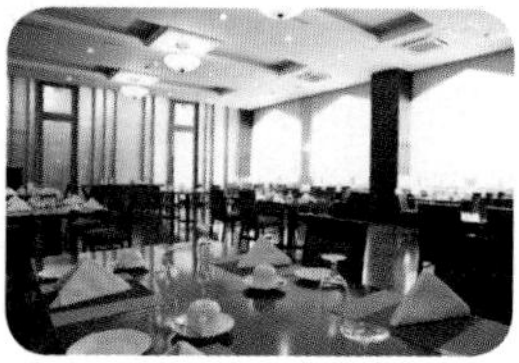

➔ 귀하께서 저희 ❷ 의 일원이 되어 주신다면 저희 G&D 식당은 정말 감사할 것입니다. 귀하를 만나 뵙게 되기를 고대합니다.

답 ❶ 초대 ❷ 기념식

개념 CHECK

윗글을 쓴 목적으로 알맞은 것은?

ⓐ 식당의 연례행사에 초대하려고

ⓑ 식당 만족도 조사 참여를 부탁하려고

답 | ⓐ

- 지시문
  - 다음 글에 드러난 ~의 심경으로 가장 적절한 것은?
  - 다음 글에 드러난 ~의 심경 변화로 가장 적절한 것은?
  - 다음 글의 분위기로 가장 적절한 것은?

- 특정 상황에서 글의 주인공이 느꼈을 [**❶**]을 파악하는 유형이다.

- 번갈아 가며 1문항 출제되고 배점은 2점이다.

Cindy was thrilled to see a famous artist in person. / "Can I have that napkin you drew on?", she asked. / "Sure, twenty thousand dollars," he said. / "What?" / Being at a loss, she stood still.

➔ Cindy는 한 유명한 화가를 직접 보게 되어 매우 기뻤다. "그림을 그리셨던 그 냅킨을 제가 가져도 될까요?"라고 그녀가 물었다. "물론이죠. 2만 달러입니다." "뭐라고요?" 그녀는 [**❷**] 가만히 서 있었다.

답 ❶ 감정 **❷** 당황해서

개념 CHECK

윗글에 드러난 Cindy의 심경 변화로 가장 적절한 것은?

ⓐ relieved → worried

ⓑ excited → embarrassed

답 | ⓑ

심경 변화, 분위기 파악하기 ②

- 분위기 문제는 등장인물이 처해 있는 [**❶**]이나 일어난 사건, 또는 특정 대상에 대한 묘사 등을 통해 이야기의 흐름을 파악하는 유형이다.
- 심경을 나타내는 표현들을 알아둔다.

---

annoyed / bored / calm / concerned / depressed / disappointed / embarrassed / envious / excited / frightened / frustrated / indifferent / nervous / regretful / relaxed / satisfied / scared / solitary / terrified / upset 등

My mind started to imagine / how my first day of school would turn out. // I could not wait to start my first day / at a new school.

© Pressmaster / shutterstock

➡ 내 마음은 나의 학기 첫날이 어떨지 [**❷**]하기 시작했다. 나는 새 학교에서의 첫날을 빨리 시작하고 싶었다.

답 ❶ 상황 ❷ 상상

개념 CHECK

윗글에 드러난 'I'의 심경으로 가장 적절한 것은?

ⓐ disappointed

ⓑ regretful

ⓒ excited

답 | ⓒ

06-3 심경 변화, 분위기 파악하기 ③

- 이야기 형태의 서사적인 글이 주로 제시되므로 글의 배경이 되는 시간과 ❶ ⬚ 를 파악한다.

- 분위기를 나타내는 표현들을 알아둔다.

---

busy / cheerful / comfortable / desperate / exciting / fantastic / festive / gloomy / humorous / lively / miserable / monotonous / noisy / peaceful / romantic / scary / spectacular / tense / urgent 등

In the middle of the night, Matt suddenly awakened. // It was 3:23. // He had heard / someone come into his room. // "Mom?" he said quietly, / but there was no answer.

➔ 한밤중에, Matt는 갑자기 잠에서 깼다. 3시 23분이었다.
   그는 누군가가 자신의 방에 들어오는 소리를 들었다. "엄마?" 그는 침착하게 말했다. 하지만
   ❷ ⬚ 이 없었다.

답 ❶ 장소 ❷ 대답

개념 CHECK

윗글의 분위기로 가장 적절한 것은?

ⓐ calm and peaceful
ⓑ mysterious and frightening

답 | ⓑ

07-1 밑줄 친 부분의 의미 파악하기 ①

- 지시문 밑줄 친 ~가 다음 글에서 의미하는 바로 가장 적절한 것은?

- 단어나 어구, 문장이 글자 그대로의 의미가 아닌 [❶   ]으로 나타내고 있는 의미를 파악하는 유형이다.

- 1문항 출제되고 배점은 3점이다.

There is the leopard seal / which likes to have penguins for a meal. // Penguins wait / until one of them jumps in. // If the pioneer survives, / everyone else will follow suit. // If it perishes, / they'll turn away. // Their strategy, / you could say, / is "learn and live."

➔ 식사로 펭귄을 먹는 것을 좋아하는 표범물개가 있다. 펭귄들은 자신들 중 한 마리가 뛰어들 때까지 기다린다. 만약 그 개척자가 생존하면, 다른 모두가 똑같이 [❷   ] 것이다. 만약 그가 죽는다면, 그들은 돌아설 것이다. 그들의 전략은 '배워서 사는' 것이라고 말할 수 있을 것이다.

답 ❶ 비유적 ❷ 따라 할

개념 CHECK

밑줄 친 "learn and live"가 의미하는 바로 가장 적절한 것은?

ⓐ support the leader's decisions for the best results

ⓑ follow another's action only when it is proven safe

답 | ⓑ

- 문맥을 통해 어구의 [❶] 뜻인 함의를 파악해야 하므로 난이도가 높은 문제 유형이다.
- 글감으로 서사적인 글뿐 아니라 논리적인 글도 제시된다.

We have a tendency to interpret events selectively. // What seems to us to be standing out / may very well be related to our goals, interests, or current demands // — "with a hammer in hand, everything looks like a nail." // If we <u>want to use a hammer</u>, / then the world around us may begin to look / as though it is full of nails!

➜ 우리는 선택적으로 사건을 해석하는 경향이 있다. 우리에게 두드러져 보이고 있는 것은 우리의 목표, 관심사, 또는 현재의 요구와 매우 관련 있을지도 모른다. 즉 "망치를 손에 들고 있으면, 모든 것이 못처럼 보인다"와 같다. 만약 우리가 망치를 사용하기를 원한다면, 그러면 우리 주변의 세상은 [❷]으로 가득 찬 것처럼 보이기 시작할지도 모른다!

© Zelfit /shutterstock

답 ❶ 숨은 ❷ 못

밑줄 친 <u>want to use a hammer</u>가 의미하는 바로 가장 적절한 것은?

ⓐ are unwilling to stand out

ⓑ intend to do something in a certain way

답 | ⓑ

07-3 밑줄 친 부분의 의미 파악하기 ③

- 단락 내에서 밑줄 친 문장의 의미를 추론할 수 있는 [❶]를 찾는다.

Aristotle argued that / being virtuous means finding a balance. // It is best to avoid both deficiency and excess. // The best way is to live at the "sweet spot" / that maximizes well-being. // Aristotle's suggestion is / that virtue is the midpoint.

© Anatoli Styf / shutterstock

➡ 아리스토텔레스는 미덕이 있다는 것은 [❷]을 찾는 것을 의미한다고 주장했다. 부족과 과잉을 모두 피하는 것이 최선이다. 가장 좋은 방법은 행복을 최대화하는 '달콤한 지점'에 사는 것이다. 아리스토텔레스의 의견은 미덕은 중간 지점에 있는 것이다.

답 ❶ 근거 ❷ 균형

개념 CHECK

밑줄 친 at the "sweet spot"이 의미하는 바로 가장 적절한 것은?

ⓐ in the middle of two extremes

ⓑ at the moment of instant pleasure

답 | ⓐ

한 문장으로 요약하기 ①

- **지시문** 다음 글의 내용을 한 문장으로 요약하고자 한다. 빈칸 (A), (B)에 들어갈 말로 가장 적절한 것은?

- 글 전체의 내용을 짧게 [❶] 한 문장의 빈칸 두 곳에 알맞은 표현을 추론하는 유형이다.

- 1문항 출제되고 배점은 3점이다.

When a child experiences painful or scary moments, / we can help the child understand / what's happening. // One of the best ways is / to help retell the story of the frightening or painful experience.

➜ 아이가 고통스럽거나 무서운 순간을 경험할 때, 우리는 아이가 무슨 일이 일어나고 있는지 [❷] 하도록 도와줄 수 있다. 가장 좋은 방법 중 하나는 무섭거나 고통스러운 경험의 이야기를 다시 되풀이하여 말하도록 돕는 것이다.

답 ❶ 줄인[요약한] ❷ 이해

개념 CHECK

요약문의 빈칸 (A), (B)에 들어갈 말로 가장 적절한 것은?

We may enable a child to ___(A)___ their painful, frightening experience by having them ___(B)___ as much of the painful story as possible.

ⓐ prevent ······ erase　　　　ⓑ overcome ······ repeat

답 | ⓑ

- 글의 [❶   ]를 요약한, 다른 구조로 표현된 문장의 빈칸에 들어갈 핵심어(구)를 찾는 것이 관건이다.
- 선택지 어휘는 주제문의 어휘와 유사어 또는 [❷   ]로 제시되므로, 어휘의 의미를 혼동하지 않도록 주의한다.

The cleaning people at the University of California / left several rolls of toilet paper / in the bathroom each weekend. // However, / by Monday / all the toilet paper would be gone. // Because some people took more toilet paper than their fair share, / the public resource was destroyed. // A woman named Rhonda at the university / put a note in the bathrooms / asking people not to remove the toilet paper, / as it was a shared item. // To her satisfaction, / one roll reappeared in a few hours, / and another the next day.

답 ❶ 주제 ❷ 반의어

- 요약문을 먼저 읽어보는 것이 글을 이해하는 데 도움이 된다.
- 선택지에 제시된 ❶ [   ]를 빈칸에 넣어 글의 내용을 대략 추론한 후, 문제 풀이에 접근하는 것도 좋은 방법이다.

> ➜ California 대학의 청소하는 사람들이 주말마다 화
> 장실에 두루마리 화장지 몇 개를 두고 갔다. 그러나, 월
> 요일 무렵에 모든 화장지가 없어지곤 했다. 즉, 일부 사
> 람들이 자신들이 사용할 몫보다 더 많은 휴지를 가져
> 갔기 때문에, 공공재가 파괴되었다. 그 대학에 다니는
> Rhonda라는 이름의 여성이 사람들에게 화장실 화장
> 지는 ❷ [   ] 쓰는 물건이므로 그것을 가져가
> 지 말라고 요청하는 쪽지를 화장실에 붙였다. 만족스럽게도, 몇 시간 후에 화장지 한 개가 다시 나
> 타났고, 그다음 날에 또 하나가 다시 나타났다..

답 | ❶ 어휘[단어] ❷ 함께

개념 CHECK

요약문의 빈칸 (A), (B)에 들어갈 말로 가장 적절한 것은?

| A small   (A)   brought about a change in the behavior of the people who had taken more of the   (B)   goods than they needed. |

ⓐ reminder ······ shared
ⓑ reminder ······ recycled
ⓒ mistake   ······ stored

답 | ⓐ

Word List

Word List

Word List

involved	몰두한, 몰입한	p. 14
irritation	짜증, 화	p. 13
landscape	지형	p. 22
lifespan	수명	p. 36
main stream	주류	p. 20
make progress	진전하다	p. 27
measurement	관측, 측정	p. 24
medication	의약품, 약물	p. 35
merit badge	공훈 배지	p. 19
metaphor	은유	p. 28, 30
mind set	태도, 사고방식	p. 32
minimum	최소한도	p. 35
moisture	습기	p. 35
motivate	동기 부여를 하다	p. 12
motivation	동기 부여	p. 37
motorized	전동의, 모터가 달린	p. 34
multiple	여러 번의	p. 23
multi-task	다중 작업을 하다	p. 15
mutual	상호의	p. 33
myth	잘못된 통념, 미신	p. 36
navigate	운전하다, 항해하다, 길을 찾다	p. 22, 32
neutral	중립적인	p. 09
observe	(발언·의견을) 말하다	p. 11
obvious	명백한	p. 09
ocean	바다, 해양	p. 21
outcome	성과, 결과	p. 25
overcrowded	너무 붐비는	p. 32

Word List

regulation	규정	p. 34
reinforce	강화하다	p. 34
relieve	덜어 주다	p. 28
remain	계속 ~이다, ~한 상태이다	p. 37
remarkable	두드러진	p. 37
remind	상기시키다	p. 14
respect	점, (측)면	p. 33
response	반응	p. 11
restrict	제한하다	p. 34
result in	그 결과 ~이 되다, 초래하다	p. 19
resulting	결과로 초래된	p. 20
reveal	보여 주다, 드러내다	p. 17
reward	보상	p. 19
ring	(목재의) 나이테	p. 24
rubbish	쓸모없는 물건, 쓰레기	p. 11
self-esteem	자존감	p. 19, 33
sensitive	민감한	p. 24
shared	공동의, 공유되는	p. 17
shortcoming	단점	p. 09
shut out	차단하다	p. 12
skyscraper	고층 건물, 마천루	p. 13
species	[생물] 종(種)	p. 36
staple	필수 요소, 주요 산물	p. 34
statistics	통계자료	p. 20
storage	보관	p. 35
strict	엄격한	p. 34
string	줄	p. 26
stuff	물건	p. 11

Word List

Week 2

communicate	전달하다	p. 77
comparison	비교	p. 60
competition	대회	p. 41
complete	완료하다, 채우다	p. 47, 50
composer	작곡가	p. 59
conclusion	결론	p. 75
conduct	실시하다, 실행하다	p. 54
connection	관계, 연결	p. 81, 83
consequence	결과	p. 77
consideration	숙고, 고찰	p. 79
consistency	일관성	p. 76
constantly	지속적으로	p. 76
construction	공사	p. 80
contradictory	모순되는	p. 68
creativity	창의성	p. 63
critically	비판적으로	p. 77
dead end	막다른	p. 81
deal with	~을 처리하다	p. 66
declare	선언하다	p. 64
deficiency	부족, 결핍	p. 56
delivery	배달, 배송	p. 50
demonstrate	보여 주다, 입증하다	p. 77
department	부(서), 과	p. 47
description	생김새	p. 74
desperately	필사적으로, 몹시	p. 81

Word List

expectation	기대, 예상	p. 45
facility	시설	p. 64
fairness	공평	p. 69
familiarity	친밀함	p. 82
fantasize	공상하다	p. 57
fill up with	~로 가득 차다	p. 64
financial	재정의	p. 78
fix	해결책	p. 76
flame	연기	p. 62
flat	평평한	p. 78
float	떠다니다	p. 58
flood	몰려들다, 밀려들다, 쇄도하다	p. 42
follow suit	따라 하다, 전례를 따르다	p. 42
freeze	(두려움 등으로 몸이) 얼어붙다	p. 64, 67
frequency	빈도	p. 75
function	기능을 하다	p. 83
gaze around	(놀라서) 두리번거리다	p. 67
generous	관대한, 너그러운	p. 56
gifted	재능 있는	p. 46
glance	힐끗 쳐다보다	p. 48
globalization	세계화	p. 78
handful	다루기 힘든 것[일]	p. 74
hatred	증오심	p. 69
head	향하다	p. 49
herdsman	목동	p. 72

intelligent	똑똑한	p. 55
intense	격렬한	p. 42
interact	상호 작용하다; 상호 작용	p. 54, 82
interpret	해석하다	p. 45
intuition	직관(력)	p. 53
issue	(잡지의) 호	p. 50
keep up	계속되다, 따라가다	p. 76
khaki	카키색	p. 49
launch	새로 시작하다	p. 44
leap	(껑충) 뛰다	p. 79
left hemisphere	좌뇌, 좌반구	p. 42
link	연결하다	p. 61
local	지역의	p. 80
longer-term	장기적인	p. 64
longing	갈망	p. 81
look forward to	～을 고대하다	p. 46
loosen up	긴장이 풀리다	p. 64
make a living	생계를 유지하다	p. 72
make the most of	～을 최대한 이용하다	p. 60
make up	구성하다	p. 60
making process	의사 결정 과정	p. 53
mark	기념하다, 표시하다	p. 77
mastery	숙달, 통달	p. 68
maxim	격언	p. 82
maximize	최대화하다	p. 56

Word List

remove	지우다, 제거하다	p. 45
renew	갱신하다	p. 50
reply	응답, 답변; 응답하다	p. 44, 50
request	요청하다, 요구하다	p. 76
resent	분노하다, 분개하다	p. 76
resident	입주민, 거주민	p. 66
respond	대응하다, 반응하다	p. 57
reveal	나타내다, 드러내다	p. 54, 57
reward	보상	p. 69
rhythmic	규칙적으로 순환하는	p. 48
ritual	의식, 의례	p. 77
root	꼼짝 못 하다	p. 44
row	열	p. 59
rub	문지르다	p. 48
satisfaction	만족	p. 45
satisfy	만족시키다	p. 81
scramble	급히 서둘러하다	p. 76
scratchy	긁는 듯한 소리를 내는	p. 48
security	안정감	p. 83
selective perception	선택적 지각	p. 45
selectively	선택적으로	p. 45
settle	배정하다, 정착시키다	p. 47
shameful	부끄러운	p. 60
share	몫; 함께 쓰다, 공유하다	p. 45
sharpen	연마하다, 날카롭게 하다	p. 79

Word List

내신전략 | 고등 영어 독해

시험에 잘 나오는
개념BOOK 1